THE WINNING INVESTMENT HABITS OF
WARREN BUFFETT & GEORGE SOROS

by

Mark Tier

Japanese translation rights arranged with Writers House LLC
through Owl's Agency Inc.

タムシン、ナターシャ、シャウン、バンへ——
これで君たちは私の間違いを繰り返さずにすむ

訳者まえがき

本書はMark Tier著*The Winning Investment Habits of Warren Buffett & George Soros*の全訳である。テキストには香港版を用いた。本書のテーマは大きくまとめれば次の三つである。

1　世界で最も著名な二人の投資家、バフェットとソロスの投資哲学や投資戦略はどのようなものか
2　投資哲学や投資戦略の背後にあり、両者に共通する「習慣」は何か
3　そうした「習慣」を一般投資家が身につけるにはどうすればよいか

第1部が扱うのが1および2である。1については類書が多数あるが、本書の視点はユニークであり、自らも投資助言を行なっていたティアーのキャリアが生かされているように思う。本書が特に独自であるのは、バリュー投資家（バフェット）とトレーダー（ソロス）という一見対極にあるスタイルを持つ二人に共通する要素を抽出している2だ。

第1部でティアーは、通常は投資や投資成果の基盤として扱われる投資哲学なり投資戦略のさらに背後にあるものとして「習慣」に着目し、二三項目にわたる「成功する習慣」を抽出したうえ、それぞれが投資の意思決定を行なう際どのような意味を持つのかを説明している。

第2部では、第1部で列挙・説明した成功する習慣を、広く一般の投資家が身につけるために必要

な手続きである3が平易かつ詳しく述べられている。訳者として言わせてもらえば、ティアーの提案する方法は行動ファイナンスに通じるところもあり、興味深いところだ。ティアー自身の「あとがき」から考えるに、こうしたやり方は彼がかかわっているNLP（神経言語プログラミング）の考え方に基づくものであるようだ。

訳者の限られた理解によれば、NLPの主要な主張には「人間がやっていることならマニュアル化できる」かつ「マニュアル化できるなら、それは他人にもやれるはずだ」が含まれるようだ。ティアーにとって、本書はNLPの思想を投資へ応用したものなのだろう。読者の皆様が本書を楽しまれると同時に、皆様の投資が成功すれば素晴らしいと思う。

本書を日本語にする過程で鈴木桂氏の力をお借りした。本書のうち、彼女の力による部分は多岐に及ぶ。UFJつばさ証券の藤井幸子氏にはトレーディング周辺の概念・用語・事情についてご教授いただいた。また、構成等についてはダイヤモンド社の中嶋秀喜氏のお力による部分が大きい。たとえばどこに訳注を入れるかなどについては、基本的に中嶋氏のアイディアである。この場を借りてお三方にはお礼を申し上げる。ありがとうございます。

最後に、訳者およびその雇用主等は、本書の筆者および筆者の関係する組織・企業等と無関係であり、筆者の推奨・説明する投資手法や投資対象等、およびそれらによって得られる投資成果について、なんらの推奨・予測・保証を行なうものではない。投資は投資者が自らの判断と自己責任で行なうべきものであることを明記しておく。

二〇〇五年八月二九日

望月　衛

バフェットとソロス　勝利の投資学——目次

第2部　成功する習慣を身につける……281

第1部

バフェットとソロスに学ぶ「成功する投資の習慣」

第1章　知的習慣が持つ力

二人の共通点

ウォーレン・バフェットとジョージ・ソロスはともに世界で最も偉大な投資家である。

バフェットの特徴は、優れた事業を行なう会社の株を、自分の判断に基づいて本質的価値より割安な水準で買い、それを「未来永劫に」保有することだ。ソロスは通貨・先物市場で大規模かつレバレッジ（てこ）の効いた取引を行なうことで知られている。彼らはまったく正反対で、投資手法は昼夜のごとく相反する。ごく稀に同じ投資判断を行なったとしても、それはまったく違う理由によるものだ。

世界で最も成功した二人の投資家が共有している点は何だろう？　一見そんなものはほとんどなさそうだ。しかし私は、バフェットとソロスがともにやっていることが何かあるのではないかと思った。彼らの成功の秘密につながりそうな、何か非常に重要な点が。

世界で最も裕福な投資家五人（フォーブズ二〇〇三年ランキング）

順位	億万長者名	保有資産	資産の源泉	企業等
2位	ウォーレン・バフェット	三〇五億ドル	自身で構築	バークシャー・ハサウェイ、アメリカ
5位	アルワリード・ビンタラル・アルサウド王子	一七七億ドル	相続	サウジ王族、サウジアラビア
25位	アビゲイル・ジョンソン	八二億ドル	相続	フィデリティ・インベストメンツ、アメリカ
38位	ジョージ・ソロス	七〇億ドル	自身で構築	クウォンタム・ファンド、アメリカ
39位	ハレド、ハヤット、ハッサン、ルブナ、メアリーのオラヤン一族	六九億ドル	相続	オラヤン・グループ、サウジアラビア

ウォーレン・バフェットとジョージ・ソロスはともにゼロからのスタートだが、リスト中の他の富裕投資家はすべて一頭身抜き出たところからスタートしている。

調べるほどに、共通点が見つかった。彼らの考え方、投資判断の仕方、信念などについて分析を行なったが、驚くべき一致が見られた。例をいくつか挙げよう。

- ●バフェットとソロスは市場の本質的な部分については同じ信念を持っている。
- ●投資を行なう際、彼らは期待できる儲けを重視していない。すなわち、金のために投資をしているわけではない。

●二人とも儲けることよりも損をしないことを非常に重視している。

●決して分散しない。彼らはいつでもありったけの資金を注ぎ込む。

●市場や経済を予想する能力は、彼らの成功とはまったく無関係である。

彼らの信念、行動、態度、意思決定の戦略を分析した結果、私は両者が信念を持って行なっている23カ条の知的習慣と方法を発見した。あなたもそのすべてを身につけることができる。

投資の達人たち

ウォーレン・バフェット：「オマハの賢人」

一九三〇年　ネブラスカ州オマハ生まれ。

一九五六年　バフェット・パートナーシップとしてファンド運用を開始（一九六九年に解散）。現在はバークシャー・ハサウェイ会長兼主要株主。

・一九五六年にバフェットが投資した一〇〇〇ドルの現在価値は二五二八万九七五〇ドル（二〇〇二年一二月末現在）

・年間複利収益率　二四・七％

・収益がマイナスの年：一回（二〇〇一年）。S&P五〇〇が下落した年は一九五六年以来一三回

ジョージ・ソロス：「イングランド銀行を破綻させた男」

一九三〇年　ハンガリー、ブダペスト生まれ。
一九六九年　クウォンタム・ファンド設立（当初の名称はダブル・イーグル・ファンド）。二〇〇〇年よりクウォンタム・エンダウメント・ファンド。

・一九六九年にソロスが一〇〇〇ドル投資した資産の現在価値は五一四万二二〇〇ドル（二〇〇二年一二月末現在）
・年間複利収益率　二八・六％
・収益がマイナスの年：四回（一九八一年、一九九六年、二〇〇〇年、二〇〇二年）。S&P（スタンダード・アンド・プアーズ）五〇〇が下落した年は一九六九年以来九回

勝ち組の投資の習慣

次に、彼らの投資の習慣が他の成功した投資家や商品トレーダーにも当てはまるか「テスト」してみた。例外なく完全に合致していた。フィデリティ・マジェラン・ファンドを担当していた頃、年率二九％をたたき出したピーター・リンチ、バーナード・バルーク、ジョン・テンプルトン卿、フィリップ・フィッシャーといった伝説の投資家、そしてその他私が調査し、あるいはともに働いたことのある多数の成功した投資家（および商品トレーダー）すべてが、例外なくバフェットとソロスの投資の習慣を身につけていた。

文化的なバックグラウンドの違いは何ら影響を及ぼさない。個人的に最も劇的だった瞬間は、香港在住の日本人で、ロウソク足チャートを用いてシンガポール、東京、シカゴの先物取引を行なう投資家にインタビューしたときだ。習慣のリストを一つ一つチェックしていき、22まで来たとき、「取引で得た利益が税金で持っていかれるなんて、そんなのやってられるか？」と彼に聞かれた。この発言でチェックリストは完璧に揃ったのだった（香港の寛大な税制に感謝を捧げたい――ここでは彼は合法的に望みをかなえられる。トレーディングに対する税金はない）。

最後のテストは、これらの習慣が誰にでも身につけられるかどうかである。これらは教わることができるものだろうか？　そしてこれらを学べば投資成果は向上するのだろうか？　私はまず自分でやってみた。私は投資アドバイザーをしており、長年の間、『ワールド・マネー・アナリスト』と名づけた投資レポートを発行していた。私自身の投資成果がいま一つであるというのは非常に恥ずべきことだ。あまりにひどかったので、長年の間、私は自分の資金を投資せずにただ銀行に置いていたのだった。

自分自身の投資の習慣を、彼ら勝ち組の投資の習慣を導入して変えてみると、投資成果は劇的に向上した。一九九八年以来の私個人の株式投資リターン（収益率）は（一九九八年一月一日から二〇〇三年一二月三一日で）平均年率二四・四％であり、対照的にS&Pはたったの二・三％であった。加えて、六年のうち三年はS&Pが下落したにもかかわらず、私には損をした年はなかった。私は自分が思っていたよりも多額の資産を簡単に蓄えることができた。正しい習慣を身につければあなたにだってできるのだ。

あなたがウォーレン・バフェットのように株式市場で割安銘柄を探すのであろうと、ジョージ・ソロスのように通貨先物取引をするのであろうと、不動産取引だろうと、テクニカル分析なりロウソク足チャートを使って下離れ（それまでより大きく下げること）で買おうと上離れで買おうと、コンピュータでシステム取引を行なおうと、あるいは困ったときのために資金を寝かせておこうと同じことだ。これらの習慣を取り入れることで、投資リターンは向上するだろう。

正しい知的習慣を持つかどうかが、あなたのやることすべてにおいて成功か失敗かを決める。しかし投資の達人の精神的方法は非常に複雑だ。だからまず、簡単な例から見てみよう。

どうしてジョニーはスペルができない？

ひどいスペルしかできない人々がいる。彼らは教師を激怒させる。正しくスペルする能力について学校教師ができることは何もないからだ。たとえ他の事柄で平均より優れた知能を示したとしても、教師たちはそういう生徒たちをあまり優秀ではないと考える。問題は知能が足りないことではない。それはスペルができない人々の使う、精神的戦略によるものである。

スペルが得意な人々は単語を記憶と視覚で思い出す。彼らは単語を記憶からコピーして書き出すのだ。これはあまりに瞬時に起こるので彼らはそれを認識すらしていない。多くの、何かしらの達人である人々が一般的にどうやってうまくやれるのか説明できないのと同じ、いやそれよりもさらに。これと対照的に、ひどいスペルをする人々は、発音に基づいて書き出すのだが、このやり方は英語ではあまりうまくいかない。

解決策は、彼らが、スペルが得意な人々の習慣を導入することだ。彼らが単語を「聴く」のではなく「見る」ことを学ぶにつれて、問題は消えていく。はじめてこのやり方を実際に目撃したとき、私は感動した。ある素晴らしい男性ライターは、学校でいつも「こんなひどいスペルでさえなければ、絶対Aなのに！」というコメント付きの「B」の評価を貰っていた。五分もたたないうちに、彼は、「antidisestablishmentarianisms（反既成体制廃止論諸派）」、「rhetoric（論理）」、「rhythm（リズム）」といった、ずっと困らされていた単語をすらすらと書いていた。彼はこれらがどのように見えるかは知っていたのだ。ただ、見なければいけないということを知らなかっただけで（なお、スペル力向上法は応用心理学の一種である神経言語プログラミングの共同設立者、ロバート・ディルツによって開発された）！

これが、知的習慣のなせる技である。

知的習慣の仕組み

癖や習慣は自動的に繰り返すうちに身につくものである。一度習慣になるとほとんど無意識のうちにその行為を行なっている。スペルが正しく書ける人々に言えることは、どうやって正確にスペルをするかについては完全に無意識だということだ。彼らは単にそれが正しいということを「知っている」のである。

一方、成功する投資家たちは意識して仕事を行なっているのだろうか？　彼らは意識的にアニュアル・レポートを読み、バランスシートを分析し、株や商品の値動きチャートを読みとっているのではないのか？　ある程度はその通りである。しかし、意識は心理上の氷山の一角でしかない。意識的に行なう思考や判断、行動はすべて、さまざまな無意識的心理が複合的に組み合わさって発生するものである。隠れた信念や感情は、言うまでもなく、最も意志が強い人々でも障害になるのだ。

たとえば、もし誰かが「君のスペルはほんとにひどいね」と何度も何度も言われたら、その信念は彼の人格の一部になりうる。スペル力向上法を教師について学び、優れた人の真似をすることもできるだろう。しかし自分自身で生み出したやり方を確立しなくては、簡単に古い思考パターンに逆戻りしてしまう。「スペルは苦手だ」という彼の信念を変えることだけが、優れた人々の知的習慣を身につけることにつながる。

また、少数派ではあるが、関連する技術が不足しているという原因で躓《つまず》く人もいる。心の中でイメージをつくることができないのだ。このような場合、スペル名人になる前に、まずどうやって視覚化するのかということを学ばなければならない。

知的習慣を維持するのには四つの要素がある。

1　行動のもとになる信念
2　精神的戦略——意識と無意識のプロセス
3　恒常的な感情
4　関連する技術

この構造を何か別のプロセスに当てはめて分析してみよう。成功する投資家の習慣よりは簡単で、かつスペル向上法よりは複雑なものにしよう。

アイスブレイカー

パーティーに来ていると想像してみよう。二人の男性が、同じ一人の魅力的な女性に視線を向けている。見ていると一方の男性が彼女の方に歩きだした。が、立ち止まり向きを変えてバーのほうに行き、壁の花に転じ、その晩の残りを酔っ払って過ごした。もう一人の男性は彼女のところに歩いていき、話を始めた。

しばらくして、私たちはこの男性がパーティーに来ている人ほとんど全員と話していることに気づく。そして彼は我々のほうにも来て会話を始める。私たちは、彼は本当にナイスガイだと感じるが、後で思い出すと彼はあまり話していなかった。話していたのは私たちばかりだった。

そんな人のことを誰でも知っているはずだ。赤の他人のところに歩いて行って、ほんの数分のうちにまるで長年の親友のようにお喋りをする。私はこんな人をアイスブレイカーと呼んでいる。彼らの行動の背景には、彼らが実践している知的習慣があるのだ。

1　**信念**：彼らは、すべての人が面白いと思っている。

2　**精神的戦略**：彼らは頭の中で自分の声を聞いている（「彼／彼女は面白いな」）。

3　**恒常的な感情**：彼らは知らない誰かと出会うことに好奇心や興奮さえ感じている。彼らは自分に自信があり、関心は外に向いている（彼らも何かしらの問題や落ち込んだ気分でいっぱいのときは内向的になり、会話する気分ではなくなるだろう）。

4　**関連する技術**：彼らはアイコンタクトと心からの笑顔で共感を醸し出す。通じ合っていることを感じたとき、彼らは害のないきっかけで会話を始め、話すよりは聞き、ずっとアイコンタクト

3つの知的習慣

	アイスブレイカー	壁の花*	自己中心型
信　念	人はみんな面白い	私はダメなんだ／いつも傷ついてばかり	面白い人もたまにいる
精神的戦略	心の声：この人、面白いなあ	過去の関係にとらわれている	心の声：この人は、自分にとって面白いか？
関心の方向	外	自己の内側	まず自分
感　情	好奇心、興奮	傷ついている	確信がない
能　力	共感、良い聞き役	特にない	質問

*これは多数ある壁の花の取る作戦の一種にすぎない。

を続け、関心を話し相手に向けたり（そのことで相手は、彼らにとって自分は重要なのだと感じる）、心の中でこの人は何を思っているだろうと考えたりして、そうした感覚を持ち続ける。

このようなことがどう作用するか、あなたも試してみることができる。（もしもいまだに信じられないなら）やってみてほしい。すべての人は面白いと思ってみよう。自分でつぶやいてみるのだ、「彼／彼女は面白い人だな」。そしてあたりを見回す。もしひとりぼっちだったら、人ごみの中にいると想像してみよう。（ほんの少しの間ぐらいは）違いを感じることができるだろう。

バーの壁の花で終わる人は、まったく違う知的習慣を持っている。興味の光が瞬いたとたんに、彼の頭の中でこれまでの傷ついた関係、つらい気分、悲しみを沈めるためにビールをあおった日々の「映画が上映される」。彼の感情面での反応は、無意識の、自分でつくった限界の表れである――「自分はダメなんだ」、「いつも人間関係では失敗するんだ」。

新しい誰かに出会ったときの、もうひとつの典型はこうだ：「この人は（自分にとって）面白そうかな」。この自己中心型の思考は、すべての人が興味深いわけではないという考えに基づいている。それが、さきほどとは非常に異なる行動に結びつく。

三つの知的習慣の比較表を掲載しておこう（前ページ参照）。

壁の花、または自己中心型の人も、アイスブレイカーのテクニックを簡単に学ぶことができる。どのように共感を培うか、どのように心からの笑顔をつくるか、どうやっていい聞き手になるかなどだ。また心の内でつぶやくこともできる。「楽しい人だな！」

しかし、もし壁の花が全然知らない人との会話をリードしようとしたらどうなるか？　自分自身の限界を決めてしまう信念が、意識的に何か新しいことをしようとするその人の試みを妨害する――そして何も起こらない。

同じように、無意識下で「私は金なんか儲けられっこない」とか「自分は負け犬だ」と信じている投資家は、どんなに多くのスキルを身につけどんなに努力してみても、市場で成功することはできない。多くの投資家の失敗の背後にも同様の信念が横たわっている。私はこれを投資の七つの大罪と呼んでいる。

第2章　投資の七つの大罪

　ほとんどの投資家は、いかに投資で成功するかについて間違った信念から怪我をする。ウォーレン・バフェットやジョージ・ソロスといった投資の達人はそういう間違いを犯さない。なかでも最も有害で間違ったものを、私は投資の七つの大罪と呼んでいる。

　最初の一歩としてこれらを紹介し、どこがどう間違っているか考えてみよう。

［投資の大罪①］　次にマーケットがどう動くかを予測しなければいけない。

［真実］　非常に成功している投資家たちは、市場の次の動きを予測する能力について、あなたや私と何ら変わりない。

　信じられない話がある。一九八七年一〇月の市場暴落の一カ月前に、ジョージ・ソロスは『フォーチュン』の表紙に登場した。彼は次のように語っていた。

　（アメリカの）株価が上がりに上がってファンダメンタルズに基づく価値から遠く離れていたとしても、それだけで必ず暴落するとは限らない。市場が割高だとしても、それが続かないとは限

らない。アメリカ株があとどのくらい割高になりうるか知りたいなら日本株を見るといい。(注1)

彼はアメリカ株に強気で、暴落は日本で起きると思っていた。彼はこの見通しを一九八七年一〇月一四日の『ファイナンシャル・タイムズ』でも繰り返している。一週間後、ソロスのクウォンタム・ファンドは、日本ではなくアメリカの市場で三億五〇〇〇万ドルを失った。その年に得た利益がたったの数日で消え失せた。ソロス自身も言っている。「**私の金銭面の成功は、私の将来の出来事を予想する能力とは際立って対照的だ**(注2)」

バフェットはどうだろう？　彼にとっては、市場が次にどうなるかは単純にどうでもよく、またいかなる種類の予測にも興味がない。「予想は予想屋についてたくさん教えてくれるが、未来については何も教えてくれない(注3)」

成功する投資家たちが市場の次の動きに依存することはない。つまり、バフェットもソロスも、マーケット予測を信じたら破産すると真っ先に認めるだろう。市場の予想は投資レポートや投資信託の売り込みのパンとバターであって、投資で成功するためのものではない。

［投資の大罪②］導師《グル》信仰：自分では市場を予測できないが、どこかに誰か予想できる人がいるはずだ――彼（彼女）を見つければいいだけだ。

［真実］もしあなたが本当に未来を予知することができたなら、屋上からそれを叫ぶか？　それとも口を閉ざし、証券会社に口座を開いてがっぽり稼ぐか？

エレイン・ガザレリは無名の数字オタクだったが、一九八七年一〇月一二日に「株式市場の崩壊がすぐそこに迫っている」と予言した。それはまさにその月のブラック・マンデーの一週間前だった。

彼女は突如としてマスコミのセレブになり、その後数年その地位を利用してがっぽり儲けた。予知能力で？ というわけではない。彼女の投資信託に流入した資金は一年足らずの間に七億ドルに達した。信託報酬はわずか一％だったが、それでも七〇〇万ドルだ。悪くない。彼女は投資レポートの発行も始め、あっという間に購読部数は一〇万部に達した。

導師《グル》というステイタスを利用したビジネスでエレイン・ガザレリはがっぽり儲けたわけだが、彼女の信者たちはそうはいかなかった。一九九四年、彼女の投資信託の受益者たちはファンドの償還を可決した。理由はいまひとつの運用成果と資産の減少である。設定来のファンドの収益は、S&P五〇〇の五・八％に対して四・七％だった。金融マスコミで有名になって一七年間、ファンドが縮小し、投資レポートは消えてなくなり、予言に基づく運用実績はぱっとしないにもかかわらず、彼女はマスコミにおける導師《グル》の座を守り続けた。

例を挙げると、一九九六年七月二一日、彼女が「ダウ（ダウ・ジョーンズ工業株価平均）は六四〇〇ポイントくらいまで上昇するだろう」と言ったとき、ダウは五四五二ポイントだった。たった二日後に彼女は「マーケットは一五〜二五％下落しそうだ」と公言した。どちらが出ても五〇セントというわけだ。

これは一九八七年から一九九六年までに『ウォールストリート・ジャーナル』『ビジネスウィーク』および『ニューズウィーク』に掲載された彼女の一四の予言のうちの二つだが、一四のうち五つがなんとか当たっていた。三六％の成功率ということだ。コイントスですらもうちょっとましな成果を出すことができる。エレイン・ガザレリは、登場しては消えていく市場の導師《グル》の行列をなす一人にすぎない。

では、ジョー・グランヴィルを覚えているだろうか？　彼は一九八〇年代前半まではメディアの寵児だった。一九八二年にダウが八〇〇ポイント前後の水準にあるとき、彼は信者たちに、すべて売り払ってショート（空売り）・ポジションを持てと説いた。

さて、一九八二年は一九八〇年代の上昇相場が始まった年だった。それでもグランヴィルは人々にショートを説き続け……ダウは一二〇〇ポイントまで上昇した。

ロバート・プレッチャーがグランヴィルに取って代わった。彼はグランヴィルとは異なり、一九八〇年代を通じて上昇相場を予測し続けた。しかし一九八七年の暴落後、彼は、上昇相場は終焉、ダウが一九九〇年初には四〇〇ポイントまで下落すると予測した。巨大なショットガンで納屋を撃って外すようなものである。

一九九〇年代のドットコム旋風も、何人かのメディアのヒーローを提供し、その多くは二〇〇〇年三月のナスダックの下落とともに消え失せた。もし市場予測を常に正確に行なうことができる人が存在するなら、彼や彼女は世界のメディアによる狩りからうまく隠れているに違いない。名無しの賢人が金について語ったことは正しい。曰く、「未来を予言するのは難しいものだ」。

メディアの導師《グル》たちは、投資について語ること、投資アドバイス、誰か他人の資産運用などを行なって収入を得ている。しかしジョン・トレインが『ミダスの手（*The Midas Touch*）』で述べたように、「ある男が鉛を純金に変える方法を発見したとして、それを年一〇〇ドルで教えてくれるわけがない」（注4）。あるいは、CNBCにノコノコ出てきてタダで放送するわけがない。バフェット、ソロス他の投資の達人が、自分が何をしているか、市場についてどう思っているのか滅多に語らない理由はこれである。

往々にして、彼らは、自分の顧客にすら何が起こっているのか語らない。

［投資の大罪③］　インサイダー情報こそが大金を稼ぐ道だ。

［真実］　ウォーレン・バフェットは世界で一番金持ちの投資家だ。彼のお気に入りの投資アイディアの源は、たいていタダで入手できるもの、すなわち企業のアニュアル・レポートである。

ジョージ・ソロスは一九九二年に一〇〇億ドルものショート・ポジションを英ポンドに仕掛け、「イングランド銀行を破綻させた男」と呼ばれるようになった。彼は一人でイングランド銀行に立ち向かったわけではなかった。英ポンド崩壊の兆しは目が開いている者なら誰にでも見えたので、数百人、あるいは数千人のトレーダーたちがポンド急落で儲けた。しかし、両足揃えて飛び込んで、二〇億ドルの利益を得たのはソロスだけだ。

今日、バフェットとソロスは有名人で、雲の上の人々と話ができる。しかし、彼らも投資を始めた頃には何者でもなく、誰からも歓迎されなかった。重ねて言えば、バフェットもソロスも、誰にも知られていなかった頃の投資リターンのほうが今よりも高かった。何らかの形でインサイダー情報を貰っていたとしたら、それは彼らにとっていい結果に結びついていないということになる。「インサイダー情報と一〇〇万ドルの両方を持っていたとしても、一年以内に破産することだってある」(注5)とバフェットも言っている。

［投資の大罪④］　分散投資

［真実］　ウォーレン・バフェットの素晴らしいトラックレコードは、特定の半ダースの優れた企業か

らもたらされている。彼はそれらの企業だけに大金を注ぎ込んでいる。ジョージ・ソロスによると、大事なのは市場のことをわかっているかどうかではない。大事なのは正しい取引を行なったときにどれだけ儲けるか、そして間違った取引を行なったときにどれだけ損をするかだ。ソロスの成功の原因は、バフェットの場合と完全に同じだ。一握りのポジションによる収益が、それ以外の投資対象からくる損失をカバーして余りあるのである。

分散投資はこれとはまるで反対だ。たくさんの銘柄を少しずつ保有するので、中の一つが素晴らしい収益をあげたとしても、全体の価値はほんの少ししか変わらない。非常に成功した投資家のすべてが言う。分散投資なんて小鳥さんのやることだ。あなたがウォール街の投資アドバイザーから聞かされているのとは違う話だろう。

［投資の大罪⑤］大きなリターンを得るためには、大きなリスクをとる覚悟が必要。

［真実］企業家たちと同様に、成功している投資家たちは非常にリスク回避的であり、リスクを避け、損失を抑えるためには何でもする。

数年前に行なわれたある経営セミナーで、多数の学者が「起業家マインド」についての論文を発表したときのことだ。学者たちは互いにかなり異なる見解を持っていたが、たった一つ意見が一致する点があった。それは、起業家はリスク許容度が高い、つまり、リスクをとるのが大好きだということだった。

セミナーの終了時に一人の起業家が立ち上がり、今日聞いた話には仰天したと発言した。彼は、起業家としてリスクを避けるためには何でもする、また多くの成功した起業家を知っているが、彼らはどリスク嫌いな人々を見つけるのは難しいだろうと話した。
成功している起業家はリスク回避的であり、成功している投資家もしかりである。リスクを避けるのは資産を成長させる上での基本である。神話に反して、あなたが大きなリスクをとれば大きなリターンを得るよりも大きな損失を出して終わる可能性のほうが高いだろう。だから、成功している投資家は、収益を追いかけるよりも損失を避けることにより注意を払うのである。

【投資の大罪⑥】「システム」信仰：どこかで誰かが、テクニカル分析、ファンダメンタルズ分析、システム取引、ギャンの三角形、星占い、何かそんなものを使った、とても難解で複雑な手法を開発していて、それさえあれば収益が保証される。

【真実】 これは導師《グル》信仰の変種である。導師《グル》のシステムを入手できれば、導師《グル》が言った通りに儲けられるというわけだ。この大罪が広く蔓延していることを示す例として、商品先物取引システムを売って稼ぐ輩がいるということが挙げられる。
「導師《グル》」信仰と「システム」信仰の元は同じで、それは確かなものへの欲求である。「誰もが公式を求めている[注6]」と、ウォーレン・バフェットが自分について書かれた本のインタビューで述べている通り、人々は公式を求め、それをコンピュータに打ち込み、金が逃げていくのを呆然と見守ることになる。

【投資の大罪⑦】将来何が起こるのかわかっていると信じている。そして、市場は自分が正しかったことを証明してくれる。

【真実】 これは投資マニアによく見られる大罪だ。アーヴィング・フィッシャーが一九二九年の大恐慌のたった一週間前に「株価は新しい高台に達した。現在の水準を下回ることは永遠にないだろう」と宣言したとき、誰もが同意した。一九七〇年代に金価格が暴騰したときは、ハイパーインフレは避けられないと考えるのが普通であった。ヤフー、アマゾン、イーベイ、そして何百ものドットコム爆弾は、ほとんど毎日上昇し続けた。一九九〇年のウォール街の真言「利益なんて関係ない」に抗うのは難しかった。

これは投資の大罪①のもっと強力な変種だが、結果はもっと悲惨である。市場予測が必要だと考える投資家は、正しい予想法とやらを提供して儲ける人々のところに行く。投資の大罪⑦にハマっている投資家は、もう将来何が起きるのかわかっていると考えている。だから結局、家やシャツに至るまですべてを失うわけだ。

これら投資の七つの大罪は、どれも市場についての教条的な信念から発生し、あなたの富を非常な危険に晒している。

信じるだけではダメ

間違った信念は必ずあなたをダメにする一方、正しい信念を持っていてもそれだけでは必ずしも十分とは言えない。たとえば、私がアイスブレイカーの戦略について研究しているとき、いつもまったくの他人に楽々話しかけている魅力的なフランス人男性でケーススタディを行なってみた。アイスブレイカーたち同様、彼はすべての人間は面白いと信じていた。にもかかわらず、彼は状況が整う、たとえばパーティー会場とかカフェテリアで同じテーブルに座るとかいうことがないと、話を始めることができなかった。

「彼／彼女は面白いな」と心の中でつぶやくアイスブレイカーの精神的戦略を彼に教えてみると、状況が整うのを待つことはなくなり、彼は通りかかる人に片っ端から声をかけ始めた。このように、知的習慣の構造上の要素は、信念、精神的戦略、恒常的な感情、および関連する技術であり、知的習慣を身につけるには、これらの要素を自分のものにしなければならない。

投資の「聖杯」

投資の世界に足を踏み入れた一九七四年、私は知的習慣や戦略については何一つ知らず、投資の七つの大罪にはどっぷりとハマっていた。私は『ワールド・マネー・アナリスト』という投資レポートを発行し、一九七〇年代のインフレの波にコガネムシとしてうまく乗っかり、マイナーな導師《グル》としてのステイタスを得た。しかし、そのうち次のようなことに気づいた。

- 何ダースもいる他の導師《グル》たちの中に私より市場予測がうまいやつはいない。
- これまで会ったファンド・マネジャーたちの中にも市場予測がうまいやつはいない。それどころか、安定して投資家の資産を増やし、安定して市場に勝っているやつすらいない。

いったいどうしてなのか、典型的な一人が秘密を暴露してくれた。彼の市場予測が（彼自身の売り文句によると、であるが）そんなに当たるのなら、なんで人の金より自分の金を運用しないんですかと尋ねてみたのだ。「ダウンサイド・リスク（下方リスク）がないからね」というのが彼の答えだった。「人の金の運用なら、収益の二〇％が貰えて、一方損はこうむらなくてもいいから」

別のファンド・マネジャーは、それまでのファンドがひどい成績だったのに、巨額の年俸で雇われた。彼の雇い主へのインタビューで全体像が理解できた。(注7)「これまでの（ひどい）パフォーマンスは、新規資金を引っ張ってくる彼の能力とはあまり関係ない」

●投資やトレーディングのシステムを販売して稼いだ人にはたくさん会ったが、誰も自分で使おうとしていなかった。約一八カ月ごとに、彼らは新しいシステムをつくってはまた売り込む。またもや、自分では使わないシステムだ。

●私自身も市場予測システムを開発した（もちろんそれをマーケティング・ツールとして吹聴したわけだ）。それはしばらくの間機能したが、変動為替相場の時代が始まるとともに無意味になった。

こうして私は、投資の「聖杯」探求は無駄だと気づいたのだ。逆説的だが、私が探求を完全に諦めたときに答えが見つかったわけだ。そして、ずっと間違った場所を探していたことにも気づいた。問題は無知ではなかったのだ。問題は私がよく知っているものにあった。問題は私自身、つまり、これまで投資の意思決定に使っていたダメな知的習慣だった。

自分の投資の習慣を変えてみると、安定して市場で儲けるというのがいかに簡単なことかがわかった。あなたがウォーレン・バフェットやジョージ・ソロスの成功する投資の習慣を取り入れたときにも起こることである。あなたが投資の世界に足を踏み入れるとき、これまでの人生で積み上げてきた、よく省みられていない成功、信念、および知的習慣をそこへ持ち込んでいる。もしそういったものでうまく金を稼いだり、そのうえ守ったりできているなら、あなたは数少ない幸せ者だ。

我々の大多数は、どこかで拾ってきた知的習慣——どこだったかもう誰にもわからないだろう——が利益ではなくコストをもたらすのだ。そしてもし投資の七つの大罪のどれかにハマっていたら、知らないうちに他のどれかにも取りつかれ、悪い習慣をさらに増やすことになる。

知的習慣を変えることは、喫煙者に聞けばわかるように、常に簡単というわけではない。しかしやれるのだ。さあ、手に入れるべき習慣を見つける最初の一歩を踏み出そう。

第3章 持っているものを守れ

投資のルール①：決して金を失うな
投資のルール②：ルール①を絶対に忘れるな――ウォーレン・バフェット

まず生き残れ。儲けるのはそれからだ(注1)――ジョージ・ソロス

賭けなければ勝つことはできない。すかんぴんになったら賭けることはできない(注2)
――ラリー・ハイト

成功する習慣1
元本の確保こそが常に最重要事項

達　人――最重要事項は**元本を確保すること**だと信じている。それこそが彼の投資哲学の礎石である。

負け犬――「がっぽり儲ける」ことだけが目的。結果としてよく元本を失う。

父の教え

ジョージ・ソロスは一九三〇年、ジョルジュ・シュヴァルツとしてハンガリーのブダペストに生まれた。一四年後、ナチスが侵略してきた。奇妙な話だが、ソロスはナチス支配下の一二カ月は彼の人生で最も幸せだったと言う。毎日が新しく、心踊る——そして危険な——冒険だった。ナチス占領下のユダヤ人にとって発見されることのペナルティはたった一つ、死だ。ソロスの目的はたった一つ、生き残ることだった。この目的はその後も彼の人生とともにあり、彼の投資スタイルの礎となった。

ソロスの家系が絶えることがなかったのは、ナチスの死の収容所の一つでソロスの父が示した強い生存本能に帰するものだろう。何年も後にソロスは『ソロスの錬金術』（総合法令出版刊）で次のように述べている。

> 子供の頃、第二次大戦で一生忘れない教訓を得た。私が非常に幸運だったのは、生存術に長けた父を持ったことだ。彼はロシア革命時代を脱獄戦犯として生き延びていた。[注3]

ティヴァダール・ソロスは第一次世界大戦時にオーストリア・ハンガリー帝国陸軍の兵士として闘い、ロシア軍に捕らえられてシベリアへと送られた。彼は捕虜収容所から脱出した。しかしロシア革命で内戦が起き、赤軍、白軍、山賊、諸外国が殺し合い、たまたまそこにいたというだけでまったく関係ない者まで殺された。ブダペストに帰りつくまでの危険な三年間を通じ、ティヴァダール・ソロスの目的はたった一つ、生き残ることだった。生き残るためにはなんでもした。どんな嫌なことでもした。

彼の話は若き日のジョージを魅了した。「学校の後、いつも一緒に泳ぎに行った。その後彼は自分の経験した話を聞かせてくれたものだが、まるでテレビの連続ドラマみたいですっかり夢中になったよ。彼の経験は私の一部になってしまった（注4）」

一九四四年はじめ、ドイツは敗色濃厚で、ロシア軍は東へ向かい、同盟側はイタリアを拠点にしていた。三月、開戦時からヒットラーの同盟国だったハンガリーは、どうにかして勝利者側と手を打とうと模索していた。そこでナチスは、開きかけた穴を塞ごうと侵略してきたのだった。

ハンガリーには中央ヨーロッパ唯一のユダヤ人コミュニティが存在していたが、ナチス侵略の日からそれは大きく変貌した。ヨーロッパの他国にいたユダヤ人と同様に、ハンガリーのユダヤ人も、ナチスの侵略など起こらないと考えていたし、アウシュビッツの死のキャンプの存在など信じようともしなかった。ナチスがやってきたときも、彼らは「ここでは何も起こらないだろうし、どのみち戦争は数週間で終わるから関係ない」と思っていた。

ティヴァダール・ソロスは違うことを考えた。彼はナチス侵略前の数年間で、資産のほとんどを抜け目なく現金化した。ナチスとハンガリーにおけるナチス支持者がユダヤ人の資産を凍結したことを考えると、これは非常に賢いやり方だった。彼は家族に偽の身分証明書を買い、戦争が終わるまでの間、ジョージ・ソロスはシャンドール・キッシュ（注5）になり、兄のポールは「ヨージェフ・バラージュという名前で新しい生活を始め（注6）」、母はユーリア・ベッセニエイ（注7）という偽名を使った。ハンガリーの役人の妻であったユダヤ人に助けられ、ティヴァダールは家族にそれぞれ違う隠れ場所を手配し、ジョージを孫に仕立てあげた。ソロス家にとってつらい年だった。しかし全員が生き残った。

「父は素晴らしかったよ」とソロスは言う。

彼はどのように振る舞うべきかわかっていた。状況を理解していた。通常のルールが通らないことを知っていた。法に従っていれば大丈夫だと思いがちだがそれは危険で、むしろ法を手玉に取ることが生き残る道だった。これが私の人生を形作るものになった。何しろ生き残り術のグランドマスターから教えを受けたのだから。(注8)

「これは私の投資のキャリアとも関連している」(注9)とソロスは結んでいる。なんて控えめな表現だろう！　市場において生存とはすなわち元本を守るということである。彼の投資の成功の基礎は、ナチスがハンガリーを侵略した年にグランドマスターから教わった、リスクを前にしてどうやって生き残るか、ということから来ている。何十億ドルも儲けた今ではもう問題はないのは明らかだが「彼はいつも生き残りについて話してるよ」と彼の息子、ロバートが言う。「今の生活を考えると混乱するけどね」(注10)

ソロス自身も、一七歳のときのような無一文になることについて、多少の恐怖症があることを認めている。「どうして大金を稼いだんだと思う？」と彼は聞く。「今は怯えているわけではないが、もしまたああいう（無一文の）状態になったらとは考えるよ。あるいは一九四四年に父が置かれたような環境になったら、生き残れないだろう。そんな状況にいないし、訓練もしてないし、やわになったからね。わかるだろう」(注11)

投資で損を出すと、それがいくら少ない額であろうと、ソロスは人生のどん底、生存の危機のように感じる。だからこそ、（証明はできないし理解されにくいだろうが）ジョージ・ソロスはウォーレン・バフェットよりさらにリスク回避的だと私は思うのである。

決して金を失うな

ウォーレン・バフェットはジョージ・ソロスと同じ一九三〇年にブダペストから地球を半周したところにある退屈で平和な町、ネブラスカ州オマハに生まれた。父親のハワード・バフェットはオマハ・ユニオン・ストリート銀行で証券営業をしていた。一九三一年八月、バフェットの一歳の誕生日のわずか二週間前、同行は倒産した。すべての資産を自行に預けていたハワードは失業者にして破産者となった。なんとか乗り切ろうと、まもなく自分の証券会社を設立したが、大恐慌の真っ只中で株を売るのは難しかった。

ナチスのハンガリー侵略が若きジョージ・ソロスにとって生き方を形づくる経験となったのと同様、幼い頃の苦労は、金を失うことへの苦痛をウォーレン・バフェットに刷り込んだ。バフェットは一九五八年に三万一五〇〇ドルで購入した家に今でも住んでいる。金持ちらしいところと言えば、いくつかの部屋とラケットボールのコートが加わったことぐらいだ。バークシャー・ハサウェイからの給与はわずか年間一〇万ドルであり、フォーチュン五〇〇社の中で最も給与が低い。彼はマキシム・ド・パリよりもマクドナルドでの食事を好み、お気に入りのチェリー・コークを安い店へ行ってケースで購入する。あたかも生活費を切り詰める主婦のように。

バフェットは自分が稼いだ金を一ペニーに至るまでほとんどすべて節約している。六歳でコーラの訪問販売を始めた彼だが、今日バークシャー・ハサウェイを売却しようとは思ってもいないようだ。バフェットにとって、金は儲けてとっておくものである。失ったり使ったりするものではない。元本を守ることは彼の人格と投資スタイル両方の基礎である。

ウォーレン・バフェットは大恐慌ベビーだ。若き日の彼の性格は、ものすごい金持ちになりたいという欲望に基づいて形成された。小学校でも高校でも、彼はクラスメイトに、三五歳になる前に億万長者になると話し、実際三五歳のときには総資産は六〇〇万ドルを超えていた。

以前、なぜそんなに巨額の資金を運用するのか聞かれたとき、彼は答えた。「金が欲しいわけではないんだ。金を儲けるのや、金が増えていくのを見るのが楽しいんだよ(注12)」。金に対するバフェットの態度は、いわば将来性重視といったところだ。失ったり使ったりした金について、それが「どうなることができたか」について彼は考える。

ゴルフ友達のボブ・ビリグによると、（妻の）スージーは美術品を買うのが好きで、家の改装で一万五〇〇〇ドルくらい使ったので、ウォーレンは死にそうになった。「その金額を二〇年複利で運用したらいくらになると思う？」と彼は愚痴った(注13)。

こういった考え方は彼の投資スタイルに結びつく。たとえば一九九二年のバークシャー・ハサウェイのアニュアル・レポートで彼は言っている。「今までで最悪の判断は、二〇歳か二一歳のときにサービス・ステーションを買って自分の資産の二〇％を失ったことです。今日の価値では八億ドルくらいになっていたと思います(注14)」

損の皮算用

あなたや私が損した場合、実際に失った金額を数えるだろう。バフェットは違う。彼にとっては、そのドルが将来行き着く先までが損失なのだ。金を失うこととは、自分にとっては彼の目的である「金が増えていくのを見る」ことに対する重大な抵触なのである。

元本の確保は投資のルールとしてよく提唱されているが、実行している人はほんの一握りだ。なぜだろう? 元本の確保を最重要事項にするということについて投資家たちに尋ねると、ほとんどの人は混乱して「損をするかもしれないから何もしないでおこう」ということになると答える。これは投資の大罪⑤の、大きなリターンには大きなリスクがつきものという信念と通ずる。つまり、元本を確保する唯一の方法はまったくリスクをとらないことで、まったくリスクをとらなければ絶対に大きなリターンは得られないことも保証されるというわけだ。

こういう考え方をする人たちは、収益と損失はコインの裏表だと思っている。一ドル儲けるチャンスがあれば一ドル、またはもっと失うリスクがあるというのだ。

確率の高い出来事

一般的な見方によれば、元本確保の目的は、金を失わないことである。それは非常に制約の強い戦略になり、使える選択肢は非常に限られる。

一方、投資の達人は長期で考える。彼は投資判断を一つ一つ独立した事象とは考えていない。そして投資元本を確保することは達人の投資プロセスの基本だ。投資ノウハウの中核であり、すべての投資行動の中心である。しかし、これは投資の達人がいつでも最初に「どうやって元本を守ろうかな?」

リスクとリターンが同じなら

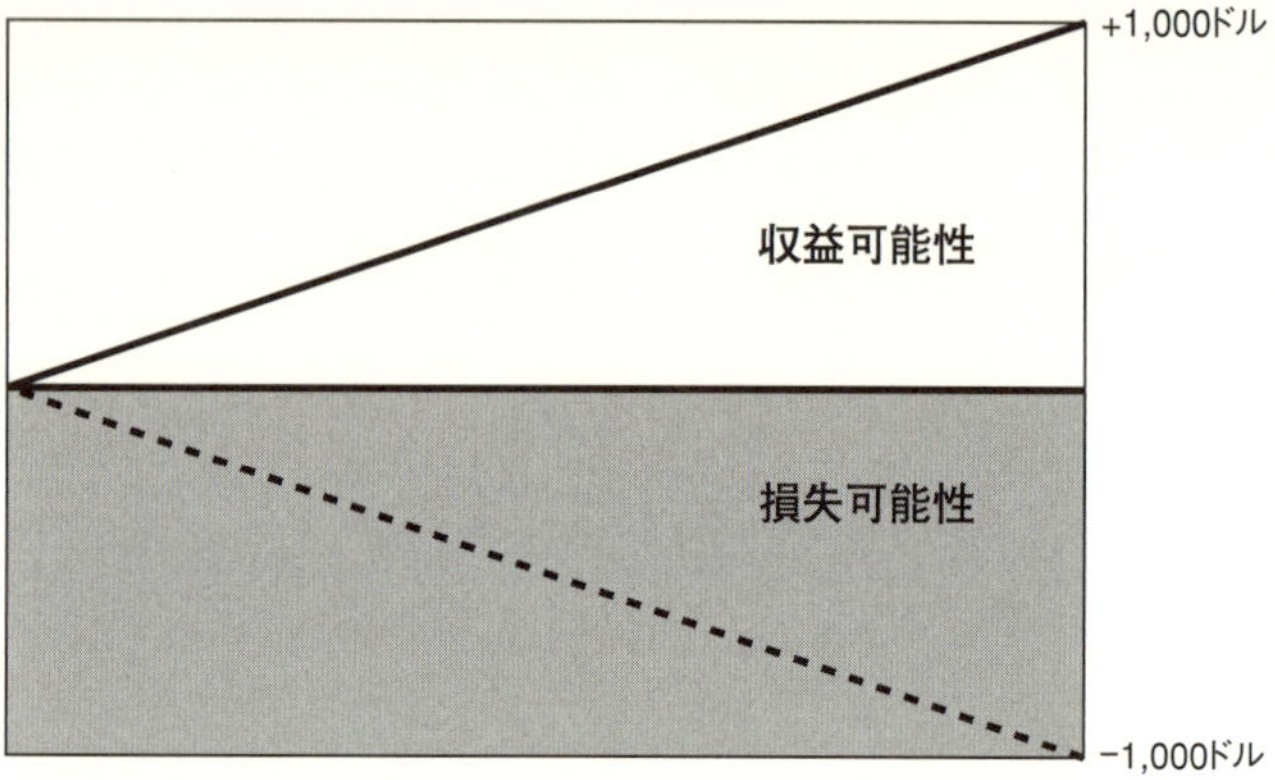

通念によると、1000ドル儲けるためには、1000ドル以上損するリスクをとらなければならない。

と考えるということではない。それどころか、投資判断の際、こういう考えは浮かびもしないだろう。

車を運転しているとき、あなたは生き延びようと考えるのではなく、A地点からB地点に行くことに集中しているだろう。それが目的である。しかしどのように運転するかということは考えるのであり、そこに生き延びるという目的が顔を出す。たとえば私の場合は、前の車と十分な車間距離を置く、スピードに気をつけるといったようなことを考える。こういったルールを守ることで、必要な際は前の車に激突することなく車を止め、命を危機に晒さずにすむわけである。ルールに従うことが生存することになる。しかし、実際運転しているときにこれらをいちいち考えているわけではなく、単に車間距離だけに気をつけている。

同じように、投資の達人たちは元本の確保について考える必要はない。自分の投資ルールに従って行動することで、私が車間距離を守って運転するのと同じメカニズムで、元本を守ることになる。

確率の高い出来事

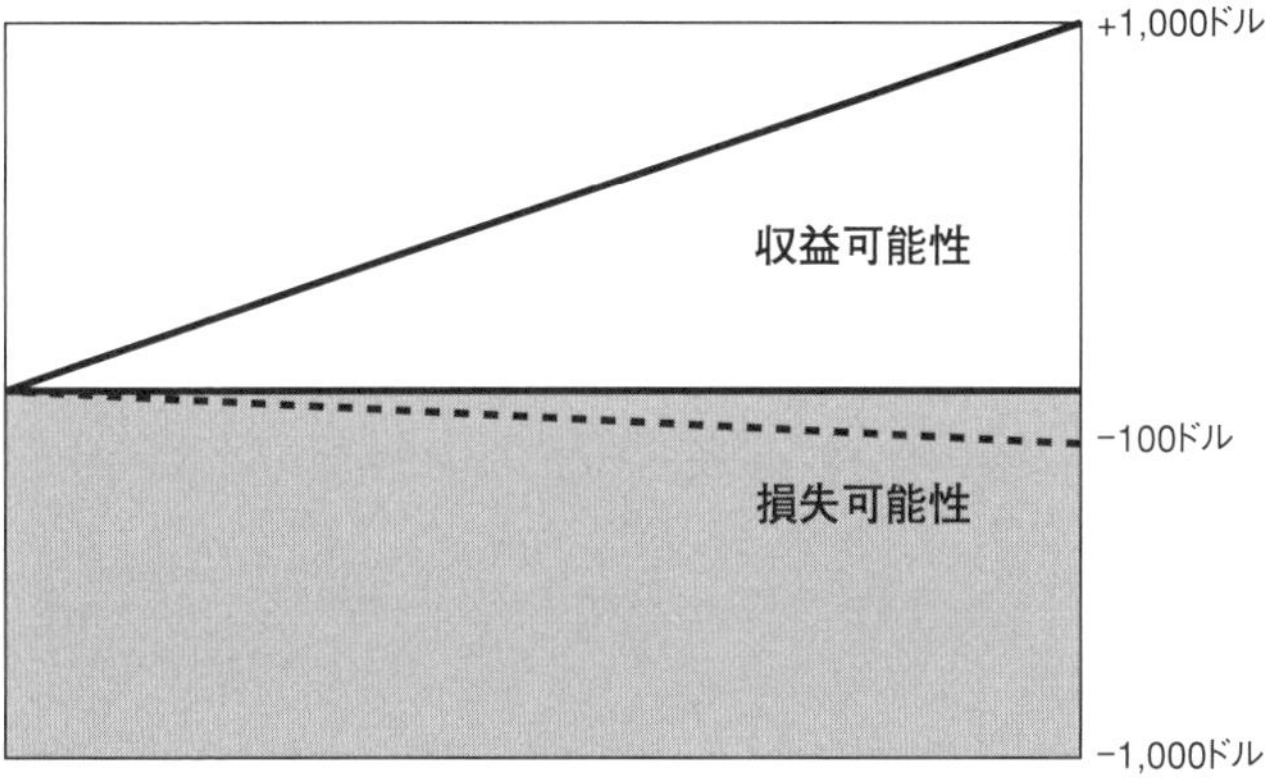

投資の達人のシステムは、グラフが示すような投資対象を見つけるよう構築されている。だからこそ達人は最小限のリスク、あるいはそれこそリスクなしで、非常に大きなリターンが得られると知っているのだ。

それぞれの個人的なスタイルがどうであれ、投資の達人のやり方はいつも同じものを探すということだ。バフェットに言わせると「確率の高い出来事」がそれであり、彼はそれ以外には投資しない。「確率の高い出来事」に投資をするなら、儲かるのはほぼ確実で、損失のリスクは小さい――ときによってはまるで存在しない。元本の確保があなたのシステムに組み込まれたとき、もはやあなたはそういう投資しかしなくなる。それこそが投資の達人の秘密なのだ。

私の責任だ

投資の達人は、自分の結果に責任を持つ。もし損をしても「市場が逆に動いたから」「ブローカーの情報がヘボだった」と言ったりはせず「自分がミスをした」と言う。彼は結果を素直に受け入れ、どうしてそうしたのかあるいはしなかったのか、どうすればそれを繰り返さずにすむか分析し、得られた結論に基づいて行動する。収益にも損失い、にも責任を持つことで、投資の達人は自分自身の手綱を握る。サーフィンの達人と同様に、彼は波に命令を出せると思ったりせず、経験に基づいて自分の行動を管理することで波に乗る。もしそうしなかったら——溺れることになる。

取り返せるだろうか

多くの投資家セミナーで私が「相場で損したことのある人はいますか？」と聞くと、大半の人の手が挙がる。次にこう聞く。「その中で、相場で損を取り返した人は？」。誰も手を挙げない。

並の投資家のほとんどにとって、投資は片手間にやることである。もし損をしたら彼は給料や年金やその他の資産でそれを埋めなければならない。市場から取り返すことはほとんどできない。投資の達人にとって、投資は片手間にやることではない。それが人生である——だから損すれば人生の一部を失ったことになる。

どういうことかというと、元本の五〇％を失ったら、元本を取り戻すためには、今度は資産を倍にしなければならない。元本を年率一二％で運用できれば、回復するまでに六年だ。平均リターンが二四・七％のバフェットだったら三年二カ月、二八・六％のソロスだったら「たったの」二年九カ月といったところだ。ひどい時間の無駄ではないか！　とにかく損しないことを第一に考えるほうがずっと簡単ではないだろうか？　「そうとも！」とバフェットとソロスが声を揃えて答えるだろう。彼らは、金を稼ぐより減らないようにすることがずっと簡単だと知っているのだ。

富の礎

ウォーレン・バフェットとジョージ・ソロスはともに、損失を避けることに熟練しているからこそ世界で最も成功した投資家なのである。バフェットも言っている。「厄介なことから抜け出るよりは、最初から近寄らないほうが簡単だね」

元本の確保は、成功する投資の習慣の一つ目だというだけではない。それは、投資の達人の取る投資戦略の礎石であり、彼がマーケットで取る投資行動の基本である。そして、その他の習慣はみな必然的に、バフェットの「投資のルール①：決して金を失うな」に結びついているのである。

全滅！

元本を守ることを第一に考えない投資家には何が起こるだろう？　往々にして、彼らは全滅してしまう。有名で有能だとしてメディアでもてはやされた人たちも例外ではない。最近の実例を見てみよう。ロングターム・キャピタル・マネジメント（ＬＴＣＭ）とビクター・ニーダーホッファーはともに欠陥のあるシステムに依存していた。第18章で述べるが、彼らは、元本を確保することよりも儲けることを中心に据えていたために失敗したのである。彼らの破綻から、金を失うことは儲けることよりどんなに簡単かということについても理解できるだろう。

	ロングターム・キャピタル・マネジメント	ビクター・ニーダーホッファー
崩壊の兆し	一九九八年四月	一九九七年一〇月二七日
崩壊前の資産	五〇億ドル	一・三億ドル
崩壊までの期間	四年間	二〇年間
崩壊時点	一九九八年一〇月	一九九七年一〇月二七日
残金	四億ドル	なし
損失額	四六億ドル	一・三億ドル
崩壊に要した期間	六カ月	一日

第4章　ソロスはリスクをとらない？

度を越してこそ素晴らしいのよ——メイ・ウェスト

金融市場で生き残ることは、ときに急いで逃げ出すということでもある

——ジョージ・ソロス

価値の数分の一の価格で買えばリスクはない（注1）——ウォーレン・バフェット

成功する習慣2

能動的にリスクを回避する

達　人——（習慣1の結果として）**リスク回避的**である。

負け犬——大きな利益は大きなリスクをとってこそと思っている。

リスクは避けられる

「あなたのリスク許容度は?」

バフェット、ソロスといった投資の達人が疫病のごとくリスクを避けると知った後で、こういう質問をすることは間抜けに聞こえるといいと思う。実際間抜けだからだ。しかし、不信感はしばらく横において、これがどういう意味であるのかについて考えてみよう。

普通の投資アドバイザーは顧客の「リスク許容度」に応じていろいろなポートフォリオを推奨する。もし顧客がリスクを避けたいのであれば、彼は「安全な」株や債券でよく分散させた(理論的には)損をしない、したがってあまり儲からないポートフォリオを勧めるだろう。もし顧客がリスクをとってかまわないというのであれば、おそらく彼はいわゆる成長株と呼ばれる、素晴らしい約束でいっぱいだが保証されていない銘柄でポートフォリオをいっぱいにすることを勧めるだろう。こういった助言は、平均以上のリターンを得るためにはリスクに身を晒さなければいけないと信じている投資アドバイザーとその顧客にとっては的を射たものだ――投資の大罪⑤である。

誰かが「あなたのリスク許容度は?」または「どのくらいリスクをとってもいい?」と聞くとき、その本当の意味は「いくらまでなら損してもいい?」である。「リスク許容度」というしゃれた表現は、単に、儲ける機会の裏には札束を失う機会があるのを受け入れなくてはいけないという信念が変装したものにすぎない。

しかし、現実に元本の確保を最優先する(習慣1)とすれば、リスクを回避することになる。あなたがバフェットやソロス同様、リスクを回避し、同時に平均をはるかに上回る収益をあげられれば、それは一般的な通念には誤りがあるということだろう。

驚くべきことではないが、投資の達人はリスクについて投資のプロたちとは違った考え方を持っている。たとえばバフェットは言っている。「私は確信が持てるものに集中投資する。いわゆるリスクの概念は私にとっては意味をなさない」。(注2)投資の達人にとって、リスクは状況に依存し、計測可能で、管理でき、そして避けられるのである。

リスクは状況に依存する

建設中の超高層ビルの六〇階で命綱も付けずに板の上を歩く建設労働者はリスクをとっているのだろうか？　熟練したスキーヤーがほとんど垂直の岩山を時速六〇マイルで疾走していくのはどうだろうか？　あるいは経験豊かなロッククライマーが一〇〇フィートの高度の岩肌で自分を支えるのは指だけだという場合は？

たぶんあなたは「その通り！」と言うだろう。しかし、その本当の意味はこうだ。「その通り！もし、それが自分だったら」。リスクは知識、理解、経験そして適性といったものと関連している。つまりリスクは他の条件で変わるのである。建設労働者、スキーヤーやロッククライマーがリスクをとっていないのかどうか、我々にはわからないとしても、直感的に、我々よりはリスクが少ないことはわかるだろう。我々が行なった場合とは無意識的能力が異なるのである。

無意識的能力

もしあなたが熟練した運転手だったら、素早い判断力――どこで減速し、どこでスピードを上げ、右に曲がるかそれとも左か――が身についているだろう。事故やパトロールを避けるためだ。たぶんあなたも事故を避けるために急ブレーキをかけたり急カーブを切ったりしたことがあるだろう。そして意識上では、回避的な行動をとってから危険だったことに気づく。意思決定は無意識下でなされているのである。こういった自動的な反応は長年の経験によるものである。

あらためて考えてみると、運転というのは複雑なもので、一度にいろんなことに注意しなければならない。

- 道路を渡ろうとする子供がいないか？
- すぐ前でハンドルを切るアホがいないか？
- 前の車と近すぎないか？
- あの車は交差点で止まるつもりか（あいつ最近ちゃんとブレーキのメンテナンスしてるんだろうか）？
- 前の車との車間距離は十分だろうか。もし、万が一前のやつが突然ブレーキを踏んでも大丈夫か？

などなど、これらはあくまでもあなたが運転中に注意を払うことのほんの少しを拾ってみただけだ（今度ハンドルを握ったときに、運転中無意識にやっていることについてじっくり考えてみるといいだろう）。

高速道路で車線を変更するという簡単に見える行動は、実は多体問題と呼ばれる物理学の問題である。自分の出すスピード、流れのスピード、今いる車線と変更したい車線上の前と後の車のスピード、さらに他の車線の混み具合も念のために見ておかなければならないし、他の車が入れてくれるかどうかも判断しなくてはいけない。そしてこれらすべてを同時に、ほとんど瞬時に判断するわけである。

多体問題は物理学者にとって難問であることが多い。車の運転をするあなたよりものがよくわかっている彼らにしてからがそうなのだ。しかも彼らが研究する素粒子は自由意志なんて持っていない。いずれかの方向へ動いている素粒子が突然右や左に曲がったり、スピードを上げたり下げたりすることはない。もちろん酔っ払って運転したりもしない。

無意識的能力の状態では、あなたは多体問題を自動的に解決している――で、車線を変更する。あなたの無意識が運転を指示している間、あなたは、意識上では自由に会話をし、景色を眺め、ラジオを聴いているというわけだ。しかし、これまで運転をしたことがなく、能力もない人がいたとしたら、車を運転するのはリスクの高い、人生の脅威となるものだと考えるだろう。ちょうど、運転を覚える前のあなたのように。

学習の四つのステージ

下界の私たちから見ると、投資の達人はすべて一瞬に、さして努力もせず事を成しているように見える。特に何か決めることにおいては一呼吸分すら間を置かないようだ。

ウォーレン・バフェットは数百万ドルの企業を買う決断をする際、頭の中だけで計算を行なって一〇分以内に答えを出す。封筒の端っこでよくやる簡単な試算さえ要らないのだ。それ以外の場合でもほとんどの決断を彼は非常に早く下してきたが、それらは正しかったことが実証されている。こういったことは、学習における四つのステージをたどった人だけにできる技だ。

- **無意識的無能**：わかっていないことをわかっていない
- **意識的無能**：わかっていないことをわかっている
- **意識的能力**：わかっていることとわかっていないことをわかっている
- **無意識的能力**：わかっているとわかっている

無意識的無能とは、要するにわかっていないということ自体をわかっていないという状態だ。多くの若い初心者ドライバーたちの状態である。年長者に比べて彼らのほうが事故をよく起こすのはそのせいで、彼らは自分が知識も技術も経験も限られていることを認識できない（または認識するのを拒む）。

この種の人々はリスクをとるのを好む——自分自身を危険や損失にさらすことになるが、単に何をやっているのかよく理解していないのである。投資の七つの大罪のどれかあるいはすべてに当てはまるのはみなこの種の人たちだ。みんな自分が何をやっているのかわかっていると思っている。そして無知だという現実を認識することができないでいる。

無意識的無能は、未熟な初心者に降りかかる最悪の事態とははじめての投資で大儲けすることである理由でもある。そんな成功が初心者に、トレーディングや投資の秘密を見つけたのだ、自分は本当にわかっているんだと信じさせてしまう。そして最初にやったことをとにかく繰り返す。最終的には、驚くのは本人だけだが、金はすぐになくなってしまう。

先物トレーダーのラリー・ハイトはジャック・シュワッガーの著書『マーケットの魔術師』（パン

ローリング刊）で次のような話をしている。


昔ある会社で働いていた頃、そこの非常にナイスガイの社長が、優秀だが落ち着きのないタイプのオプション・トレーダーを雇った。ある日そのトレーダーは損失の出ているポジションを会社に残して消えた。社長はトレーダーではなかったので、私にアドバイスを求めてきた。

「ラリー、私はどうしたらいいのだろう？」

私は言った。「ポジションを手仕舞うべきでしょう」

そうする代わりに、社長はポジションを持ち続けた。少し損失が大きくなった後、市場は上昇し、小額の利益が出たところで彼は手仕舞った。

この事件の後、私は同じ会社で働いていた友人に告げた。「ボブ、俺たちは新しい仕事を探す羽目になるな」

「何で？」と彼が聞くので答えた。「俺たちは、地雷の埋まった広場の真ん中にいるとわかったのに、目を閉じて歩き出すような奴のために働いてるんだよ。奴は地雷が埋まっていたら目を閉じて歩くのが正しいやり方だと思い込んでしまったんだ」

一年もたたずに、その社長は会社の資本を全部吹っ飛ばしてしまった。(注3)

無意識的無能の状態はあなたの財産にとって非常に危険である。

意識的無能は何をマスターするにおいても最初の一歩である。自分はどうすればいいのかわからないということを認識する第一歩であり、自分の無知を受け入れることである。

絶望、無力、望みなし——おそらくそういった感情を味わうのであり、人によっては投資を永遠に諦めてしまう。しかし、投資をマスターするにはとても勉強しなければならないと理解するためには、このプロセスを経る以外にないのだ。

知恵の四つのレベル

・わかっており、わかっているとわかっている人は賢明である。ついていこう。
・わかっており、わかっているとわかっていない人は眠っている。起こしてあげよう。
・わかっておらず、わかっていないとわかっている人は学生である。教えてあげよう。
・わかっておらず、わかっていないとわかっていない人は愚者である。かかわりあいになるのをやめよう。

意識的能力とは課題を克服し始める段階だが、あなたの行動はまだ自動化されていない。この克服の段階では、あなたはすべての行動を意識的に行なう。運転の練習を例に挙げると、手や足がどうなっているか注意し、どこでブレーキを踏むか、ハンドルを切るか、ギアを変えるかといったことを意識のうえで考える。これと同様に、どのようにやるかということについて意識的に考えているのである。

この段階では、あなたの反応は熟練した人に比べて格段に遅い。これはあなたができないということではない。全然そうではない。あなたはウォーレン・バフェットと同じ投資判断を下せる。しかしバフェットが一〇分で決断することに、あなたは一〇日、あるいは一〇カ月かかるだけだ。あなたは投資のすべての側面を一つ一つ考え、注意深く分析を加える（そして、知識を習得する）。それはバフェットが無意識下でやっている類のことだ。

あまりにたくさんの投資家が、学習プロセスの段階は飛ばしてもいいと思っているので驚かされる。彼らは誰か他の人の無意識的能力を利用しようとする。投資の導師に従う、あるいは成功した投資家が開発したマニュアルに従うのがそうだ。

しかし、ギャンの三角形、ダウ理論といった類の本を読んで、そこに解説された手順に従ったり、誰かの商品トレーディング・システムを利用したりすると、遅かれ早かれそんなものが何の役にも立たないことに気づくだろう。無意識的能力の獲得に近道はないのである。

あなたが知識を蓄え、技術を磨き、経験を積むということを何度も繰り返すことにより、作業はどんどん自動化され、意識下から無意識下へと移行していくのだ。そしてあなたがついに到達する段階とは……

無意識的能力である。これこそが、単にそうしている、そしておそらくどのようにやっているのか意識さえしない達人のレベルなのである。無意識的能力を発揮して行動するとき、達人は私やあなたが死の恐怖を味わうような意思決定を何の苦もなくやってのける。

達人の行動は我々にはリスクがいっぱいに見える。しかし、リスクがいっぱいということの本当の意味は、その行動を我々が取った場合には、ということだ。たとえば、ソロスのオフィスを訪問したある人が、ソロスが面会の途中で何百万ドルもの買い注文を出したことを思い出して語っている。

「身震いするよ。自分だったら眠れなくなるだろう。彼はそんなふうに大金を動かしている。鉄の神経でないとああはやれない(注4)」

鉄の神経？　多くの人はソロスについて同じようなことを思っているのだろう。彼らの考えは正しくはこうだ。自分がソロスと同じようにやろうとすれば鉄の神経が要る。ソロスはそんな心配をする必要はない。達人は自分が何をしているのか知っている。達人が学んだものを身につけるまで、我々にはそれがわからない。

彼は自分が何をしているのか知っている。これはあなたが人生の中で行なう他のことにも似ている。あなたにとってはまったくリスクがなくても、他人から見るとリスクがいっぱいだ。あなたが何年もそれをやってきて、経験を積み、無意識的能力を獲得したからだ。あなたは自分が何をやっているかがわかっており、また何をやってはいけないのかもわかっている。そんなあなたの知識や経験を持っていない誰かにとって、あなたがやっていることはリスク満載に見える。スキー、ロッククライミング、スキューバダイビング、カーレースといったスポーツでもありうるだろう。あなたも日々の仕事で瞬時に直感的に見える判断を下しているだろう。

ちょっと個人的な例で説明したい。おそらくあなたはまったく知らない分野だと思うので、背景についてまず多少述べておきたい。私が『ワールド・マネー・アナリスト』という投資レポートを発行していた際、私はダイレクトメールを送って新規購読者を捕まえ、定期収入を得ていた。その頃、持ってもいない金を何十万ドルも費やして販促をやりながら、リスクをとっていると思ったことはなかった。

話せますか、歩けますか？

地球上でほとんどすべての人間が熟達している無意識的能力の例として、歩くことと喋ることが挙げられる。

一歩歩くごとに数え切れないほどいろいろな脚の筋肉を使っているということをあなたは意識しているだろうか？　たった一歩でも？　どの筋肉を動かしているかということすら知らないであろう。もし一歩歩くごとに、正しい強さ、正しい順番でどの筋肉を収縮させ、あるいは弛緩させるかということを意図的に行なおうとすればすぐに転んでしまうだろう。歩くという作業は、単にそっちに行くということを意識するだけで、後はあなたの無意識が実行する。

喋るということについても同じである。あなたは母国語に加えて他の言語もマスターしているだろう。私と同様に、あなたも、どのように正確に言葉を記憶し、必要に応じて使用し、文法に沿って（少なくても理解できるように）文章を作るのかなんて説明できないだろう。あなたが話しているときに、次にどの単語を発するか意識しないことも多い。意識のうえであなたにわかっていることは、意思疎通したいということだけだ。

無意識的能力というのは、脳が意識の限界に対応するために生み出したものだ。我々は意識上では七つ（プラスマイナス二つ）の情報しか持てない。無意識が続きを引き受けてくれるので、我々の意識は本当に重要な事だけに集中できるのである。

鍛錬してこそ身にも付く。繰り返しと経験が、無意識に仕事を託すための道具となるのである。

ダイレクトメールを出すためには、印刷、レターショッピング（封筒にいろいろ詰め込む）、メーリングリストの調達、そして切手代と、さまざまなコストがかかる。出す前に払わなければならないのは切手代だけだ。他はみな、通常の商習慣通り三〇～九〇日のツケが可能である。それまでに発送したダイレクトメールすべての記録を調べ、その手の販促をやって期待できる収入の半分ほどは発送してから七日以内に振り込まれることがわかっていた。切手代はそれで十分賄えるので、他の支払いも順次すませることができた。

ほほう、で、そもそも金を払う人がいるってなんでわかるんだ、あなたはそう思うかもしれない。反響の大きさは三つの要因で決まる。見出しの売り文句、コピー（チラシの本文）、そしてメーリングリストの質だ。新しい広告を作るとき、うまくいくかどうかはわからない。だから実験してみるのだ。手持ちの中で一番内容のいいメーリングリストに一万通から二万通のダイレクトメールを送る。コピーが完全な戯言でなければ、これで大損することはない（かかる費用は数千ドルぐらいだから、仮にまったく反応がなかったとしてもそう深刻な出費ではない）。

実験のダイレクトメールがうまくいったら（つまり儲けが出たら）他のメーリングリストを使って「大量生産」を始める。私は定期的にそういう販促をやっていたので、どのメーリングリストはうまくいき、どのメーリングリストはうまくいかず、どのメーリングリストは時々ならうまくいくのかわかっていた。だから、実験結果に基づいて、大量生産用にどのメーリングリストを使えばいいかわかっていた。実験がとてもうまくいって大儲けなら、五〇万通以上も送りつけていた。そして先払いしなければならないのは切手代だけだった。

あなたはこれでもまだ、私が不必要なリスクをとっていたと思うだろうか。おそらくそうだろう。

そうでないとは完全にわかってもらおうとは思わない。しかし、私は自分のやっていることをわかっていたので、私にとってはリスクはまったくなかったのだ。

　ちょっと考えてもらえば、あなたにとってはほとんどあるいはまったくリスクがないが、他の人にリスクがないことをわかってもらうことはできない例が、あなたにもあると思い当たるに違いない。**リスクは経験を積むにしたがって低下する**。あなたが今日やることにも、リスクがないとあなたは思っているものがたくさんある。しかし、必要な知識や経験を積む前にはあなたもそんなふうには思わなかった時代があるはずだ。かつては同じ行動がとてもリスクの高いものに思えていたはずだ。

（一九九二年に）ジョージ・ソロスが一〇〇億ドルのレバレッジをかけてポンドを売ったとき、彼はリスクをとっていただろうか。私たちからすれば、とっていたことになる。そういうとき、私たちは自分の物差しでリスクを測りがちである。あるいは、リスクとは客観的に決まるものだと思いがちである。そういう考え方からすれば、リスクはとても大きかったと言える。しかし、ソロスは自分のやっていることを理解していた。彼は、リスクの水準は完全に対応できる範囲内にあると確信していた。彼の計算によれば、損は大きくても四％ほどだった。「だから関連するリスクは本当にまったく小さかった」(注5)

　ウォーレン・バフェットも言っている。「リスクは自分のやっていることを理解できないことで生じる」(注6)

　非常に成功している投資家は、自分にとってリスクのある投資には一切近寄らない（走って逃げると言うほうが適切な表現かもしれない）。しかし、リスクは相対的なものであり、状況に依存するのであり、ウォーレン・バフェットが避けた投資対象をジョージ・ソロスは両手いっぱいにすくい上げるかもしれない。無論、逆も成り立つ。

リスクは計測可能

自分が無意識的能力を持つ分野に投資を制限することで、投資の達人はリスクを避け、同時に平均以上のリターンをあげることができる。しかし、そもそも達人はどうやってそんな無意識的能力を獲得したのだろう？　リスクは計測可能だと気づき、何を測ればよいかを学んだことで獲得できたのである。

投資の達人は確実か不確実かでものを考え、確実なことに集中する。だから、本当はまったく「リスクを測」ってはいないのだ。継続的な調査を行なって達人が測っているのは利益が得られる確率であり、ウォーレン・バフェット言うところの「確率の高い出来事」だ。そして達人は、そういう出来事を次に述べる疑問に答えることで発見する。

何を測るか

あるとき、ある投資家に投資の目的は何かと聞いてみた。返ってきた答えは「一年に一〇％儲けること」だった。

「目的を達成したかどうかはどうやって測りますか？」

「一〇％儲けたかどうかだよ」と言われた。

この投資家が言っていることは、建築家が、自分の仕事の質を建築工事が終わったときにビルがちゃんと立っているかどうかで測ると言っているのと変わらない。結果で評価しようとすれば、達成しようと努力している結果は結局やってみて達成したかどうかで測る他ない。やる前に達成すると考えられるかどうかでは測れない。

よい建築家なら設計図を書いている段階でビルがちゃんと建つかどうかぐらいはわかる。建材の強度、建材にかかる負荷、デザインや建築作業の質を測ればわかるからである。同じように、投資の達人も、投資をする前に、自分が儲けられるかどうかがわかるのだ。

利益（や損失）は残り物である。つまり収入と支出の差だ。だから、利益は後から振り返って評価する他ないのである。たとえば、企業は利益を稼ぐことを目標として利益を稼ぐのではない。現時点で計測可能な活動に集中し、それが後になって利益という結果をもたらすのだ。言い換えれば、企業は、売上げや収入を伸ばし、費用を抑えることに集中する。収入が費用を上回ると自信を持てる活動に注力することで、会社は利益をあげるのである。

投資基準

投資の達人は利益ではなく、利益に必然的に結びつく尺度に注目する。それが投資基準だ。

ウォーレン・バフェットは上がると思うから株を買うのではない。彼が買った瞬間にでも十分株価は下がりうるのだと、誰にも増して彼自身が言うだろう。彼が株を（あるいは会社を丸ごと買うのは、その株が自分の投資基準に合致するからである。そうすれば、株価が上がるか（会社を丸ごと買う場合）事業利益の増加で、最終的にはとても儲かるのだと、彼は経験から知っているのだ。

たとえば、一九七三年二月、バフェットはワシントン・ポストの株を一株二七ドルで買い始めた。価格が下がるとバフェットは買い増しし、一〇月までに最大の外部株主となった。バフェットにとってワシントン・ポストは四億ドルの価値を持つ会社が八〇〇〇万ドルで売りに出ている、そんな状態だった。しかし、ウォール街の見方は——出版アナリストのほとんどは同社の企業価値についてバフェットと同意見だったが——違っていた。

ウォール街が注目していたのは市場の下落だった。ダウは四〇％下がり、ＩＢＭ、ポラロイド、ゼロックスといった「ニフティ・フィフティ（優良株）」も——ほんの数年前、投資家たちは利益の八〇倍の株価でも喜んで買っていたものだったが——八〇％以上下がっていた。不況の中でインフレ率は上昇していた。そんなことは起こらないはずだった。不況ならインフレ率は下がるはずだった。ウォール街では「世界の終わり」が来たようだった。彼らにとって、株を買うときではなかった。そのうえ、インフレ率が上昇しているので債券も安全ではなかった。

そんな投資のプロたちにとって、ワシントン・ポストは一株三八ドルから二〇ドルへと下がった株であり、市場全体と同じように、もっと下がる以外にない銘柄だったのだ。買う「リスク」はあまりに高かった。皮肉なのは、ワシントン・ポストが新聞および雑誌の事業を四億ドルで別の出版社に売却しようかと検討していたことだ。ウォール街はそれを八〇〇〇万ドルででも買おうとはしなかった！

バフェットにとって、健全で魅力ある会社を価値の八割引で買うことにリスクなんてまったくなかった。バフェットは市場——や経済——を見なかった。彼はワシントン・ポストの事業の質を測るのに自分の投資基準を使っていた。そこにあるのは彼に理解できる事業だった。ワシントン地域を実質的に独占しているおかげで、持続可能で（かつ、「独占」のおかげで価格をインフレに合わせて引き上げることもできるのでインフレ・ヘッジにもなる）良好な経済的仕組みを持ち、資本集約的ではなく、経営もうまくいっており、そしてもちろん、非常に魅力的な価格で買える会社だったのだ。

ウォール街が損失を恐れ、それを「リスク」と呼んで右往左往しているとき、バフェットをはじめとする、何を測ればよいかわかっている投資家たちが底値を浚えていた。興味深いことに、市場が暴落するとき、投資のプロたちが突然元本を確保するのが重要だと言い出し、「待って見極める」態度に出ることがある。一方、「投資のルール①：決して金を失うな」を守っている投資家は、彼らとはまるっきり逆に、こういうときにこそ両足揃えて飛び込むのである。

バフェットが投資してからもワシントン・ポストの価格は下がり続けた。結局、株価がバフェットの買い値の平均である二二・七五ドルへと戻ってきたときには二年が過ぎていた。しかし、バフェットは株価など気にしてはいなかった。彼が重視するのは自分の投資基準であり、事業の質を測ることだった。そして事業の質は――利益だけから見ても――改善していた。

投資市場では、測ったものがその人自身なのだ。

リスクは管理できる

ソロスはバフェットとは大きく異なる方法で確実な投資を実現している。バフェット同様、ソロスも投資を測る――成功している投資家はみなそうだ――が、彼が用いる投資基準はまったく異なっている。ソロスの成功の鍵は能動的にリスクを管理することである。投資の達人が使うリスク回避戦略は四つある。

1　**投資しない。**

2　**リスクを抑える**（これはバフェットのやり方の鍵だ）。

3　**能動的にリスクを管理する**（ソロスが驚異的にうまいのがこの戦略である）。

4　**リスクをアクチュアリ的（数理的）手法で管理する**。

実は、リスク回避の方法には五つ目があり、投資アドバイザーの大半が強く勧めるのはそれだ。すなわち分散投資である。しかし、投資の達人にとって、分散投資は小鳥さんのやることである（第7章を参照）。成功している投資家はこれら四つのうち一つだけを用いるわけではない。ソロスのように、四つとも使う人もいる。

1　投資しない

これも選択肢の一つである。財産をすべて短期国債——いわゆる「無リスク資産」——に投資し、放っておく。奇妙に思えるかもしれないが、成功している投資家はみなこの戦略を実行している。自分の基準に合う投資対象が見つからないとき、彼らはまったく投資しない。そんな単純なルールさえ守れない投資のプロが多すぎる。たとえば、市場が下落しているとき彼らはポートフォリオを公共株などの「安全な」株や債券に移す。そういった資産は、理論的には平均的な株よりも下げが小さいはずだからだ。『ウォールストリート・ウィーク』にのこのこ登場して、あなたの言葉を待っている聴衆に今何を買ったらいいかわからないとは言えないということだろう。

２　リスクを抑える

これはウォーレン・バフェットの投資手法全体の核心部分である。投資の達人はみなそうであるように、バフェットは自分が理解できるものだけ、つまり自分が意識的・無意識的能力を発揮できる分野だけに投資する。しかし、彼はそれだけでは終わらない。彼のリスク回避方法は投資基準に織り込まれている。バフェットは、自分で推定した企業価値を大きく下回る価格で買えるときに限って投資している。彼はその値引き幅を「安全余裕度《マージン・オブ・セイフティ》」と呼んでいる。

そういう手法に従うとき、投資をする前に仕事はすべて終わっている（バフェットはそれを「利益は買ったときに出ている」と表現する）。このプロセスで、バフェットが「確率の高い出来事」と呼ぶものだけが選別される。すなわち、リターンの確実性という点で短期国債に近い（あるいは短期国債よりも確実な）投資対象である。

３　能動的にリスクを管理する

これは基本的にトレーダーのやり方である。同時に、ソロスの成功の鍵だ。リスクを管理することはリスクを抑制することとはまったく違う。リスクを十分に抑制したなら、家に帰ってぐっすり眠っていていい。長期休暇に出てもいい。

能動的にリスクを管理するためには、常に（場合によっては分単位で）市場に神経を集中して注意を払わなければならず、また、路線変更をするとき（何か間違っていたことがわかったときや現在の戦略が終わりまで来たとき）には冷静に即座に行動する能力が必要である。ソロスのリスクを扱う能力は、ナチ占領下のブダペストで死ぬリスクに日々直面していた時代に「刷り込まれた」ものだ。生き残りの達人であったソロスの父が彼に教えたリスク管理の三つのルールは、今日でもソロスを導いている。

1　リスクをとるのはかまわない。

2　リスクをとるのはかまわないが、すべてを賭けてはいけない。

3　いつも、急いで逃げる準備をしておけ。

急いで逃げる

一九八七年、ソロスは市場の暴落が――日本で――起きるという仮説を立て、クウォンタム・ファンドは東京で株をショート（売り持ち）、ニューヨークでS&Pをロング（買い持ち）した。しかし、一九八七年一〇月一九日の「ブラック・マンデー」で、彼のシナリオは崩れた。ダウは二二・六%という過去最大の下げを見せた。これは現在でも、一日の下げとして史上最大である。一方、東京では政府が市場を支えた。ソロスの戦略は両側で損失を出していた。「彼はレバレッジをかけていて、ファンドの存続自体が危機に晒されていた」(注7)と、その二年後にクウォンタム・ファンドの運用を引き継ぐことになるスタンレー・ドラッケンミラーは述べている。

ソロスは躊躇しなかった。リスク管理のルールその3に基づき、大急ぎで逃げ出した。ポジションは非常に大きかったので、彼の売りで価格は下がった。五〇〇〇枚買っていたS&P先物を二三〇で売りに出したが買い手はいなかった。二二〇、二一五、二一〇、二〇五、二〇〇と値段を下げてもダメだった。結局、彼は一九五から二一〇の間でポジションをすべて手仕舞った。皮肉なことに、彼の

売りが捌けたことで売り圧力がなくなり、市場は反発して二四四・五〇でその日の取引を終えた。(注8)

ソロスはその年稼いでいた利益をすべてこれで吹き飛ばした。しかし、彼は慌てなかった。彼は間違いを認め、自分は何が起きているかわかっていなかったと認識し、間違ったときはそれが些細なものである場合も、このときのように生き残れるかどうかという場合もそうであるように、リスク管理の姿勢をとった。このときが特殊だったのは、彼のポジションの大きさと市場の流動性だけだった。**まず生き残れ**。それだけが重要だった。ソロスは立ちすくみもしなかったし、疑心暗鬼になることも、分析するのをやめることも、考え直すことも、事態が変わるまで待つべきか判断しようとすることもなかった。彼はただ逃げ出したのだった。

ソロスの投資手法は、市場に関する仮説を立て、そのうえで、仮説が正しいかどうか判断するために市場の「声を聴く」というものだ。一九八七年一〇月、市場は彼に間違っている、どうしようもなく間違っていると告げた。市場が彼の仮説を叩き潰したのだから、彼はもはやポジションを持ち続ける理由がなかった。彼は損をしていたので、大急ぎで逃げ出す以外に道はなかったのだ。

一九八七年の暴落は、その後何カ月もウォール街に暗い影を落とした。「私が知っているマネジャーで、暴落に捕まった人たちは、その後みな意識が朦朧としているみたいだった」とドラッケンミラーは言う。「彼らは何にもしなくなった。この業界で伝説的な人までそうだった」(注9)

著名ヘッジファンド・マネジャーのマイケル・スタインハートがそれを率直に認めている。「あの秋は余りに落ち込んでしまったので、もうやる気がなくなってしまった。個人的なあてつけを食らったような受け取り方をしてしまっていたのだ。タイミングが最悪だった。その年の初め頃に警告を出していた（注意を呼びかけていた）ので、暴落での損はいっそうつらかった。相場観が鈍り始めたのかもしれない。自分は以前ほど相場がうまくなくなってしまったのかもしれない。自信がなくなった。孤独だった（注10）」

ソロスは違った。彼はそれまでなかったほどの損を出したのに、そのことに影響されなかった。彼は二週間後に市場に戻り、ドルを大量に売った。彼はリスクの扱い方を知っており、自分のルールを守ったので、彼にとって暴落はすぐに過去の話になった。終わったことだ。そしてクウォンタム・ファンドはその年一四・五％の利益をあげた。

感情の隔離

投資の達人を際立たせる精神上の戦略は、彼らが感情を市場から完全に切り離せることである。市場に何が起ころうと、彼らは感情面では影響を受けない。彼らももちろん幸せを感じたり悲しんだり、怒ったり興奮したりするが、彼らはそういった感情を即座に脇へ置き、頭を切り替えることができるのだ。感情に支配されている状態だとリスクに影響を受けやすい。感情に支配された投資家は――たとえ、何かよくないことが起きたらどうすればいいか、頭ではよくわかっていても――往々にしてすくんでしまう。どうしようかと延々思い悩む。そして結局、悩みから解放されようと、ほとんどが損をして手仕舞うことになる。

バフェットは投資手法を通じて感情を十分に切り離している。彼は事業の質に集中する。彼が気にするのは、投資が自分の基準に合い続けているかどうか、それだけだ。合っているなら彼は――市場でどういう価格になっていようが――満足だ。持っている株が基準に合わなくなったら――市場価格がどうであろうと――売る。

ウォーレン・バフェットにとって、市場がどうなっていようがそんなことはただただどうでもいい。彼が、市場が一〇年間閉鎖されても別にかまわないというのも当然だろう。

私はあてにならない

バフェット同様、ソロスの投資手法も感情を切り離すのに役立っている。しかし、ソロスの究極の防御は――バフェット同様の自信に加えて――「聴く耳を持つ人に片っ端から自分はあてにならないと言って回る」(注11)ことだ。

ソロスは、市場がどのように、なぜ、動くかについて立てた仮説に基づいて投資を行なう。「仮説」という言葉を使っていること自体、彼の見方がまったく一時的なものであることを示している。彼は「自分のポジションと心中」など、一番しそうにない人間だ。しかし、「八七年の暴落」はアメリカではなく日本で始まると公の場で予測したことは、ソロスは「ミスター・マーケット」が次にどう出るか確信していることがあるという証拠である。そうならなかった場合、彼は完全に虚を突かれてしまう。

他の信念のすべて圧倒するのが、自分はあてにならないという確信であり、これは後に見るように、ソロスの投資哲学の基礎となっている。だから、市場が彼は間違っていると示すとき、ソロスは即座に自分の間違いを認める。多くの投資家と違い、彼は「市場は間違っている」と言って自分のポジションに拘泥したりはしない。ただ逃げ出すのである。その結果、ソロスは自分のやっていることから完全に撤退することができ、他人にはそれが無感情に見えたりストイックに見えたりする。

4　アクチュアリ的リスク管理

リスクを管理する四つ目の方法は、実質的に保険会社のように行動することである。保険会社は生命保険を引き受けるが、保険金を支払うのがいつになるのかはまったくわからない。明日かもしれないし一〇〇年後かもしれない。しかし、そんなことは（保険会社にとっては）どうでもよいのである。保険会社はあなたが死ぬのはいつか、あなたのお隣さんの家が火事になったり泥棒に入られたりするのはいつかについて、あるいはその他保険の掛かっていることが起きるのはいつかについて、一切予測を行なわない。保険会社は多数の保険を引き受けることで、毎年支払う保険金の平均が高い確実性で予測できるようにしているのだ。

個別事象ではなく平均値を考え、保険会社は各事象の平均的な期待に基づいて保険料を決める。だから、あなたが入っている生命保険料は、あなたの性別や、あなたが保険に加入したときのあなたの年齢と健康状態などに基づいて決まる。保険会社はあなた本人の期待余命について何の判断もしない。

保険料や保険のリスクを計算する人をアクチュアリと呼ぶ。だから、ここで説明するリスク管理の方法を「アクチュアリ的リスク管理」と呼ぼう。この手法は、「期待リスク」と呼ばれるものの平均値に基づいている。投資の達人も、よく使われるこの用語を使う可能性があるが、実際に達人が見ているのは期待利益の平均値である。

たとえば、コイン投げをやって表が出るほうへ一ドル賭けた場合、勝ち負けの確率は五〇対五〇である。期待平均利益はゼロだ。コインを一〇〇〇回投げ、毎回一ドルずつ賭けるとすれば、賭けが終わったときのあなたの所持金は始めたときとまったく同じであると期待される（もちろん、異常に裏が続いてあなたが破産しなければだが）。

オッズ（賭け率）が五〇対五〇ではあまり面白くない。取引コストがかかるならなおさらだ。しかし、オッズが五五対四五であなたに有利なら、話は違ってくる。勝つ回数を負ける回数が上回り、あなたの期待平均利益は〇・一になる。あなたが賭ける一ドルは、平均では一・一〇ドルになって返ってくると期待できる。

ギャンブル、投資、リスク

ギャンブル　名詞　危険《リスク》を伴う行為、または危険を伴う物事全般。
　他動詞　大儲けを願って大きな危険を冒す。
　自動詞　偶然を伴う物事の結果に賭ける、あるいは金を危険に晒す。

投資とギャンブルは互いによくなぞらえられる。それも当然であり、本質的には、アクチュアリ的手法は「オッズに基づいて賭ける」ということだ。もう一つの（間違った）理由は、ギャンブルをするのと同じ調子で市場に参加する投資家があまりに多いためだ。「大儲けを願って」である。はじめて商品市場にやってくる人々は、特にそうであることが多い。

比喩を明確にするために、単なるギャンブラーとプロのギャンブラーの違いを考えてみよう。単なるギャンブラーは偶然のゲームに――大儲けを願って――金を賭ける。賭けが当たることは稀であり、手にするものと言えば、ゲームをやって感じる興奮だけだ。そんなギャンブラーがラスヴェガス、モンテカルロ、マカオ、そして世界中の宝くじビジネスを支えている。単なるギャンブラーは「偶然の女神」に運を任せるのだ。しかし、「偶然の女神」たちがどれほど優しかろうと、彼女たちが地球に送り込んだ代理人のモットーは「カモには五分五分のチャンスさえくれてやるな」だ。その結果どうなるかというと、バフェットは次のように述べている。

ラスヴェガスは人々が一見ほんの少し不利な資本取引を行なうときに生じる富の移転が積み上げられてできた[注12]。

対照的に、プロのギャンブラーは自分がやっているゲームのオッズを知っており、オッズが自分に有利なときにだけ賭ける。週末だけギャンブラーと化す連中と違い、プロのギャンブラーはサイコロの目に頼ったりはしない。ゲームのオッズを計算し、長期的には受け取りが支払いを超えるように賭ける。プロのギャンブラーが賭けをするときの考え方は保険会社が保険を引き受けるときの考え方と同じだ。期待平均利益でものを考えている。

プロのギャンブラーは、投資の達人同様に、自分のシステムを持っている。そして当然、システムには、長期的に勝てるゲームを統計的に選択する要素が入っている。ポーカーやブラックジャック、ルーレットから偶然の要素を取り除くことはできない。しかし、オッズの計算を学び、期待平均利益（つまりオッズ）が自分に有利になるよう、賭けをすることができるかどうかを判断することはできる。プロのギャンブラーは有利に賭けられないなら賭けない。だから決して宝くじは買わない。

プロのギャンブラーは実際にはギャンブルをしていない。「大儲けを願って大きな危険を冒」さない。彼らは、投資収益率がプラスになると数学的に確実である場合だけを選んで、延々少しずつ投資をする。

投資はギャンブルではない。しかし、プロのギャンブラーがポーカー卓でやることは、投資の達人が投資市場で見せる行動と同じだ。両方ともリスクの数理を理解しており、オッズが有利なときにだけ大金を賭ける。

カモ！

プロのギャンブラーは確率を計算するばかりではない。オッズが有利になるに決まっている状況を探すことまでする。アルコホーリクス・アノニマス（アルコール依存症患者の共同体）のメンバーでもある私の友人は、市街地から渡し船で六〇分ほど行ったところに住んでいる。帰宅時に渡し船に乗ると、後ろのほうのテーブルに酔っ払いがたくさんいて、バーで買ってきたビールを飲んでいる。彼は椅子に座り、鞄からトランプを取り出して言うのだ。「誰かポーカーをやる人はいませんか？」

アクチュアリ的投資法

投資を始めた頃のウォーレン・バフェットのやり方は、今日の彼のやっている方法とは大きく異なっていた。彼は師であるベンジャミン・グレアムの、アクチュアリ的な考え方に基づく方法を用いていた。

グレアムは、二流の会社の株を「本質的価値の三分の二以下の価格がついているときに」買うというやり方をしていた。(注13) 彼は公表された情報だけに基づく分析で価値を評価していた。基本的な情報源は企業の財務諸表だ。彼にとっての基本的な本質的価値の指標は企業の簿価だ。理想の投資対象は、清算価値、すなわち解散価値を大きく下回る価格で買える企業だ。

しかし、株価が安いのには当然の理由があることもある。ちょっと考えただけでも、業種全体が衰退していたり、経営陣が無能であったり、競合他社が優れた製品を出してその企業の顧客をかっさらってしまっているといった例を挙げられる。企業のアニュアル・レポートを見ても、そういう情報が載っていることはないだろう。

グレアムが知りえない数字を分析するだけで、なぜ株価がそんなに安いのかわかるということさえありうる。だから、彼が株を買った会社のいくつかは倒産した。買った価格からほとんど動かない株もあった。そして、本質価値、あるいはそれ以上の価格に戻った株もあった。どの株がどのカテゴリーに入ることになるか、グレアムは事前にはわからない。

では、グレアムはどうやって儲けたのだろうか。彼は多数の銘柄に投資して、株価が上がった銘柄での利益がそうならなかった銘柄での損失を大きく上回るようにしたのだ。これがリスク管理のアクチュアリ的方法である。保険会社が、特定の種類のリスクを持つすべての人の保険を引き受ける理由と同じだ。グレアムは特定の特徴を持つ株式をすべて買っていたのである。

保険会社は、具体的に誰の家が火事になるか知らないが、どれぐらいの頻度で火災保険金を支払わなければならないかを高い確率で知っている。同じように、グレアムはどの株が上がるかは知らない。しかし、平均してみると、買った株のうちどれだけが上がるのかは予測可能であると知っていたのだ。保険会社は保険を適切な価格で売ってこそ利益をあげられる。同じように、グレアムも株を適切な価格で買わなければならなかった。高く買いすぎれば手元に残るのは利益ではなく損失だ。

アクチュアリ的手法は、なぜか不思議にも上がる株だけを買っているという、投資の達人に対するお決まりのイメージに比べると、ロマンのかけらもない。しかし、こうしたやり方こそ、おそらく他のどのやり方よりも成功した投資家に使われている。成功は、全体としてプラスの平均利益が期待できる、狭い資産クラスを特定できるかどうかにかかっている。

バフェットもこうしたやり方で始めたし、裁定取引を行なうときは今でも使っている。また、ソロスの成功の一因もそうであり、ほとんどの商品トレーディング・システムもこのやり方に基づいている。投資家にとっての期待平均利益は、保険会社で言えば生命表にあたる。何度も繰り返すと長期的には平均でプラスの利益が期待できる事象を特定したことで成功した投資やトレーディングのシステムは何百とある。

リスク対リターン

ほとんどの投資家は取るリスクが大きくなればなるほど期待できるリターンも大きくなると信じている。対照的に、投資の達人はリスクとリターンが関係しているとは考えない。期待利益がプラスのときだけ投資することで、達人のとるリスクは非常に小さいか、あるいは皆無になる。

第5章 市場はいつも間違っている

人の富の大きさはその人の考える能力で決まる(注1)
——アイン・ランド

ほとんどの人は考えるぐらいなら死ぬ。実際、そうして死ぬ人は多い(注2)
——バートランド・ラッセル

成功する習慣3
独自の投資哲学を持つ

達　人——自分の性格、能力、知識、好み、および目的に基づいて独自の投資哲学をつくり上げる。結果として、非常に成功している投資家の投資哲学は一つとして同じにはならない。

負け犬——投資哲学を持たない、あるいは誰か他の人の真似をする。

明確で一貫した投資哲学

投資家が行なう意思決定はすべて――買い、売り、ホールド、あるいは何もしない――その人が市場は何に反応すると考えているかに基づいている。つまり投資哲学で決まる。

哲学とは、私たちを取り巻く世界がどんな仕組みで動いているのかを説明するものであり、また、私たちがその仕組みを理解する術だ。私たちが選択を行ない、意思決定をし――行動を起こすための指針である。人生哲学は誰でも持っている――人間であって人生哲学がないというのはありえない。誰か他の人の哲学をそのまま受け入れてしまう人は多い。他の人と同じ哲学を意識して選ぶ人もいるし、手直しして自分の哲学にする人もいる。自分で独自の哲学をつくり上げる人はとても少ない。

さて、投資の話だった。

投資哲学とは、

- 投資の真実：市場はどんなふうに成り立っているか、価格が動くのはなぜか、損益を決めるものは何か
- 価値を判断するための方法を含む価値の理論
- 何をもってよい投資とするか

に関する一連の信念である。こういった哲学は誰でも持っている。著名な投資心理学者であるヴァン・タープ(注3)は、私たちは市場を取引するのではなく、自分の市場に関する信念を取引するのだと述べている。自分の信念がわからないとしたら、自分が何をやっているかわかりっこない。

ほとんどの投資家は、自分を取り巻く環境に合わせてつくった張りぼての信念にしがみついている。そうしたニセモノの信念は往々にして辻褄が合っていない。そういう投資家は自分で何かを悟ったわけではないので、その時々の市場を支配する偏ったものの見方に合わせて自分の投資哲学を変えていく。

たとえば一九九〇年代には、株は長期的には必ず上がるものだから、下がったところで買いさえすればそれだけで金持ちになれると広く信じられていた。ドットコム・ブームの頃、投資家やアナリスト、アドバイザー、そしてファンド・マネジャーのほとんどは、経済的重力の法則（「上がったものは下がる」）は消滅したと信じるようになった。適正価値も利益でさえも、もう関係ないというわけだ。

ウォーレン・バフェットやジョージ・ソロスはそうではなかった。二人はそれぞれ、時間をかけ、考えぬいた末に、風がどう吹こうが揺るぎない、明確で一貫した独自の投資哲学をうち立てたのだ。投資の達人の哲学は、市場にいつも渦巻いている感情のカオスから自分の精神を守る盾なのである。

達人の投資哲学が（バフェットがグレアムの哲学を受け継いだように）意識して誰かを見習ったものであるにせよ、あるいは（バフェットとソロスの両方がそうであるように）自分で独自に築いたものであるにせよ、達人は投資に対する自分の信念について意識的に熟慮を重ねている。自分が選ぶ投資行動それぞれの背後にある「なぜ」という疑問を、常に、はっきりと意識している。その結果、彼らの投資の意思決定は明快であり、そうした明快さこそが成功の鍵なのである。

バフェットとソロスの能力や興味、技術、知識そして経験が大きく異なっているように、彼らの投資哲学もまたまったく異なっている。たとえばバフェットは若い頃から金、事業、そして数字に魅せられていた。だから、彼の投資哲学が彼自身の価値の理論を中心に作られているのは当然であり、彼はその価値の理論を企業の質を判断するのに用いているのだ。その結果、バフェットが投資の真実とはどんなものであるかを語るとき、彼は事業の価値という文脈で話をし、間違った価値の概念に基づいて行動する経営者や投資家について喋ることになる。

一方ソロスがずっと興味を持ってきたのは哲学である。彼の投資家としての経歴はロンドンで始まっている。異なる国の市場間で金鉱株の裁定取引を行なっていたのが最初で、その後ニューヨークでヨーロッパ株の専門家として名を上げた（彼自身はその頃のことを「盲人の王国にやってきた片目のようなものだった」と振り返る）。彼の非常に特異な投資哲学はそうした経歴に基づいて形づくられた。

市場は常に間違っている

バフェットとソロスは同じ投資の現実を見ていながら、それにどう立ち向かうかという点で（相反するのでないとしても）まったく異なる結論にたどり着いた。彼らの行動原理が異なっているのは、彼らの心理や性格、経歴、興味、動機、目的、才能、知能が異なっているからである。

しかし、彼らの考える投資の真実は完全に同じではないにせよ非常に近い。バフェットは、ある日は興奮しすぎだったかと思うと、翌日には深く意気消沈したりする、躁鬱病のミスター・マーケットについてよく語っている。ソロスが最初に悟った投資の現実の性質は「市場はいつも間違っている」だった。バフェットは市場が間違う理由を深く追究したりはしない。彼はただ、市場が間違っているのを見てそれを利用するだけだ。一方、ソロスは市場がいつも間違うのはなぜかについて詳細にわたる理論をつくり、それを儲けるための方法の核に据えた。

つまり、二人とも、効率的市場仮説（「市場はいつも正しい」という仮説）やランダムウォーク理論（訳注：株価や収益率はランダムだという理論）といった投資哲学を真っ向から否定しているのである。これらの理論は、平均を上回る利益を得るのは不可能であるか、得られたとしてもそれはたまたまであるとする。バフェットは「市場がいつも効率的なら、私はホームレスになって空き缶を持って通りに立っているだろう」と述べている。(注4)

バフェットとソロスの投資哲学を合わせれば、投資市場がどんなふうにして働くものか、ほぼ完全な説明ができる。もちろん、それが唯一の説明だというわけではない――しかし、世界中で最も偉大な投資家二人の頭脳を合わせたものを無視するというのは賢いことではないだろう。

運命の出会い

バフェットにとって、すべてが一つにつながった――探していた投資哲学が見つかった――のは、ベンジャミン・グレアムの著書『賢明なる投資家』（パンローリング刊）に出合ったときだった。バフェットにとって、その本は啓示であった。

パウロのダマスカスへの道のようだった。私は一九五〇年代の初め、一九歳のときにこの本の第一版を読んだ。投資について書かれた本の中で、比べるもののない、最も優れた本だと思った。今でもそう思う。(注5)

ベンジャミン・グレアムは一九三四年に『証券分析』（パンローリング刊）を出版して投資に革命を起こした。今日、「バリュー株投資の父」として知られるグレアムは、モメンタム投資やチャート分析、ギャンの三角形、エリオット波動といった手法が席巻していたその頃の（そして今も）世界、つまり投資家が合理的な存在というよりむしろ往々にしてレミングのように行動する、より人間らしい存在である世界に、確かなものを見つけられる数量的手法を持ち込んだ。グレアムの方法はバフェットの数字好きな性格に強く訴えた。そしてバフェットは投資のやり方を大きく変えてしまった。

ご紹介します、ミスター・マーケットです

ベンジャミン・グレアムもウォーレン・バフェットも、投資哲学の礎になっているのは、グレアムが「ミスター・マーケット」と呼んで擬人化した投資市場の性質に関する考え方である。バークシャー・ハサウェイの株主に対する手紙で、バフェットは「ミスター・マーケット」を次のように描いている。

私の友であり、師であるベン・グレアムがずっと昔、市場の変動に対してどう対峙すべきかを教えてくれた。投資で成功するためにそれがとても役に立っている。彼によれば、市場での価格というのは、あなたが一緒に会社をやっているミスター・マーケットと言う名前のとても世話好きな人が持ってくるのだと思えばいいという。ミスター・マーケットは毎日必ず仕事に出てきて、自分の持ち株の価格を提示する。彼はその価格であなたの持ち株を買うか、あるいはあなたに自分の持ち株を売る。

二人でやっている会社の経済的価値は安定しているが、ミスター・マーケットが示す価格はまったく安定していない。というのは、かわいそうにこの御仁は不治の心の病を抱えているのだ。彼は時々幸せでいっぱいになり、会社にとってよい材料しか目に入らなくなる。そういうとき彼が出す価格はとても高くなる。あなたが彼から会社の株を買い取り、すぐ手の届く利益を彼から奪い取ってしまうのではないかと恐れるからだ。一方、彼は落ち込んでいる場合もあり、そういうときは会社のことも世界のことも悪い所しか目に入らなくなる。そんなとき、彼は非常に安い価格を出す。あなたが彼に持ち分を押しつけるのではないかと思うからだ。

ミスター・マーケットにはもう一つ愛すべき特徴がある。彼は無視されても気にしない。今日、彼が示す価格にあなたがまったく興味を示さなくても、明日になれば、彼はまた新しい価格を持ってくる。取引するかしないかは完全にあなたが決めることだ。そういうことなら、彼の躁鬱がひどければひどいほど、あなたにとっては好都合である。

しかし、舞踏会のシンデレラよろしく、気をつけなければいけないことが一つある。それが守れなければ、すべてはかぼちゃとねずみに変わってしまう。ミスター・マーケットはあなたに仕えるためにいるのであり、あなたを導くためにいるのではない。あなたにとって便利なのは彼の財布であり、彼の叡智ではない。ある日彼がやって来るなり、いつもにも増して突拍子もないことを言い出したとして、あなたはそれを無視してもよいし、利用してもよい。しかし、彼に影響されると大変なことになる。自分がミスター・マーケットよりも自分たちの事業の価値をうまく評価できると思えないなら、ゲームに加わることはできない。ポーカーで言うように、「ゲームを始めて三〇分経ってもまだ誰がカモかわからないなら、カモはお前だ」(注6)。

このグレアム／バフェット的市場観の背後には、投資市場のあり方に関する重要な信念と、成功を目指す投資家が従うべき市場に対する態度が横たわっている。

第一に、市場はいつも（あるいは多くの場合）間違っているという信念だ。

第二に、この市場観からグレアムとバフェットの投資戦略が透けて見える。ミスター・マーケットが病的な気分屋なら、当然、正気とは思えないような安い価格で売ると言い出したり、ばかばかしいほど高い値段で買うと言い出したりすることがあるはずだ。

しかし、ミスター・マーケットの気分がいつ振れるのかは予測することはできないし、彼がどれくらい暗い気分になるのか、どれくらい能天気になるのかも事前にはわからない。言い換えると、将来、株式市場での価格がどれくらいになるのかを予測することはできない。グレアム／バフェット流の投資戦略に予測がまったく出てこないのはそういうわけだ。

第三に、バフェットも言うように、「ミスター・マーケットはあなたに仕えるためにいるのであり、あなたを導くためにいるのではない。（中略）彼に影響されると大変なことになる」。

では、ミスター・マーケットや彼に振り回されている人たちについて行こうとするのは間違いであり、決してミスター・マーケットの気分に呑まれてしまうことのないよう注意するべきであるとすれば、何に基づいて投資の意思決定を行なえばいいのだろうか。自分自身で確立した価値基準に基づいて、株式が割安か割高かを判断する、というのがグレアムとバフェットの答えだ。

自分の判断に基づいて価値を決めるなら、ミスター・マーケットの躁鬱病的な挙動はまったく気にならなくなる。単に無視するだけだ。ミスター・マーケットが示す価格を書き留めておくだけだ。自分で独自に確立した価値基準に彼の出す価格が一致したなら彼らは行動する。そうでないときも、そのうちミスター・マーケットの気が変わるだろうと信じているので、そうなるまで待つことになんの躊躇もない。

バフェットやグレアムは、市場は変動するものだと考えている。彼らはなぜ市場が変動するのかについては詳しい理論を持っているわけではない。そして彼らの投資のやり方にそういうものはいらない。彼らの投資哲学が重視するのは価値の決定であり、また合理的な投資のあり方なのである。

バフェットの方向転換

バフェットが一連のパートナーシップを設立し、他人の金を運用し始めたのは一九五六年のことである。その後、それらのパートナーシップは一つに集約されることになる。すなわち、バフェット・パートナーシップである。一九五〇年以来そうであったように、そこでも彼はベンジャミン・グレアムのやり方を忠実になぞっていた。しかし、バフェットはグレアムではなかった。グレアムは一九三四年に『証券分析』で次のように述べている。

> ウォール街で「その事業はいくらで買えるのか」という問いがなされることがないのはまったく信じがたいことだ。しかし、これこそは株式を購入しようというとき、最初に問われるべき問題なのである。(注7)

そう述べている一方で、グレアム自身は企業を事業として見てはいなかったし、企業の経営や製品にさして興味を持ってもいなかった。彼はもっぱら数値だけを見ていた。しかし、グレアムが一九三四年に問うた疑問――「その事業はいくらで買えるのか」――はバフェットの自ら確立した投資スタイルになった。

　バフェットがグレアムから離れつつあることを示すはじめての兆候が現れたのは、パートナーシップ資産の五分の一を投じて、風車や農業用品の製造会社デンプスター・ミル・マニュファクチャリングの株式の七〇％を取得し、支配株主になったときである。しかし、同社の事業は停滞しており、バフェットにとって企業の建て直しは「おちゃのこさいさい」の仕事ではなかった。彼が同社を売りに出すまでにそうはかからなかった。

　しかし、同社を購入する際の前提となったグレアム流の考え方に対する疑いは微塵もなかった。事実、グレアムの影響はパートナーシップのあちこちに滲み出ていた。デンプスター以外では、資金は――「タバコの吸殻」作戦（訳注：本書八三ページ参照）、裁定取引《アービトラージ》、企業整理（精算など）といった戦略に基づく――四〇銘柄に分散投資されており、みな、グレアム／ニューマンの手法に沿っていた。（注8）

　一九六三年にバフェットははじめて、グレアムなら絶対に買わない株を集め始めた。アメリカン・エキスプレスである。このときも彼は大量に購入し、パートナーシップ資産の二五％を同社に注ぎ込んだ。バフェットはその頃――今日もそうであるように――十分な安全余裕度が得られる価格である場合に限って価値を買うというグレアムのファンダメンタルズ原則を踏襲していた。バフェットはアメリカン・エキスプレスには価値と安全余裕度の両方が備わっていると見ていた。しかし、彼が「測る」ものや価値の計算の仕方は変化していた。

アメリカン・エキスプレスの子会社の一つが植物油の缶を置いておく倉庫を経営しており、顧客には受取証を発行していた。残念なことに、顧客の一社――アライド・クルード・ベジタブル・オイル・アンド・リファイニング――は詐欺師がやっている会社だった。アライドは信用力などゼロだった。しかし、彼らは植物油をアメリカン・エキスプレスの受取証に変えることができると思いついた。そしてアメリカン・エキスプレスの受取証は銀行借り入れの担保に使えたのだ。

アライドが倒産したとき、債権者は植物油――あるいは自分たちの金――を確保しようと、次々とアメリカン・エキスプレスへやって来た。そのときになって詐欺が露呈した。アライドが倉庫に預けていた缶に入っていたのは、ほとんどが、海水に植物油を少し浮かせただけのものだったのだ。アメリカン・エキスプレスは六〇〇〇万ドルの損失に直面した。「手持ちの資金を超える額だった」とCEOのハワード・クラークは述べている。(注9)

「サラダオイル・スキャンダル」が露呈する以前の一九六三年一一月に六〇ドルだった株価は、一九六四年初頭には三五ドルへと下落していた。アメリカン・エキスプレスは生き残れるだろうか？　ウォール街の推奨は「売り」だった――つまり、彼らの答えは「ノー」だった。

バフェットはこの問題をアメリカン・エキスプレスの主要な事業に影響を与えない一度限りの事件と見ていた。主要な事業とは、アメリカン・エキスプレス・カード事業とトラベラーズ・チェック事業だ。しかし、この企業の価値をどうやって評価すればいいのだろう。

グレアムなら、同社は――一株三五ドルであっても――買えるわけがなかった。株価は同社の有形資産——つまり簿価を大きく上回っていた。アメリカン・エキスプレスが持っていたのは無形資産だった。顧客ベース、世界一のクレジットカード（VISAやマスターカードができる前の話だ）、そして発行されてまだ現金化されていないトラベラーズ・チェックによる数億ドルにのぼる「フロート（訳注：本書一二四ページ参照）」などだ。バフェットは同社を、安定的な利益を生み出す、価値ある無二のブランド力を持つ継続企業と見た——そしてそんな利益が大幅に割安な価格で買えるのだ。

バフェットの疑問は「アメリカン・エキスプレスのブランド力は影響を受けただろうか」へと変わった。そういう疑問に対する答えは営業報告書には載っていない。彼は探偵と化した。彼はオマハにある行きつけのステーキハウスに行き、レジの後ろに一晩中立ってみた。そして人々は——いつも通りに——アメリカン・エキスプレス・カードを使っているのを発見した。銀行や旅行代理店、スーパーマーケット、ドラッグストア、どこへ行ってもアメリカン・エキスプレスのトラベラーズ・チェックやマネーオーダーの売上げに翳りは見られなかった。競合他社にも電話をしてみたが、アメリカン・エキスプレス・カードの強さは相変わらずだった。

彼は、アメリカン・エキスプレスは生き残ると判断した。そして、一度判断するや否や、彼は両手でアメリカン・エキスプレスの株式をかき集めた。

「四次元」投資家

ベンジャミン・グレアムがニューヨークでその後「バリュー株投資」と呼ばれるようになるものをつくり上げている頃、大陸を挟んで向こう側のサンフランシスコでは、『フィッシャーの「超」成長株投資』（フォレスト出版刊）の、今やよく知られた著者フィリップ・フィッシャーが、その後「グロース株投資」と呼ばれるものをつくり上げていた。

　バフェットがアメリカン・エキスプレスを買うことになったのはフィッシャーの影響が大きい。実は、今日のバフェットの投資手法はグレアムというよりもむしろフィッシャーの手法に近い。グレアムの評価手法が定量的であったのに対し、フィッシャーの手法は定性的である。グレアムは企業の財務諸表に載っている数字だけに頼っていた。対照的にフィッシャーは「企業を分析して投資をしようというとき、公表される財務データを読むだけではまったく不十分だ（注10）」としている。彼は次のように述べている。

> 株式が割安か割高かを判断する際、本当に重要なのは、株価の、直近決算での利益に対する比率ではなく、数年先の利益に対する比率なのである。（中略、これが）損失を避け、大きな利益をあげる鍵なのだ（注11）。

　グレアム同様、フィッシャーも割安な株を探す。また、彼も「損をするのを極度に嫌っていた（注12）」。しかし、企業の「数年先の利益」を推定するのはアニュアル・レポートを使って企業の簿価や解散価値を推定するのとはまったく違う。お察しの通り、フィッシャーの投資の基準はグレアムの基準とは大きく異なっている。フィッシャーは、確信を持って企業の将来の収益を推定するためには、企業の事業内容を理解しなければならないと考えた。したがって、彼の第一の原則は、常に「自分の土俵」で勝負することであった。今日のバフェットがそうであるように、フィッシャーは自分に理解できる業種にしか投資しなかった。フィッシャーはそうした「自分の土俵」で次の「四つの次元」すべてに合致する企業を探すのである。

1　その業種で最も低コストのメーカーであるか、および／または優れた生産、財務、開発、またはマーケティングにより、明確な競争優位を築いていなければならない。

2　並外れた経営陣を擁していなければならない。フィッシャーは、並外れた業績をもたらすのは並外れた経営陣であると考えていた。

3　事業の特性として、業種平均を上回る現在の収益性、総資産利益率、売上マージン、売上高成長率が長期にわたって継続するとほとんど保証されているに近い経済環境が得られていなければならない。

4　株価が魅力的でなければならない。

フィッシャーの情報源

フィッシャーはどうやってそんな企業を探し当てていたのだろうか。

彼はたくさんの人と話をしたのだ。もちろん、営業報告書やその他入手が可能な企業情報からもわかることはたくさんある。多くの場合、そうした情報源が教えてくれるのは、どの企業は買うべきでないかということである。たとえば、過去数年間の営業報告書を読むだけで、経営陣がどれぐらい正直か——あるいは正直でないか——がわかる。

しかし、フィッシャーにとって、第一次情報に代わるものはなかった。可能ならば彼はもちろん会社の人と直接話をし、経営陣の知己を得た。しかし、企業の役職員がどれほど正直で率直であっても、彼らの述べる見通しは必然的に不完全なものである。

自分が好んだ情報源の一つを、フィッシャーは「噂」と呼んだ。すなわち、人々が会社やその製品について言っていることである。彼は会社と関係している人たち——顧客や消費者、卸元、元社員、そして特に競合他社——と話をした。役員は自社についてあまり詳しい話をしたがらないかもしれない。しかし、同じ人が、同業他社のことならいくらでも話をする。

フィッシャーがはじめてそうした分析手法を装備して企業に挑んだのはサンフランシスコの銀行の投資部門で働いていたときのことである。サンフランシスコの電気屋を訪れ、ラジオのコーナーへ行って、買い物客を捕まえては話を聞いたのだ。

私は彼らに、この業種の三大企業についてそれぞれどう思うかと聞いた。驚いたことに、それぞれの会社が得た意見はどれもみな似通っていた。（中略）そのうちの一社、フィルコは、私にとっては残念なことに株式を公開しておらず、株式市場での投資チャンスにはならなかったが、特に市場に訴える魅力的な製品を開発できていた。その結果、非常に効率のよい生産を行なっていた彼らは、素晴らしい利益をあげつつ市場シェアを伸ばしていた。ＲＣＡも同じぐらいの市場シェアを持っていたが、その頃株式市場でもてはやされていたもう一社の地位は目に見えて低下しており、問題が起きる兆しが現れていた。（中略）ウォール街の企業が送ってくる「注目」ラジオ銘柄のレポートには、この投機的な「注目銘柄」の行く末にはっきりと見えている問題について触れた言葉は一言も見当たらなかった。(注13)

フィッシャーが見守るなか、彼が問題ありと見た株式は沈む一方、株式市場は新高値をつけた。

それは、その後私の根本的な投資哲学となるものを私が学んだはじめての経験だった。企業を分析して投資をしようというとき、配布される財務データを読むだけではまったく不十分だ。賢明な投資を行なうための重要な一歩は、会社のことをよく知っている人から、その会社の状態について聞きだすことである(注14)。

自分の基準に合う企業を見つけると、フィッシャーはポートフォリオの大きな部分を注ぎ込み、大量に組み入れた。フィッシャーは、並の企業を多数購入するよりもむしろ、並外れた企業を数社だけ組み入れることを好んだ。彼が持つ銘柄が一〇を超えることは稀であり、通常三～四社で資産の四分の三ほどを占めていた。一度株式を購入すると、彼は数年にわたってその株式を持ち続けた――場合によっては数十年にわたることもあった。彼は自分の平均保有期間を「二〇年、ある銘柄は五三年間も持っている」と述べている(注15)。

フィッシャーによれば、最高の売りどきとは次のような場合である。

普通株を購入するときに正しく作業ができていたなら売るべきときは――ほぼない(注16)。

彼にとって売るべきときとは三つの場合に限られる。第一は自分が間違っていた、つまり結局企業が自分の基準を満たしていなかったと気づいたときである。第二は企業が基準を満たさなくなったときである。たとえば、従来より能力の低い人々が経営を握った場合などだ。あるいは、企業が成長した結果、もはや業種全体を上回る速さで成長できなくなった場合もそうである。そして第三は素晴らしい投資機会に出合ったが、まず何かを売らなければそれに投資できない場合である。

グレアムの「ミスター・マーケット」――市場の性質に関するグレアムの哲学――にあたるものをフィッシャーもまた持っていた。「ミスター・マーケット」同様、それがフィッシャーに最高の買いどきを指し示すのである。フィッシャーは（むしろジョージ・ソロスに近いが）、市場価格は事実ではなく人々の認識（あるいは誤認）で決まると考えていた。端的に言えば、ウォール街は短期に焦点を当て、長期を無視していると彼は考えていた。そして、そのことで素晴らしい投資のチャンスが生まれるのである。たとえば、企業が間違いを犯すとき、ウォール街は厳しい罰を与える。

（間違いが）起き、度重なる失敗の結果として今年度の利益がそれまでの予想を大幅に下回るとき、投資業界は経営陣の能力評価を即座に引き下げる。その結果、足元の利益の低さばかりが注目されて、ＰＥＲ（株価収益率）も過去の水準を下回り、利益の下方修正の影響はいっそう大きなものとなる。往々にして株価は本当に割安な水準まで低下する。しかし、もしそれまで何年にもわたって大成功を収めてきた同じ経営陣だとするなら、平均的成功と平均的失敗の比率は将来も同じである可能性が高い。それゆえに、何かよくない間違いが露見するとき、稀有な能力を持つ人々が経営している会社の株式が大変な安値で買えることがあるのだ。(注17)

フィッシャーの描写は、バフェットが購入したときのアメリカン・エキスプレスにそっくりそのまま当てはまる。

チャーリー・マンガー――バフェットの「分身」

アメリカン・エキスプレスに投資すると同時に、バフェットは、バークシャー・ハサウェイのような、割安な株式（彼は後に「タバコの吸殻」と名づけている。すなわち、あと数口しか吸えないが値段は手ごろ、ということだ）を買い続けていた。アメリカン・エキスプレスへの投資は成功したが、バフェットが行なう投資のほとんどは相変わらず古典的なグレアム流の考え方に基づくものだった。それが、一九五九年に出会ったチャーリー・マンガーとの親交が深まるに連れて変わり始めた。

弁護士の教育を受けたマンガーは、一九六二年から一九七五年までパートナーシップの投資会社をやっており、年率一九・八％のリターンをあげていた（同期間のダウのリターンは五・〇％である）。そのうち、マンガーとバフェットはバークシャー・ハサウェイの下に自分たちの会社を合併し、マンガーは副会長となった。

バフェットをフィッシャー流の考え方に引き寄せたのはチャーリー・マンガーである。ある意味チャーリーはフィッシャーの定性理論の化身だった。チャーリーは優れた企業の価値を非常に高く評価していた。シーズ・キャンディ・ショップやバッファロー・ニュースは、優れた企業が妥当な価格で購入可能であった場合の具体例である。チャーリーはバフェットを教育し、優れた企業には金を惜しまないことの重要性を教えた（注18）。

一九七一年、（バフェットとマンガーが支配権を握っていた）ブルーチップ・スタンプはシーズ・キャンディを三〇〇〇万ドルで買わないかとの提案を受けた。同社のバランスシートを見たところ、現金が一〇〇〇万ドルあったがあまり強い印象を受けなかったので、彼らは二五〇〇万ドルならと答えた。運よく、シーズ・キャンディのオーナー、シー氏が翌日、その値段で売ると電話してきた。現在ではバークシャーが一〇〇％保有しているシーズは、一九八四年以来、毎年二五〇〇万ドルを超える税引前利益を計上してきた。シーズは、バークシャーが現在では多数保有している保険会社以外の企業の最初の例となった。

この投資はグレアム流の投資からは大きく逸脱している。シーズ・キャンディ（やアメリカン・エキスプレス）の場合、投資対象の簿価はバフェットが支払う価格を大きく下回っている。そして、従来の持ち主が株主であり続けたいと言うかどうかによって、八〇～一〇〇％の株式を保有するバフェットが経営の舵を取っている。評価手法は基本的にフィッシャーのものである――ただ、グレアムの手法に制約されている。一方、支配権を握るというのは純粋にバフェット独自の方法だ。彼はもともとの資質である事業家の権化へと回帰したのだ。

今日の自分を、バフェットは「八五％グレアム、一五％フィッシャー」と表現する。実際の割合がどうであれ――フィッシャーの比率は一五％を大きく上回ると私は思うが――彼は自分自身の経験と、一〇〇％バフェットである自分自身の個人的な投資スタイルを、それら二つに結合したのである。アメリカン・エキスプレスやシーズ・キャンディのように、今日彼が行なう投資のほとんどは、グレアムなら買わない――しかしフィッシャーなら買うかもしれない――企業だ。

ミスター・マーケットの考えを読む

バフェットと違って、ジョージ・ソロスは投資家を目指したことも事業家になろうとしたこともなかった。ただ、一〇代の頃、ジョン・メイナード・ケインズのようなある種の経済改革者になれたらと思ったことがあった。アインシュタインのような科学者を夢見たことさえあった。そんなわけで、一九四九年に――ソヴィエト占領下にあったハンガリーを脱出した二年後――経済学と国際政治学を学ぶため、ロンドン・スクール・オブ・エコノミクス（ＬＳＥ）に入学した。当時、他のほとんどの大学同様、ＬＳＥは社会主義の温床であった。最も大きい影響力を持つケインジアンの一人、ハロルド・ラスキが教えていたことは例外的であった（ラスキは、アイン・ランドのベストセラー小説『水源――The Fountainhead』（ビジネス社刊）の悪役エルスワース・トゥーヘイのモデルである）。

しかし、ＬＳＥは同時に、時代に流されない思想家を二人抱えていた。自由市場経済学者フリードリッヒ・フォン・ハイエクと哲学者カール・ポパーである。ソロスは両者に学んだが、特にポパーは彼の良き指導者となり、その後の人生を通じて重要な知的影響を与えることになった。

私は通常三年で取る学位に必要な単位を二年で取り終えたが、学位自体はもう一年を学生登録で過ごさないと取得できなかった。指導教官を選ぶことができたので、彼（ポパー）にした。彼の哲学に非常に惹かれていたからだ。私はナチによる迫害とソヴィエトによる占領を生き延びていた。ポパーの著書『開かれた社会とその敵』（未来社刊）に感銘を受け、目を開かれた。ファシズムと共産主義には共通点が数多くあり、ともに社会組織に関する異なる立場、すなわち開かれた社会の思想に対立するものである。また、私はポパーの科学的方法に関する考え方にはさらに大きな影響を受けた[注19]。

ポパーはソロスに、後年の投資哲学となり、同時に彼の投資手法となる知的枠組みを与えたのだった。ソロスは、自分の慈善団体を「オープン・ソサイアティ（開かれた社会）」財団と名づけ、ポパーに感謝の意を表している。しかし、それはずっと後のことである。学生時代にソロスが目指していたのは依然として学界であり、何らかの哲学者であった。彼は『意識の足枷（*The Burden of Consciousness*）』と題する本を書き始めたが、自分がやっていることは単にポパーの哲学の受け売りにすぎないと気づき、金融業界へと転身した。それ以来、彼は金融市場を、自分の哲学的着想を実験する場ととらえている。

私たちの世界の見方は間違っているか、歪んでいる

哲学的問題との格闘を通じて、ソロスは自ら重要と考える知的発見をするに至った。

私は、私たちの世界の見方は基本的に何らかの点で間違っているか、または歪んでいるとの結論に至った。その後、私は事象を形づくるそうした歪みを重視するようになった[注20]。

この発見を自分にも適用し、ソロスが得た結論は「私はあてにならない」だ。これは単なる観察結果にとどまらず、彼が仕事をするうえでの原則となり、最も重要な信念となった。他人が間違いを犯すという点に同意する人は多い。また、間違いを犯したことがあると認める人も多いだろうが、それ

は過去に、ということだ。しかし、これから意思決定をしようというとき、自分はあてにならないと公言する人が他にいるだろうか。

元パートナーのジム・ロジャーズ（ファンド・マネジャーであり、『冒険投資家ジム・ロジャーズ世界バイク紀行』（日本経済新聞社刊）の著者）に関するソロスの発言が示唆するように、そんな人はほとんどいない。

　ジム・ロジャーズと私の大きな違いは、ジムが支配的な見方は常に間違っていると考えるのに対し、私は自分たちが間違っていることもあると考える点だ。（注21）

投資の世界で行動する際、ソロスは、自分は間違っているかもしれないと常に意識し、自分自身の思考プロセスに対して批判的な視点を保ち続ける。その結果、誰にも真似できない柔軟で素早い思考が得られるのである。

信じる者は救われる？

ソロスが考えているように、誰の世界観もみな「何らかの点で間違っているか、または歪んでいる」のだとすれば、必然的に私たちは世界を不完全にしか理解できてはいないし、また往々にして間違って理解していることになる。

極端な例を挙げよう。クリストファー・コロンブスがインドを目指して大西洋へ船出した頃、世界は平らであり、ゆえにコロンブスは世界の果てで転がり落ちてしまうことは誰もが「知っていた」。

そう信じられていたため、コロンブスは支援者を見つけるのに苦労することになった――船の乗組員を見つけるのはなおさら難しかった。支援者が見つかっても、彼らが一緒に水平線の終わりへ行ってくれるわけではないのだ。ヨーロッパ人の船乗りたちが海岸沿いに進んだのに対し、地球が平らだなどとは信じていなかったポリネシア人たちは丸木舟で未踏の太平洋へと漕ぎ出し、遠くはフィジーやハワイといった小さな島にまでたどり着いている。航海史上、おそらく絶後の偉業と言ってよい。

人間は現実を不完全にしか認識できないという発見を、ソロスは強力な投資手法へと開花させた。他人には――たとえば何事かを信じているがゆえに盲目であり――見えないものが見えるとき、ソロスは本領を発揮する。

(当初はダブル・イーグル・ファンドと名づけられていた)クウォンタム・ファンドを立ち上げたとき、ソロスは市場の今後の展開や、他人がまだ気づいていないがもうすぐ起きる急激な変化を予測することで、自分の理論を実証することにした。彼は、ちょうど銀行業界でそんな変化が起きつつあるのに気づいた。銀行業界は一九三〇年代以来厳しく規制されており、銀行株と言えば、動きがなく、安定していて保守的、そして何よりも、面白くもなんともない投資の代名詞だった。ウォール街の人気アナリストにとって、銀行業界に見るべきものはなかった。

ソロスはそれが変化しつつあることに気づいた。古いタイプの経営者はもうすぐ引退し、ビジネススクール出の、積極的で若く、新しいタイプの人たちが彼らに取って代わろうとしていた。そんな新しい経営陣が利益を稼ぐことに全力を挙げるので、業界は様変わりすると彼は感じ取ったのだ。

一九七二年、ソロスは「成長株としての銀行を推奨する」という表題のレポートを世に問い、銀行株は上昇するだろうと予測している。「彼は経営がうまくいっている銀行をいくつか勧めていた。そのうち銀行株は上がり始め、ソロスは五〇％の利益を得た」(注22)。バフェットが一ドルを四〇セント、あるいは五〇セントといった値段で買おうとするのに対し、ソロスは、その一ドルの価値を二ドルにも三ドルにもするような変化が見えるとき、一ドルどころかそれ以上でも喜んで支払うのである。

信念は現実を変える

ソロスにとって、人間の持つ認識の歪みは現実を形づくる要素の一つである。『ソロスの錬金術』における彼の表現を借りれば、彼が再帰性と呼ぶ過程で「信念は現実を変える」(注23)。

トレーダーであるポール・チューダー・ジョーンズのような人たちにとって、この本は「革命的であった」。彼が序文で述べているように、「あまりにも複雑で困惑させられるばかりだった」(注24)現象を解き明かして見せたからだ。ソロスがスタンレー・ドラッケンミラーに出会ったのは本書を通じてのことだった。ドラッケンミラーはこの本を読んでソロスに会いに行き、後にソロスの後を引き継いでクウォンタム・ファンドの運用者となった。

しかし、他のほとんどの人にとって、この本は難解であり、人によっては読み続けることさえできなかったので、ソロスが説明している再帰性という概念を理解できた人はほとんどいなかった。ソロスはペーパーバック版の序文で次のように述べている。

一般の反応を見る限り（中略）、私は再帰性の重要性をうまく説明できてはいなかったようだ。私の示した議論のうち、最初の部分――その時々の支配的な、偏った通念が市場価格に影響を与える――だけが読者の頭に残ったようである。第二の部分――状況によっては、そうした支配的な偏った通念がいわゆるファンダメンタルズに影響を与え、市場価格の変化がさらなる市場価格の変化を呼ぶ――は注意を払われなかったようだ。（注25）

市場価格の変化がさらなる市場価格の変化を呼ぶ？　何かおかしいような気がする。しかし、おかしくはないのだ。例を一つだけ挙げれば、株価が上昇すれば投資家たちはリッチな気分になり、今までより金を使うようになる。その結果、企業の売上高や利益は増加する。ウォール街のアナリストたちが「ファンダメンタルズの改善」を指摘し、投資家たちもその株を買う。株価はいっそう上昇し、投資家はいっそうリッチになり、だからいっそう金を使う。それがさらに続く。これがソロスの「再帰過程」と呼んだもの、つまりフィードバック・ループである。株価の変化が企業のファンダメンタルズを変化させ、一方ファンダメンタルズの変化で株価はいっそう上昇する。さらにそれが続く。

この種の再帰過程ならあなたも間違いなく耳にしたことがあるだろう。学者だってそんなことを書いている。連邦準備制度理事会（ＦＲＢ）も論文を出している。いわゆる「資産効果」と呼ばれるものだ。

再帰性とはフィードバック・ループである。認識が現実を変える。そして現実が認識を変える。一九九七年のタイ・バーツ暴落のときに起きたように。

一九九七年七月、タイ中央銀行は自国通貨を変動相場制に移行させた。同中央銀行は、バーツが二〇％程度下落すると見ていた。しかし、一二月にはバーツは一ドルに対して二七バーツから五〇バーツへと、五〇％以上も下がっていた。同中央銀行はバーツの「真の価値」は一ドルに対して三二バーツ程度であると考えていた。通貨価値に関する何かの理論モデルに基づいてそう考えていたのかもしれない。同中央銀行が見落としていたのは、変動相場制に移行することで、バーツを自由落下させる再帰性の自励過程が始まったことだった。

タイは「アジアの虎」と呼ばれた国々の一つであり、急激に成長していて、日本の足跡をたどる国であると考えられていた。米ドルに対して固定相場制を取っていたタイ・バーツは安定した通貨であると考えられていた。だからこそ世界中の銀行がタイの企業に何十億ドルもの資金を喜んで貸していたのだ。そしてタイの人たちも、バーツよりも低い金利に惹かれ、喜んでドルを借りていた。

バーツの暴落で、企業が抱えた米ドル建て債務のバーツ建てでの価値は跳ね上がった。ファンダメンタルズは変化したのだ。それを見て、投資家たちはタイ株を投げ売りした。外人投資家たちは自国へ資金を持ち出す際、売却代金のバーツをドルに換えたため、バーツはいっそう下がった。おかげでタイの企業が債務を返済するのは絶対に無理だとさえ思われた。タイの人たちも外国人たちも、ともにバーツを売り続けた。

タイ企業は事業を縮小し、社員を解雇した。失業率は空高く舞い上がった。労働者たちは物を買う金もなく、まだ金を持っている人たちも将来の不安からそれを握り締めて放さなかった。タイ経済は停滞した。タイの大企業の多くは、ドル建ての債務がほとんどない企業でさえ、いっそう不透明になった見通しに苦しんだ。バーツが下落してタイ経済は崩壊した――そのことでバーツはいっそう下落した。市場価格の変化が市場価格の変化を引き起こしたのだ。

再帰性の適用

ソロスにとって再帰性は、急騰の後には急落がくるという循環を理解するための鍵である。「急騰／急落という過程は市場価格が（中略）市場価格に反映されているはずのいわゆるファンダメンタルズに影響を与えるのでなければ起こりえない」[注26]。彼が用いる手法は、「ミスター・マーケット」の認識が、裏付けとなるべき現実から大きくかけ離れている状況を探すこと、と表現することができるだろう。市場で再帰過程が成立しているのを見つけると、ソロスは足元のトレンドが当分続き、価格は標準的な分析手法を使う人たちのほとんどが思っているよりもずっと高く（あるいは低く）なると確信する。ソロスは、市場のトレンドを早く発見し、群衆が殺到する前にポジションを作るために自分の哲学を用いるのである。

一九六九年、彼は新しい金融商品である不動産投資信託（ＲＥＩＴ）に目をつけた。当時広く出回ったレポートで、彼は、「四つの段階」を踏む再帰的暴騰／暴落過程が、この新しい証券の価格をとても高いところまで持っていき――その後暴落が起きる、と予測した。

第一段階：銀行金利が高いので、ＲＥＩＴは伝統的なモーゲージに比べて魅力的な資金調達手段となる。それにつれて、市場で取引されるＲＥＩＴの数は急速に増加するとソロスは予測している。

第二段階：新しくつくられたＲＥＩＴや既存のＲＥＩＴを通じ、モーゲージ市場には新規資金が大量に流れ込み、住宅ブームが起きる。その結果、ＲＥＩＴの価格はさらに高く上昇し、ＲＥＩＴ投資はいっそう儲かることになる。

第三段階：彼のレポートの言葉を引用すると、「そうした自励過程は不動産投資信託が建築融資市場で大きなシェアを獲得するまで続く」[注27]。住宅ブームが終わると不動産価格は下落し、ＲＥＩＴは不良債権化したモーゲージを大量に抱え――「そして銀行はパニックを起こし、融資の回収に走るだろう」[注28]。

第四段階：ＲＥＩＴの収益は低下し、業界再編が起きる。つまり暴落である。

ソロスは「業界再編が起きるのは遠い将来であるから」、そうしたサイクルの急騰部分で儲ける時間は十分にあると述べている。彼が懸念する点は「自励過程（第二段階）がまったく生じない」[注29]ことだけだった。サイクルはちょうどソロスが予測した通りに展開し、市場の上昇でソロスは大きな利益を得た。その後、彼の関心は他の事に向かい、ＲＥＩＴが下落を始めてから一年以上たった頃、ソロスは自分の元のレポートを思い出して、「このセクターをやや無差別気味に空売りすることにした」[注30]。彼のファンドはさらに一〇〇万ドルの利益をこのセクターで稼ぐことになった。ソロスは再帰性を用いて市場の上昇で儲け、さらに市場の下落でも儲けたのだ。

人によっては、ソロスの手法はトレンドの後を追うやり方と同じに見えるかもしれない。しかし、そういうやり方をする人たち（特にチャーチスト）は、通常、トレンドが確立するのを見届けるまで投資を行なわない。彼らが集まってくる（ＲＥＩＴのサイクルで言えば「第二段階」の）頃に、ソロスはもうそこにいるのだ。場合によっては、トレンドの後追いをする連中のおかげでトレンドが継続するのは確実になるので、そんなときソロスは、ポジションを増やす。

しかし、トレンドの終わりはどうやってわかるのだろう？　並のトレンド後追い派にはわからない。利益が積み上がるに連れて不安になる人がいて、よく強気相場に調整が起きた段階で手仕舞ってしまう。かと思うと、トレンドの変化を確認するまで待つ人もいる――つまり、市場が高値をつけ、弱気市場が始まってからやっと手仕舞うのだ。ソロスの投資哲学は、どうなったら事象が発生するかを分析する枠組みを提供する。だから、彼は長期にわたってトレンドに乗ることができ、他のほとんどの投資家よりも大きく儲けることができる。そして、ＲＥＩＴの例が示すように、暴騰からも暴落からも利益を得ることができる。

対照的に、バフェットはミスター・マーケットは精神病みたいな行動をすると述べるだけだ。あるいは、ベンジャミン・グレアムの言葉を借りれば、「短期的には、市場は自動投票機だ――選挙人登録に必要なのは金だけ、知性も落ち着きも要らない。しかし長期的には、むしろ天秤である[注31]」。

ソロスは再帰性理論でミスター・マーケットの躁鬱的な感情の振れを説明する。ソロスをもってすれば、再帰性理論は市場の感情がいつ変わるかを特定する方法となり、彼は「市場の考えを読む」ことができるのだ。

女性のスカートはなぜ短く――その後また長く――なるか

しがないオス族、特に、着心地さえ良ければ文字通りヨレヨレになるまで同じ服を着続ける私のような者には、女性のファッションがなぜシーズンごとにあんなに大きく変わらなければならないのかわからない。だが、新しいファッションは、世に出るといつも山火事のように女性の間に広がっていく。出元がパリのデザイナーだろうが、映画スターだろうが、カリフォルニアやブルックリン、あるいは東京のティーンエイジャーが着ている服だろうが、「イケてる」らしい新しいスタイルを見かけると、瞬く間にそこら中で同じ格好を目にすることになる。

ファッション・ビジネスを再帰性の観点から見れば「なぜ」かがわかる。新しい流行のファッションそれぞれの裏側には、何が格好良いかという新しい信念がある。大企業は絶えず変化し続ける信念に影響されるばかりではない。大企業自体がそんな信念の上に成り立っているのだ。在庫に積み上がった服が突然流行遅れになってしまった場合、企業はその服を償却し、損失を出す羽目になる。それを避けるために、注文から生産、販売のリードタイムはどんどん短縮されている。今日、衣服は中国やモーリシャス、あるいはバングラデシュで小分けにして生産され、世界中の販売店に空輸される。だから、販売店やメーカーは、売上げ予測が間違っていても、損は小さくてすむ。

女性ファッションのバイヤーはウォール街の導師《グル》みたいなもので、いつも次のトレンドを見つけようと躍起になっている。市場の考えをどれだけうまく読めるかで、彼らの会社の儲けが決まる。そして（ウォール街でそうであるように）今日当てた人が明日も当てる保証はない。女性ファッションの業界で決まっていることといえば、今シーズンにはやった服は、一年後には、流行遅れだと思われたくないために、誰も着たがらないだろうということだけだ。消費者、バイヤー、販売店、デザイナー、そしてメーカーは、いつ誰が何を着て、何が「イケて」いて何が「イケてなく」なるかを当てる、堂々巡りで終わりのないゲームをやっているのである。結果として発生するのは、絶えざる変化と不均衡――それがもともと純粋に再帰的な業界の特性であり、信念や意見に完全に支配された状態である。

投資の達人の武器

投資の達人が持つ投資哲学は投資の現実、つまり市場はなぜ動くか、価値はどうやって決まるか、そしてなぜ価格は変わるかを説明できる。投資哲学は達人にとって行動指針なのだ。投資哲学のおかげで投資の基準は明快になる。「とても儲かる展開」がかなりの確実性で特定できるようになる。

投資はおおむね知的な作業であり、投資の達人を達人たらしめるものが一つだけあるとすれば、それは達人がどれだけ考え抜くか、つまり彼らが費やす思考の量である。達人が取る行動はすべて、彼らがそれまでに行なった思考の奥行きと深さを示す。そして彼らはいつも、投資をする前に必ず深く考えているのである。また、投資哲学のおかげで、達人は心理的優位に立つ。周りがみな正気を失っているときにも、達人は冷静でいられるのだ。

自分は稼げて当然だ

投資哲学は周りの世界、つまり現実の投資の性質に対する信念を写す。同じように重要なのが、自分は投資家としてどうなのかという信念である。バフェットもソロスも自分自身に関する信念の点では似たところがあり、それが成功に不可欠な要素となっている。

- 彼らは、自分は成功し、金を儲けて当然だと信じている。
- 彼らは、自分の懐が将来どうなるかは自分自身で決まるものであり、利益や損失が生じるのは、市場などのような外的な力のせいではなく、自分の力が原因だと信じている。

こうした信念は無意識的なものであって、投資の達人が自分の投資哲学を適用するときに見せる自信の影に隠れている。成功例に裏付けられた投資哲学を誰かが真似しても、自分自身に関する無意識的な信念が妨げとなって失敗に終わることが多い。精神科医に行けば成功した人たち――しかし不幸せな人たちでいっぱいだ。彼らは無意識に成功を恐れ、心の奥底で、こんな自分が成功していいはずはないと感じているのだ。「私はイケてない」と無意識に思っているために周りとの関係がうまくいかない人もたくさんいるし、意識の深い部分で自分が儲けられるはずはないと思っているために利益の一部をどういうわけか市場に「返上」してしまう投資家もたくさんいる。

バフェットやソロスが成功できた重要な理由の一つは、いずれもそんな自分を卑下するような信念と無縁であることだ。

彼らのような信念がなぜ不可欠かは簡単にわかる。儲かって当然と思っていなければ、投資で成功しても不安になる。当然、そんな不安で判断が鈍り、間違いを犯して儲けを吐き出すことになる。

同じように、自分で出した結果は自分の責任だとしてはじめて、自分の行動をコントロールできるのである。外的な現象をコントロールできるということではない。しかし、自分でコントロールできる範囲を定め、その範囲にとどまることができるということだ。

ブローカーの推奨に従って投資する人たちや友達がやっていることを真似する人たち、あるいはあてにするものといえば新聞の情報という人たちは、波間に浮かんだコルク栓みたいなものだ。彼らは自分の行動を人任せにし、だから損をしても自分のせいじゃないというわけだ。その結果、彼らが何かを学ぶことは決してない。

気をつけよう！　市場に信仰を持ち込むとあなたの財産を害する恐れがあります

自分の投資哲学を通じてものを考えるとき、いつも気をつけていなければならない重要なことの一つは、市場に信仰のような、あるいは教条主義的な思い込みを持ち込むとどうなるかということだ。そういうまやかしは投資の現実を露にするどころか隠してしまう。

一九七四年に私が投資ニューズレターの発行を始めた頃、私はコガネムシだった。私は金《きん》を信じていた。インフレは不可避であり、ラテンアメリカ風のハイパーインフレが起きてドルはこの世から消滅すると信じていたのだ。あの頃、コガネムシは儲かっていた。とても儲かっていた。インフレ率は上昇、動いているものと言えば商品市場だった。コガネムシにとって、株式市場はダルいところだった。

ニューオリンズで毎年開かれているような、コガネムシの集まる投資セミナーの参加者は最盛期には三〇〇〇人を超えていた。会場は宗教的熱狂に満ちていたものだ。講演する側も聞く側もそうだった。ある著名投資アドバイザーなど、ある年のセミナーで講演を聞きながら私にこう耳打ちした。「おい、あいつ金を信じてないぞ！」

サーファーが素晴らしい波に乗りながら自分は不死身だと考え出したとしたら、そのサーファーは波が砕ければ間違いなく窮地に追い込まれることになる。必ずだ。そういう波に乗って大儲けしていたとしたら、凋落すると大変なトラウマになる。神学を信じてやっていると、筋書き通りにいっている間は大丈夫かもしれないが、一度波が砕ければ巡礼の行き着く先は、コガネムシの多くが思い知ったように、保証付きで貧民窟だ。コガネムシの一匹であった私は金の波は砕けたのだという証拠が目に入らなかった。現実が私の目隠しを取り去るのに数年しか要さなかったのは幸運だった。

第6章　測ったものが自分自身だ

取引手法はそれをつくり上げた人にとっては便利だろうしうまくいくだろうが、他人にとってはそれほどでもないものだ。手法は自分でつくることが大事なのである。そうしないと信じる気にはなれないだろう（注1）――ギル・ブレイク

トレーディングの秘訣とは、自分と相性のいい手法を開発することだ（注2）

――エド・シーコッタ

私が知っている中で、うまくやっているトレーダーは実質的にみんな、自分の性格に合ったトレーディング・スタイルを身につけている（注3）――ランディ・マッケイ

成功する習慣4

投資を選び、自分独自の売買手法を開発する

達　人――投資を選び、**自分独自**の銘柄選択および売買手法を開発し、実証している。

負け犬――手法を持っていないか、実証もせずに他人の手法を真似し、自分をそれに合わせている（その手法が自分ではうまくいかなければ、別のを真似し……やっぱ

りうまくいかない）。

独自の投資システム

投資の達人の哲学がそれぞれみな独自であるのと同じように、彼らの基準や手法もやはりそれぞれ独自である。基準は彼らが探す投資の特徴を表現している。手法は自分の基準に合った投資を見つけたときにどうするかを決めたルールである。次のような質問に対する答えは、それらを統合したものとなる：あなたは何を測るか？

投資の達人が物事を測るのに使うのは、もちろん自分の投資基準である。投資基準で、達人はどんな投資対象を買うべきか、そうした投資対象の特性は何か、いつ買うべきか、そしていつ売るべきかを知る。また、投資基準は、自分に合った投資対象の探し方も教えてくれる。バフェットは一ドルの価値を安い値段で買う。彼の投資基準は「質の良い事業をいい価格で」と要約することができる。そして、事業の質こそが彼の測るものなのだ。ソロスはミスター・マーケットの気分の変化で稼ぐ。彼は将来起きることについて仮説を立て、それに基づいて投資の意思決定を行なう。彼が測るのは、自分の仮説の質と事態の展開である。

自分の基準を適用するために、投資の達人は独自の投資システムを自らつくり上げる。彼らのやり方はそれぞれ大きく異なっているが、投資の達人のシステムはみな、同じ一二の不可欠な要素の上に成り立っている。

達人の投資における12の要素

	バフェットの測るもの：事業の質	ソロスの測るもの：仮説の質
1. 何を買うか	自分に理解できて基準に合った事業の全体または一部	仮説が正しければ価格が変化する資産
2. いつ買うか	価格が適切であるとき	仮説を実証に基づいて正しいと判断した時点
3. どんな価格で買うか	「安全余裕度」（つまり、事業の推定価値からの割引）が得られる価格	現在の価格
4. どうやって買うか	現金払い	先物、先渡し契約、信用取引、借金など
5. ポートフォリオのどれだけを注ぎ込むか	買えるだけ買う。 制約：手持ちの現金、市場で取引されている株式数、および適切な価格でいつまで取引されているか	買えるだけ買う。 制約：（ポートフォリオ全体に対して）50%を超えることは稀
6. 投資後の監視方法	この事業は現在でも基準を満たしているか。	仮説は現在でも有効か。展開は予想通りか。あるべき経過をたどっているか。
7. いつ売るか	株式：事業が基準を満たさなくなったとき 完全子会社化している場合：「壊れて直せなくなった」(注4)とき	仮説があるべき経過をたどりきったとき、あるいは有効でなくなったとき
8. ポートフォリオの構造とレバレッジ	特定の構造は想定していない。レバレッジは保険のフロートの部分だけ、または金利が低い場合は借り入れを行なう。	基本は現物株式であり、それをレバレッジ利用時の担保として使用する。
9. 調査の方法	大量の財務諸表を読む。電話を取る。	政治、経済、産業、通貨、金利、その他における展開を調査する。一見異なる現象同士の関連性を探す。

10. 市場の暴落などのシステマティックなショックに対するヘッジ方法	自分が理解できて、質の高い事業を、大幅な「安全余裕度」が得られる価格で購入する。バフェットの好む企業は競合他社に問題が起きたとき市場シェアを伸ばし、長期的には収益性を向上させることが多い。	1.レバレッジの賢明な利用(全財産を賭けるな)。 2.急いで逃げる 。
11. 間違った場合の対処	撤退(株式市場投資の場合)。 間違いを認め、受け入れたうえで分析し、繰り返さない。「気づかないことの罪」も考慮する。	急いで逃げる。 間違いを分析する詳細な戦略を持ち、同じ間違いを再び犯さない。
12. システムがうまくいかなかった場合	やめる(例:1969年にバフェット・パートナーシップを閉鎖)。 手法の欠陥を探す(例:フィッシャーの手法の導入)。 恒常的にシステムを検査し、改善できる点はないかと探す。	やめる。 恒常的にシステムを検査し、改善できる点はないかと探す。

市場の声を聴け

ソロスの投資は仮説を立てることに始まる。クウォンタム・ファンドで彼の手足となって働いた一人によれば、「ジョージはいつも『まず投資しろ、考えるのは後だ』と言っていた(注5)」。彼の手法は、仮説を立て、その仮説を検証するために小さなポジションを市場でつくり、その結果で自分が正しいかどうかを判断する。足場を探すようなものだ。

ソロスが自分の仮説をまず検証するのは、仮説が正しいかどうか定かではないからだ。あるいは、タイミングが正しいかどうか定かではないからだ。足場ができたところで、次に何をするべきかを判断するために、彼は「市場の声を聴く」。実験結果が思わしければ、市場は彼が正しいと伝え、ソロスはポジションを拡大する。実験で損が出たら、市場は彼が間違っていると言っていることになる。この場合ソロスは撤退する。後になって同じ実験を繰り返すこともある。仮説を修正することもあるし、場合によっては棄却し、顧みないこともある。

私が友人に、ソロスの手法を説明したときの友人の反応は「そんなことやってたら破産するよ！」だった。実験で繰り返し大損し続ければ破産することもあるだろう。将来について仮説を立てることは誰にでもできる。もちろん、私たちはみな、四六時中やっている。ソロスの仮説がでたらめな憶測と大して変わらない程度の質だったら、彼も損をし続け、儲かりはしなかったはずだ。しかし、ソロスが実験するのは実験に値する仮説だけである。そうした違いが生まれるのは、彼が市場や市場のプレーヤーたちがめったに気づかない、一見無関係な現象の間の関係を彼がよく理解しているからだ。彼を「イングランド銀行を破綻させた男」の座に押し上げたのは、そうした深い理解だった。

「ツケを払うのはブンデスバンク」

一九八七年、イギリスは、ドイツ・マルクを軸とするヨーロッパ為替相場メカニズム（ＥＲＭ）——「スネーク」と呼ばれた共通市場通貨の集合体——に加盟した。ドイツ・マルクと連動するようになったスターリング・ポンドを見た投資家たちは、ポンドはマルクと同じぐらいよい通貨だと考えるようになった。しかし、イギリスのほうが金利が高かったので、資金はポンドへと流れ込んだ。再帰的・自己実現的予測によれば、こうしたポンド需要の増加でポンドの対マルクの価値は安定し——そしてその後下落が起きるはずだった。そんななかでベルリンの壁が倒され、ソヴィエト連邦は崩壊し、ドイツは統一され、体制は、ソロスの表現によれば、「動学的不均衡の状態へ放り出された（注６）」。ドイツ・マルクは西ドイツだけではなく東ドイツの通貨にもなり、ブンデスバンクとヘルムート・

コール首相の戦いが始まった。両者の戦いは、東ドイツの通貨、オスト・マルクのドイツ・マルクに対する交換レートについてだった。オスト・マルクは当時ほとんど価値がなかったが、一ドイツ・マルクに対して四オスト・マルクまで上昇していた。

間もなく行なわれる選挙で「東の連中」がはじめて投票に参加するのを睨み、コールはオスト・マルクを高く評価しようとした。ブンデスバンクから見れば、オスト・マルクを高く評価することで経済や金融に及ぶ影響は大きな懸念材料だった。東ドイツ経済は混乱しており、東ドイツの工場や企業は四対一の為替レートでさえ買うに値しない可能性があった。オスト・マルクの交換レートが高ければ高いほど、東ドイツにあるものすべてのコストはドイツ・マルク建てで高くなる。つまり、東側の経済を「西側化」するのにかかる膨大な投資や、西ドイツ政府が提供していた社会保障を東側にも適用した場合に生じるコストは跳ね上がる。レートが高ければ高いほど、民間企業に東側へ投資させるのが難しくなる。四対一を超えるレートになると、政府支出は大きく増加し、財政赤字は膨らみ、東側の失業率は上昇するとブンデスバンクは予測した。さらに、最も危険だったのは、インフレが発生する恐れがあったことだ。

戦いに勝ったのはコールだった。オスト・マルクは信じられないほど割高な、最初の四〇〇〇オスト・マルクまでは一対一、それ以上については二対一というレートで交換されることになった。しかし、正しかったのはブンデスバンクだった。コールが実行した割高な交換レートは、何年もの間ドイツ経済の足枷となり、彼の「お大尽」ぶりの帳尻を合わせるために特別所得税まで徴収する羽目になった。ソロスによれば、それが「スネーク」崩壊のお膳立てをした。

私の理論によれば、通貨制度にはすべて欠陥がある。ＥＲＭにも潜在的な欠陥があり、ドイツ再統一でそれが表面化した。その欠陥とは、ブンデスバンクが体制の中で二つの役割を果たさざるをえなかった点だ。すなわち、ＥＲＭの要であり、同時に憲法に基づきドイツ通貨を安定させる番人だった。均衡近くで事態が推移していた時期には、ブンデスバンクは何の問題もなく両方の役割を果たしていた。ドイツ再統一で、東ドイツ通貨がドイツ・マルクに対して非常に割高なレートで交換され、ブンデスバンクの果たすべき、憲法で定められた役割とＥＲＭの要という二つの役割が相反する事態になった（後略）。

西ドイツは東ドイツに膨大な資本を注入し、ドイツ経済圏でインフレ圧力が生じた。ブンデスバンクは――単なる法令ではなく、憲法で――金利を引き上げてインフレと戦う義務を負っているので、すごい勢いで義務を果たそうとした。ちょうどその頃、ヨーロッパ全体、特にイギリスは不況のどん底にあった。ドイツの高金利政策はイギリスの状態から見ればまったく不適切だった。ブンデスバンクの二つの役割に矛盾が生じた――憲法に照らせば、ブンデスバンクがどちらの役割を取るかは明らかだった。他のヨーロッパ地域が不況にあるときに金融引き締め政策を取ったブンデスバンクは、ＥＲＭの要としての資格を失った。その結果、ＥＲＭは均衡に近い状態から動学的不均衡の状態へと移行したのだ。(注７)

共通市場の他の加盟国が間違いなくドイツの再統一を承認するように――そうなれば即座に東ドイツが共通市場へと編入される――コールはフランス大統領フランソワ・ミッテランにヨーロッパのいろいろな機構を強化しようと持ちかけた。それが後年ユーロになった。

（これは）ブンデスバンクへの弔鐘にほかならなかった。ヨーロッパ中央銀行がブンデスバンクに取って代わることになったからだ。ヨーロッパ中央銀行はブンデスバンクの魂を受け継いだと言う人もいるが、強い力を持ち権勢を謳歌していた組織にとってそんなことは大した慰めにはならない。（中略）マーストリヒト条約こそがブンデスバンクの存在を揺るがしたのだ。
だから、矛盾は三つあったことになる。第一に、ドイツにはヨーロッパの他地域とは異なる金融政策が必要だった。第二に、ブンデスバンクはコール首相が実際に採用したのとは異なる財政政策を支持していた。そして第三に、ブンデスバンクは組織としての存続を賭けて戦っていた。私に言わせれば、これら三つの矛盾のうち第三が最も理解されておらず、しかし最も決定的な矛盾だった。（注8）

「ツケを払うのはブンデスバンク」とソロスが表現する状況の下、ドイツの金融引き締めで弱い通貨がそのうち「スネーク」から放り出されるのはソロスの目には明らかだった。しかし、ソロスが気づいた均衡から不均衡への移行はドイツ再統一が実現した一九八九年に始まっていたのだ。では、実際に金を賭けるべきなのはいつだったのだろうか。それは、やっと一九九二年になってからだった。

（ＥＲＭ崩壊が近いのを）はじめて感じたのはブンデスバンクのシュレジンガー総裁の講演を聴いたときだった。彼は、投資家たちはＥＣＵ（ヨーロッパ通貨単位）が通貨の固定バスケットだと思っているようだがそれは間違いだと述べたのだ。彼は、あまり健全とは言えない通貨として具体的にイタリア・リラをほのめかしていた。講演が終わった後、私は彼に、通貨としてECUは好ましいと思うかと聞いた。彼は、考え方としては好ましいけれども名前が好きになれない、通貨単位の名前はマルクのほうがよかったと答えた。私は彼の言いたいことを完全に理解した。(注9)

事実上、ブンデスバンク総裁がソロスの仮説の核心を正しいと言ったのだ。ソロスは仮説を市場で実験し始めた。クウォンタム・ファンドはイタリア・リラを売り、リラはそうたたないうちに「スネーク」から脱退させられた。ブンデスバンクは「スネーク」が崩壊してほしいと思っているはずだというソロスの推測は確認され、リラの取引で得た利益はより巨大な標的に対してより巨大なポジションを持つためのクッションとなった。スターリング・ポンドである。

ポンドを空売りしたのはソロスだけではない。リラの場合もそうだ。何百、いやおそらく何千ものトレーダーが兆しに気づいた。ほとんどの為替トレーダーは、財務大臣を名乗る連中が、普通、自国通貨の価値を引き下げる前日にそれを公言したりは絶対にしないものだと知っている。しかしソロスは、深い思索を重ねたおかげで、なぜポンドが下落するかを、他のトレーダーよりもずっとはっきりとわかっていた。だからソロスは、クウォンタム・ファンドの総資産が七〇億ドルであったときに、ポンドの売りポジションを一〇〇億ドルも積み上げるほどの自信を持っていた。皮肉なことに、後日ソロスは「本当はもっと売ろうとしていた」と語っている。

「実際、（イギリスの大蔵大臣）ノーマン・ラモントが切り下げを行なう直前に一五〇億ドル近くの借り入れを行なうと発表したとき、私たちはとても驚いた。それは、私たちが売ろうと思っていた金額とだいたい同じだったからだ。しかし、事態は思ったよりも速く進展したので、思っていたところまでポジションを増やせなかった(注10)」

ソロスは七〇億ドル分のポンド売りを行なった。同時に、彼はポンドの暴落は他のヨーロッパ諸国の通貨や株式、債券市場にも影響を及ぼすと考えた。異なる市場間の連関の一例であり、彼は他の弱いヨーロッパ通貨も売り、ドイツ・マルクを六〇億ドル分とフランス・フランを買い、さらに五億ドル分のイギリス株を（通貨が下落した後上昇するだろうとの仮説の下に）購入し、ドイツとフランスの債券を買い、そしてドイツとフランスの株式を空売りした。こうした取引はすべて五〇億ポンドの借り入れで賄われた。

ポンドはマルクに対し、中心レート二・九五でペッグ（固定）されていた。ポンドは一九九二年九月一六日、いわゆる「ブラック・ウェンズデー」に暴落した。その月の終わり、一ポンドは二・五ドイツ・マルクに下落していた。イングランド銀行が完全に叩きのめされた頃、クウォンタム・ファンドは、全体で二〇億ドルの利益を手にしていた。

樽の中の魚を撃つ

ソロスは常に、自分の仮説の質を測る――さらに、ポンド暴落が他のヨーロッパ市場に与える影響を加味しようと、その仮説をさらに修正する。物事に対する深い理解と物事の間の関係をはっきりと見出せる力を持つソロスは、自分の仮説に大きな自信を持っている。常にできるだけ大きなポジションを持とうとするうえ、ポンドは暴落すると確信していたため、彼は純資産一ドルに対してレバレッジは一ドルまでしか行なわないという通常のルールを曲げた。純資産一ドル当たり二ドルまでレバレッジを高めようと考えたのだ。

また、彼はポンドが「スネーク」から脱退させられなかったらどうなるかまで考えていた。ポンドが上昇するのはほとんど不可能に近かった。最悪の場合でも、ポジションを手仕舞って生じる損失は四％だった。ソロスは決して全財産を賭けたりはしない。広く一般には、ソロス最大の賭けと信じられているものでさえ、彼にとっては「樽の中の魚を撃つ」のに等しかったのだ――つまり、リスクのほとんどない賭けだった。バフェットもソロスも、メイ・ウェストの言葉に同意している。「度を越してこそ素晴らしいのよ」。彼らが持つポジションの大きさを制限するのは、ただ彼らが使える金の額だけなのである。

いつ手仕舞うか

仮説通りに事が進んだとき、ソロスはポジションを手仕舞い、利益を手にする。ポンドに関する彼の仮説は特定の出来事にかかわるものだった。だから、手仕舞うべきときはポンドがＥＲＭから放逐された直後だった。

為替市場でのトレンドの始まりと終わりは、いつもそんなふうに明快というわけではない。一九八五年、ソロスはドルを大量に売った。米ドルはレーガンが大統領に就任して以来、大きく上昇していた。輸入が増加し、輸出は減少し、アメリカの事業家たちはホワイトハウスの扉を叩いてドルを引き下げてくれと必死に訴えていた。一九八五年九月、週末の二二日に、アメリカ、イギリス、フランス、西ドイツ、および日本の財務大臣がニューヨークのプラザ・ホテルに集まって、ドルを引き下げることで同意した。ソロスは週末の間に起きたこの追い風を受け、ニューヨーク時間の日曜の晩に、すでに月曜の朝になっていた東京市場で円とマルクの買いポジションを増やした。翌朝ソロスがオフィスに着いてみると、一晩で四〇〇〇万ドル儲かっていた。トレーダーの一部はすでに利食いを始めていた。後日、スタンレー・ドラッケンミラーは次のように語っている。

「ジョージはすごい勢いでドアを開け、他のトレーダーに円を売るのをやめろと命じた。（中略）たった今、政府はドルが今後一年間下がると言ったわけだ。なんでブタみたいに（円を）がつがつ食っちゃいけないわけがある？（注11）」

ほとんどのトレーダーが、ドルの下落は一時的なものだと思っているとき、ソロスは、これはトレンドの始まりにすぎないと考えていた。そして世界最大の中央銀行が「味方についている」とき、間違うなんてことがあるだろうか。

ドルの下落は次第に収まった。ドルの下落が予想通りの経過をたどりきるまでポジションを手仕舞わなかったおかげで、ソロスは一億五〇〇〇万ドルを手にした。

価格は払うもの、価値は受け取るもの

ウォーレン・バフェットの投資のトレードマークと言えば、シーズ・キャンディの場合のように、会社を一〇〇%買うことや、コカ・コーラの場合のように、莫大な株式投資を行なうことである。バフェットにとって、一部だけ持つ場合と全部持つ場合に大きな違いはない。彼が注目するのはいつも

同じ、事業の質である。バフェットの投資手法の核心は、事業価値の評価にある。明確に決めた基準を当てはめて価値を評価するために、彼はまず次に述べるような選別を行なう。

自分に理解できる事業か

自分に理解できない事業では、質も将来も測ることはできない。だから評価もできない。バフェットにとって、会社の価値は将来の利益の現在価値である。だから、彼にとって、将来一〇年から二〇年にわたる会社の利益を推定できることが望ましい。そして、事業を理解できなければそんなことは行なえない。

ハイテク企業に投資しないと言って彼を批判する声がある。特にドットコム・ブームの頃は、ハイテク株信者たちは耳を貸す人になら誰にでも大はしゃぎで「バフェットはもう終わってる」と吹聴して回っていた。しかし、彼は次のように書いている。

急速に進歩する技術を扱う会社は、長期的な経済性の観点から適切に評価するのが難しい。テレビ製造業やコンピュータ産業に起きたことを私たちは三〇年前に予測できていただろうか。もちろんできていなかった（そういった産業に張り切って飛び込んで行ったほとんどの投資家や企業経営者でもそうだろう）。それなら、チャーリーと私が、今頃になって、急速に変化する他の会社の未来を予測できるなんてどうして思えるだろう。私たちは代わりに、わかりやすい会社にこだわるのだ。見えやすいところにもちゃんとあるのに、干草の山をかき分けて釘を探す理由などどこにもない（注12）。

テクノロジー・ブームの間も、それまでと同様、バフェットは自分のやり方を変えなかった。二〇〇一年の年次報告書の株主に対する報告で、直近の買収についてバフェットは次のように述べている。「二一世紀の始まりを祝い、私たちは最先端の産業に参入いたしました。ブロック、絨毯、断熱材、そして塗料です。みなさん、どうか興奮しないで、冷静に(注13)」

「自分の理解できる産業」に集中することで、バフェットは「自分の土俵」をはっきりさせている。その範囲にとどまることで、彼はリスクを最小限に抑えた投資ができる。バフェットの投資の中で一番単純なものの一つがコカ・コーラだ。一九八八年、バフェットはコカ・コーラの株を一株当たり平均五・二二ドルで一億一三〇〇万株購入した。彼自身述べているように、同社の事業の性質は一八八六年の設立以来ほとんど変化していない。それなら、なぜ彼はもっと前に同社の株を購入しなかったのだろうか。

その理由の一つは、同社がバフェットの他の基準に合っていなかったからだ。

経営陣は資本を合理的に配分しているか

一九七〇年代、J・ポール・オースティン会長の下で、コカ・コーラは膨大な現金を積み上げた。その額は三億ドル以上にものぼる。オースティンはその現金を何に使えばいいのかわからなかったので、「内陸でのエビの養殖、自社ブランドのコーヒー、プラスティック・ストローやおしぼり、絨毯洗剤の製造工場など、無関係な事業」を買収した(注14)。同社の年資本収益率は哀れにも一%だった。

バフェットにとって、CEOの最も重要な仕事は資本を合理的に配分することである。つまり、金主である株主に、できるだけ高いリターンを提供できるように会社を経営することだ。合理的に行動しているなら、収益性の高い投資ができない余剰資金は配当の引き上げか自社株買いで株主に返すだろう。コカ・コーラはそのどちらもやらなかった。同社はそういう資金を利益が出るかどうか怪しい事業に使っていたのだ。

バフェットの投資基準

自分に理解できる事業か

キャンディ、新聞、清涼飲料、靴、ブロックといった「単純な」事業しかわからない。「自分の土俵」をはっきりと決め、その外には一歩も出ない。「今後五年、一〇年、一五年の間に、事業の経済的な仕組みに影響を及ぼし、仕組みを変えるようなことが起きるとしたらどんなことか」がわからなければならない。「それがわからない事業は見ることもない(注15)」

うまくいく仕組みが働いているか（そしてそれは持続可能か）

規制された産業は避ける。会社ではなく政府が価格やＲＯＥ（自己資本利益率）を決定するからだ。資本集約的な産業は避ける。自らのキャッシュフローや利益、あるいは借り入れるにしても小額で設備投資を賄える企業に投資する。同様に、巨額の負債を抱えた企業を避ける。価格決定力のないコモディティ事業を避ける。

彼が「フランチャイズ（ブランド力）」「堀」、あるいは「関所」と呼ぶものを持つ企業に投資する。例：同業種内で最も低コストの企業（ネブラスカ・ファーニチャー・マート）、強力なブランド・ネームを持つ企業（コカ・コーラ）、品質が高く、プレミア価格で売れる製品を持つ企業（シーズ・キャンディ）、市場を支配する企業（ワシントン・ポスト）。

うまくいく仕組みは持続可能か

「堀」を広げるべく常に努力していることを示すトラックレコードを持つ経営陣を擁する会社。需要が成長を続ける企業（例：髭剃りとジレット）。企業のブランドを破壊するような展開が起きていないか常に注意する（たとえば、「ネットワークが三つしかなかった頃」には、バフェットはテレビのネットワーク局を好んでいた）。

経営陣は資本を合理的に配分しているか

株主のように考え、株主のように行動し、「組織の論理」（自己満足を満たすためだけの買収など）を退ける経営者のいる企業を求める。経営陣が一ドルの投資で一ドル以上の価値が得られる機会を見つけられないならば、増配か自社株買いで資本を株主に返すべき。

今の経営陣のままでその事業を買いたいと思うか

「正直で有能な人たちや、自分が賞賛でき、信頼できる経営者がやっている会社」にしか投資しない（注16）。誠実にして正直、熱心であり、悪い情報も株主に伝え、隠したり取り繕ったりしない経営者を求める。

「他人に真実を語り、同時に自分に対しても真実を語る経営者を求める。後者はより重要だ[注17]」

コスト意識が高く、つつましい経営者を好む。

ＲＯＥは並外れているか

ＲＯＥが高ければ高いほど、得た利益をより高い利益率で再投資することができる。ＲＯＥが高ければ高いほど、価値の年成長率も高くなる。

値段は適当か

「安全余裕度」が得られる場合にだけ投資する。自分が計算した企業価値よりも低い価格でだけ買収する。他の基準をすべて満たしていても、価格が高すぎるなら買わない。

今の経営陣のままでその事業を買いたいと思うか

企業の未来は基本的に経営の質で決まる。無能な経営者が優れた企業を台無しにすることもある。オースティンがコカ・コーラに対してやったように。

一九八一年、ロバート・ゴイズエタがオースティンに取って代わった。彼が最初にやったことの一つは映画会社を買うことだったので、あまり物事が変わりそうにはなかった。しかし、ゴイズエタは会社の隅々を掘り返し、コーラ事業という会社の核でさえ、ひどい経営が行なわれていることを知る。

「あちらこちらの国で、会社は一年分以上の在庫を抱えていた。ボトル・キャップや原材料、その他もろもろの在庫だ」(注18)。それだけでも一日二二〇〇万ドルの出費だった。彼にとってコカ・コーラは金鉱だった。ゴイズエタは映画会社、エビの養殖場、その他「犬猫の類」(ゴイズエタはそう呼んでいた)を売り払い、コカ・コーラをコカ・コーラに集中させた。ゴイズエタは経営陣と在庫管理システムを刷新し、マーケティング戦略を立て直し、ボトリング各社との関係を改善し、さらに大ヒットとなった新商品ダイエット・コークを投入した。

清涼飲料メーカーに立ち返ったコカ・コーラは、バフェットが喜んで一緒に働く経営陣を擁する会社になった。

うまくいく仕組みが働いているか(そしてそれは持続可能か)

バフェットは事業を二つに分ける。何らかのブランド力を持つ事業とそうでないコモディティ事業だ。農業はコモディティ事業の古典的な例である。農家は製品の価格にまったく影響を及ぼせない。航空、鉄鋼、パソコン製造なども、価格を動かす力をほとんど、あるいはまったく持っていない事業である。市場が価格を支配しているので、こうした事業の利益の変動は予測できない。そういう事業には、うまくいく経済的な仕組みがまったくない。バフェットによれば、「コモディティ的な製品を扱う事業では、一番間抜けな競合他社に対してさえあまり大きな差をつけることができない」(注19)。

バフェットが興味を持つのはもう一方の種類、すなわち競合他社を寄せ付けない「堀」のようなものを持っている会社である。ワシントン周辺で実質的に新聞市場を独占しているワシントン・ポストがそうだ。ハイ・エンドのクレジットカード市場を支配するアメリカン・エキスプレスもそうだし、強力なブランド・ネームを持つコカ・コーラもそうである。自分たちの堀を広く、深くすることに注力し、そこにピラニアとワニと火を吐く竜でも放しているような会社こそ、バフェットが探している会社である。

コカ・コーラのブランドがいかに強力であるかを示したのが「ニュー・コーク」の顚末である。「ペプシ・チャレンジ」――コカ・コーラを好んで飲んでいる消費者でも実はペプシのほうがおいしいと思うことを示す一連のブラインド・テストによる宣伝――に痛手を負ったコカ・コーラは例の秘密のレシピを変更し、「ニュー・コーク」を世に問うた。しかし、市場はそれを受け入れず、ブランド・ロイヤルティを見せつけた。コカ・コーラは自社のブランド力を過小評価していたのであり、「ニュー・コーク」はすぐにスーパーマーケットの棚から消えた。コカ・コーラは不滅のブランド力を持っているのだ。後年バフェットは次のように述べている。

一〇〇〇億ドル渡されて、コカ・コーラが持つ世界中の清涼飲料市場での支配力を打ち崩してくれと言われても、私は金を返してそんなこと不可能だと言うだろう。(注20)

バフェットはゴイズエタがコカ・コーラを、タダ同然のシロップをプレミアム付きの価格で売ることに集中した企業にまでスリム化させたことに感銘を受けた。そればかりか、ゴイズエタは自社をリストラし、資本集約的な配送事業――および関連する負債――を、すべて独立系ボトリング会社に売却した。それでも、販売されるコカ・コーラで得られる膨大な利益はコカ・コーラ株式会社に流れ込むのだ。

ゴイズエタが経営を握ったとき、同社がコカ・コーラで得る利益はアメリカと他国でほぼ半々だっ

ROEの異なる2社の現在価値

（単位：ドル）

年	A社: ROE = 8%, 利益はすべて再投資		B社: ROE = 33%, 利益はすべて再投資	
	自己資本	現在価値*	自己資本	現在価値*
当初自己資本	10,000	10,000	10,000	10,000
1	10,800	9,818	13,300	12,091
2	11,664	9,640	17,689	14,619
3	12,597	9,464	23,526	17,676
4	13,605	9,292	31,290	21,372
5	14,693	9,123	41,616	25,840
6	15,869	8,957	55,349	31,243
7	17,138	8,795	73,614	37,776
8	18,509	8,635	97,907	45,674
9	19,990	8,478	130,216	55,224
10	21,589	8,324	173,187	66,771

*自己資本の現在価値は割引率10%で計算した。

た。一九八七年までに、外国での売上げや利益率が上昇したばかりでなく、同社の利益の四分の三が外国で得られるようになっていた。同社のアメリカにおける売上げの伸びは経済成長率を下回っていた。アメリカでの売上げが人口一人当たり約二五〇本だったのに対し、他国での売上げは毎年人口一人当たり二五～一〇〇本だった。両者の状況は大きく異なっていた。バフェットは成長の余地は大きいと見た。コカ・コーラが持つ儲かる仕組みは維持可能だった。

ROEは並外れているか

ゴイズエタによる改革は非常にうまくいき、コカ・コーラのＲＯＥは一九七〇年代のわずか一％から目を疑うような三三％へと跳ね上がった。ＲＯＥが三三％の企業と八％の企業を比べると、このことがどれほどの違いをもたらすかが明らかになる（表参照）。一〇年後、Ｂ社の価値はＡ社の八倍に達している。ＲＯＥ八％のＡ社の現在価値は時間とともに低下している。それだからこそバフェットは「一五％の利益をあげている一〇〇〇万ドルの会社のほうが五％の利益をあげている一億ドルの会社よりいい(注21)」と言うのだ。

ゴイズエタはコカ・コーラを立て直したばかりではなく、管理職を資本利益率で評価し、また得た利益で自社株買いを行なった。ゴイズエタはいっそう輝いた。

値段は適当か

バフェットにとって事業の価値とは、明日株式市場でいくらの値がつくかではなく、一連の将来の利益で決まる。

自分の投資基準を——自分に理解できる事業に——適用するとき、彼はかなりの確信を持って、その事業がその後一〇年あるいはそれ以上の期間にわたって稼ぐ金を推定することができる。そのうえで、彼はそうした利益を買うわけだが、ただし、現在価値よりも低い価格でしか買わない。グレアムにならって、バフェットはそうした値引き幅を「安全余裕度《マージン・オブ・セイフティ》」と呼ぶ。

コカ・コーラ株の購入

バークシャー・ハサウェイが一九八八年にコカ・コーラ株を購入したとき、コカ・コーラの一株当たり利益は三六セント、ＲＯＥは三三・六％だった。加えて、ＲＯＥは数年来その水準を保っていた。コカ・コーラは利益の五八％を事業に再投資し、残りを配当として支払っていた。コカ・コーラがそれと同じＲＯＥを稼ぎ、利益に対する配当の割合を同じに保っていれば、一〇年後に一株当たり利益は二・一三ドルへと増加する。バフェットが購入した頃、コカ・コーラのPERは一〇・七から一三・二のレンジにあった。同じPERが持続するなら一〇年後の株価は二二ドルから二八ドルになる。

バフェットは自分の投資についてはー五%のリターンを目指していた。コカ・コーラ株を平均五・二二ドルで買ったので、一〇年で二一・一八ドルになれば株価の年上昇率は一五%だ。株価が下がったら？　バフェットは事業の持ち分としての株式を購入したのだ。事業がうまくいっているのなら株式市場の変動は関係ない。コカ・コーラが稼ぐ利益に影響はない。そして、その利益はさらに成長する。加えて、コカ・コーラは配当を支払い、その額は一〇年で一株当たり五ドル近くなる。実際には、一九九八年末にコカ・コーラのPERは四六・五であり、株価は六六・〇七ドルだった。バフェットは五・二二ドルで買ったわけだから、年上昇率は二八・九%であり、さらに配当も受け取っている。

そんなことをやっているのは見たことがない

バフェットやソロスにとって、自分の投資システムを用いるのは習い性である。絵の巨匠が練習や経験を通じて無意識のうちに技術を駆使するように、彼らも、意識して手順を踏んではいない。たとえばバフェットは、よく、企業の将来の利益を、そのときの長期国債金利で割り引いて現在価値を求め、企業を評価すると言う。

彼は本当にそんなことをやっているのだろうか。彼のパートナーであるチャーリー・マンガーによれば、そんなことはやっていない。マンガーはバークシャー・ハサウェイの株主総会で次のように語っている。「彼がそんなことをやっているのは見たことがない」。バフェットは無意識のうちにそんなことをやっているからだ。

バフェットが自分に理解できる企業を見るとき、何十年も企業の価値を考えてきたおかげで、一〇年後、二〇年後に企業がどのような姿になっているかを無意識のうちに思い描けてしまうのである。彼は単に頭の中で二つのイメージを比較するだけだ。企業の現在の姿と、将来そうなるであろう姿である。そして、その企業を買いたいかどうか判断する。

好みの石鹸が五割引で売っているのを探し当てる買い物客は、複雑な計算をしなくても、それがバーゲンかどうかは値段を見ればわかる。同じように、バフェットも、売りに出ている会社を見れば、バーゲン価格かどうかがわかるのだ。彼にとって、投資がバーゲンかどうかは見ればわかる。

バフェットの無意識が発するシグナルがフルカラーなのに対し、ソロスのシグナルは感覚的だ。ソロスはときとして、自分の持っているポジションに、文字通り居心地悪くなる。「自分が何かを売っていて、市場がある動き方をすると、とても不安になる。背中が痛くなり、私がポジションを手仕舞うと痛みは消える。それで不安も消えるのだ」(注22)とソロスは言う。無意識が仕事をやってしまうなら、意識に現れるのは結論だけだ。答えは突然、頭の中に飛び出る「ひらめき」や映像、言葉の形で、どこからともなく――「直感」のように――現れる。

まず投資しろ、考えるのは後だ

バフェットが投資をする前にまず測るのに対し、ソロスはそれとはまったく逆の戦略を採ることがある。つまり、「まず投資しろ、考えるのは後だ」である。狂っていると思うかもしれない。しかし、これは性格の問題なのだ。たとえば、私自身は投資をするときグレアム／バフェット流に従う。しかし、買おうかと考えている株を実際購入するまでは、何かその株のことを考える気がしない。ほんの少しでも金を賭けてはじめて、やっと私は真剣になれる。

また、ソロスは「市場の頭の中を読」もうとしているトレーダーである。だから、実際に市場に参加してみるのも彼の調査の一部である場合がある。

ソロスが「債券を三億ドル買いたいから、とりあえず五〇〇〇万ドル売ってみよう」と言った。「三億ドル買いたいんでしょう」とマルケス（ソロスの部下）が確認した。「そうだ」とソロス。「でも、まず相場の感触を確かめたいんだ」[注23]（傍点は引用者）

簡単に売れてしまうようなら、市場には買い手がたくさんいるとわかる。しかし、なかなか売れない――あるいは値段を下げないと売れない――なら、値段を吊り上げるような買い圧力は市場にない。新しい製品を店頭に並べようかと考えているとき、小売店は同じようなことをする。大量に仕入れる前に、少しだけ売りに出してみるのだ。それが飛ぶように売れてやっと、小売店は大量の注文を出すのである。

上がったらもっと買うか、下がったらもっと買うか

バフェットは、コカ・コーラが買い始めた後に下がったとしたらどうするだろうか。五・二二ドルなら割安だと思ったのに、価格が三・七五ドルになったとすれば、いっそうお買い得なわけで、彼はおそらく大量に買い増ししただろう。

ソロスの方法はちょうど正反対である。買ったものが下がれば、市場は彼が間違っていたと告げて

いることになる。その場合彼は撤退する。価格が上がればソロスは買い増しをする。市場は彼の仮説を裏付けたからだ。

二人の戦略はまるっきり正反対だが、バフェット、ソロスそれぞれ独自の投資システムの文脈で考えればまったく理に適っている。バフェットは質の高い事業を、価値を下回る価格で買う。バフェットによれば、株価は事業の価値とは無関係だから、株価が下がったと言うことは値引き率が大きくなったと言うことだ。つまり、「安全余裕度」が大きくなったわけである。ソロスはミスター・マーケットの気分の変化を予測して利益をあげる。彼の投資戦略は、まず小額の資本を投じて仮説を検証する。次の行動は、ミスター・マーケットが仮説を肯定するか否定するかによって変わる。タイミングだけの問題だと考えた場合、ソロスは後になって再度検証することもある。

ソロスとバフェットの投資戦略は、それぞれの特異な投資哲学と整合的である。レバレッジの利用についても同様だ。

レバレッジという「ロケット燃料」

レバレッジはソロスにとってもバフェットにとっても、成功のための強力な武器である。しかし――当然のことだが――彼らが用いるレバレッジのあり方は大きく異なっている。

ソロスが使うレバレッジは二種類だ。彼は金を借りて投資をする。また、彼は先物やフォワード契約など、もともとレバレッジの効いた金融商品も用いる。金融でレバレッジと言えば人が思い浮かべるのはこうした取引だ。ソロスと言えば高度にレバレッジを効かせた投資を思い浮かべる人は多い。しかし、実際には、彼のレバレッジの使い方は保守的であり、自己資本と同額以上のレバレッジを用いることは稀だ。家を買うときに彼と同じ戦略を用いたとしたら、買い値の半分は現金で支払うことになる。

対照的に、バフェットが行なう借り入れは特定の投資対象とはまったく関係しない。彼もときとして借り入れを行なうが、金利が非常に低いときに限られる。おそらく投資機会が見渡す限りどこにも見当たらないときなのだろう。いくらか金を持っておいて割安な投資対象が出てくるまで待つのだ。

しかし、バフェットの使う最も斬新なレバレッジは保険の「フロート」である。彼はそれを「ロケット燃料(注24)」と呼ぶ。ウォーレン・バフェットが舵を握って以来、バークシャー・ハサウェイがはじめて買収した企業は、一九六七年のナショナル・インデムニティだった。保険会社である。一九九九年にもゼネラル・リを買収しており、同社は現在、バークシャー・ハサウェイのバランスシートの大きな部分を占めている。バフェットはそれほど「フロート」を好んでいる。

保険会社は今日保険料を受け取り、明日――あるいは一〇年後に――保険金を支払う。請求に応じて保険金が支払われるまで、バフェットはその金を投資できる。二〇〇二年末現在、バークシャー・ハサウェイが計上する将来の保険金支払いのための準備金、つまり「フロート」は四一二億ドル(注25)にのぼる。バフェットの持つ保険会社は保守的に経営されているので、ほとんどの年には保険料の受け取りが保険金の支払いと事業運営費用の合計を上回る。平均では、バークシャー・ハサウェイにとってフロートのコストはタダ同然である。バークシャーは実質的に、保険加入者から金を借りて、金利を払うのではなく受け取っているようなものだ。そしてバフェットの手元にはいっそう投資に使える資金が残る。

投資の達人の投資システムが他の点でもそうであるように、彼らがレバレッジを使う場合の方法は

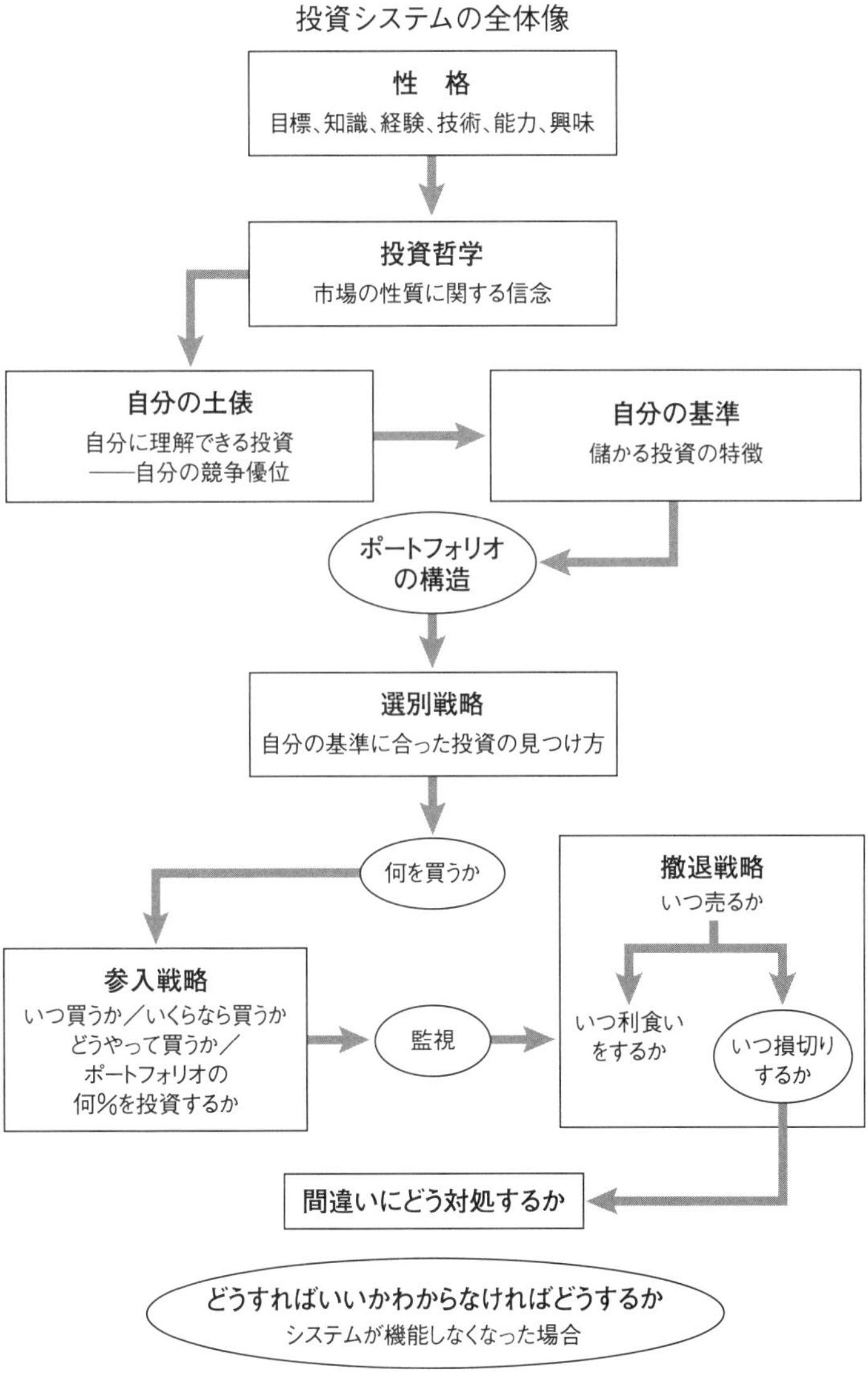
投資システムの全体像
性　格
目標、知識、経験、技術、能力、興味
投資哲学
市場の性質に関する信念
自分の土俵
自分に理解できる投資
——自分の競争優位
自分の基準
儲かる投資の特徴
ポートフォリオの構造
選別戦略
自分の基準に合った投資の見つけ方
何を買うか
撤退戦略
いつ売るか
参入戦略
いつ買うか／いくらなら買うか
どうやって買うか／
ポートフォリオの
何%を投資するか
監視
いつ利食いをするか
いつ損切りするか
間違いにどう対処するか
どうすればいいかわからなければどうするか
システムが機能しなくなった場合

それぞれの投資のやり方に合っている。バフェットは割安な買い物を好む。ソロスは素早く動き、一瞬で市場に出入りするのを好む。重要なのは、彼らがレバレッジをどう使うかではなく、またレバレッジを使うか否かでさえない。彼らが事前に決めた具体的なルールに従ってレバレッジを使っている点である。同じことが投資システム全体のどの要素についても言える。図に示すように、それぞれが投資家の哲学と性格に結びついている。

ソロスがイングランド銀行を倒したときやバフェットがコカ・コーラに投資したときの例が示しているように、二人とも投資をする際の適正な投資額の決め方は、投資できるだけ投資する、であると考えている。ともに、「分散投資なんて小鳥さんのやることだ」という点で一致している。この点については次の章で説明しよう。

第7章　それでポジションのつもりか？

度を越してこそ素晴らしいのよ――メイ・ウェスト

大事なのは正しいか間違っているかではなく、正しいときにどれだけ儲け、間違っているときにどれだけ損をするかだ（とソロスが教えてくれた）(注1)
――スタンレー・ドラッケンミラー

分散投資は無知に対するヘッジだ。(注2)自分で何をやっているかわかっている者にとって分散投資はほとんど意味がない――ウォーレン・バフェット

成功する習慣5
分散投資なんて小鳥さんのやることだ

達　人――分散投資なんて小鳥さんのやることだと信じている。

負け犬――一つの投資に大きなポジションを取れるほど確信できない。

投資の通念

スタンレー・ドラッケンミラーは、ソロスからクウォンタム・ファンドの運用を引き継いだ直後、対ドイツ・マルクでドルを売った。ソロスに「それで、どれぐらいのポジションを持っているんだ?」と聞かれたとき、この取引は利益を出していた。

「一〇億ドルだよ」とドラッケンミラーは答えた。

「それでポジションのつもりか?」とソロス。この一言はその後、ウォール街の伝説になった。(注3)

ソロスはポジションを二倍にしろと言った。

「ソロスは、取引に大きな自信を持っているなら息の根を止めに行くべきだと教えてくれた。豚のようにがつがつやるのは勇気が要る。大きなレバレッジ・ポジションで利益を抱えているのは勇気が要る。ソロスは自分が正しいときにはいくらでもポジションを取った(注4)」

「いくらでもポジションを取る」というのはウォール街の投資アドバイザーから聞ける台詞ではない。そういう人たちはむしろ通念に従うことが多い。すなわち、

1　資金は株式、債券、および現金に分けて投資しなければならない。

2　株式ポートフォリオはさまざまな株式、望ましくはさまざまな業種や国に、分散するべきだ。

しかし、分散投資のまったく逆――少数の銘柄への集中投資――こそ、バフェットとソロスの成功の秘訣なのだ。『フォーチュン』には次のように書かれていた。「投資における幻想の一つは、大きな資産を得るためには分散投資が鍵だとする考え方である。間違いだ。分散投資で損は防げるかもしれないが、素晴らしい分散投資戦略で大金持ちの仲間入りした人はいない[注5]」。そのことを理解するために、この通念を別の分野に当てはめてみよう。

投資アドバイザーとビル・ゲイツ

投資家の代わりに、事業家に同じ助言をしたとしよう。たとえばビル・ゲイツだ。投資アドバイザーならぬ経営コンサルタントが若きゲイツにこんなことを言う。

ゲイツさん、自分のエネルギーを全部ソフトウェア事業に注ぎ込むのは根本的に間違っています。分散、分散また分散、それこそが成功の鍵なのです。現在、あなたは自分の会社を立ち上げようとしているわけです。あなたが最終的に成功し、会社が繁栄するよう、理にかなったやり方をしましょう。

あなたの会社が扱う製品は唯一つ、ＤＯＳだけで、卵をみな一つのバスケットに入れている状態です。これは大変危ない。ソフトウェアだけを製造する代わりに、コンピュータもつくってはどうですか。いや、今の事業がリスクの高いものであることを真剣に考えると、むしろ安定した、逆の動きをするような事業がよろしいでしょう。たとえば公共事業は非常に安定した産業です。

「パヴァロッキー」

ジョマー・クルーズ画

さらに、同じアドバイザーが若きパヴァロッティにキャリアのアドバイスをしたとするとどんなことになるだろう。

オペラ歌手は素晴らしい仕事ですが、結局全体として得られるものはさほど素晴らしいものにはならないでしょう。もちろん、あなたがオペラを愛しておられるのは存じています。私もオペラをやめましょうと申し上げる気はありません。むしろ、レパートリーを分散して、ロックや他のポピュラー音楽もおやりになったほうがよろしいと申し上げているのです。家賃を払っていかなければならないわけでしょう?

いずれにしましても、あなたが選ばれた仕事は非常にリスクが高いのです。オペラ歌手として名声と富を築かれた方は一握りです。その点はロックも同じです。音楽の他に何か興味をお持ちのことはおありですか?

素晴らしい。料理はずっと安全で安定した業種です。時間をつくって料理の勉強をされてはいかがですか。いざというときに頼れる手に職になりますよ。

こういう説明の仕方をすれば、どんなにばかばかしいことかわかるだろう。ゲイツやパヴァロッティ――そればかりか、彼らのような天才でなくても、誰にでも――そんなアドバイスをするのはばかげている。しかし、それがまさしく投資アドバイザーの勧めることなのだ。

分野にかかわらず、成功する人は自分の目標に対して一途である。いろんなことに手を出して、自分のエネルギーを分散させたりは絶対にしない。そんな、一つの目標の達成に賭けた結果、彼らは熟達するのである。分散投資する投資家のような、何にでも手を出す人は器用貧乏にしかなれない。一つの目標を一途に追い、エネルギーをすべてそのことに使う人ほどに成功することはめったにない。理由は単純で、投資以外の分野ならとても明らかである。

●人の時間とエネルギーは限られている。エネルギーを幅広く分散すればするほど、それぞれの活動に費やされるエネルギーは小さくなる。

（一九二九年の暴落の前に持ち株をすべて売却した）伝説的投資家バーナード・バルークは次のように述べている。

資金をあまり多くの証券に分散するのは賢明なやり方ではない。証券価格に影響を与える要因を追い続けるには時間とエネルギーが要る。一握りの問題について知っておくべきことをすべて知っておくことはできるかもしれないが、多数の問題についてすべてを常に把握し続けるのは不可能である（注6）（傍点は引用者）。

ポートフォリオの分散投資——あるいは集中投資——の度合いは銘柄選択に費やす時間とエネルギーの大きさに強く結びついている。分散の度合いが高ければ高いほど、それぞれの判断に費やされる時間は少なくなる。

分散投資とリスクに対する恐れ

こうした通念は何度も繰り返して言われるのでみな本当だと信じるようになった空論でしかない。ブローカーや投資アナリストはみなこの通念を語る。しかし、そういう連中に分散投資はなんで正しいのかとよくよく聞いてみると、結局この手の流派の根底にあるのはリスクに対する恐れなのだとわかる。リスクに対する恐れは、まさしく恐れなのであって、つまり金を失う（したがって第3章に出てきた「投資のルール①」に抵触する）ことに対する恐怖だ。

しかし、投資の達人はリスクを恐れない。彼らはリスクを積極的に、能動的に避けるのである。恐れは結果が不確実なことから生じているのであり、投資の達人は自分の求める結果が得られると信じられる理由があるときにだけ投資を行なうのだ。分散投資しろという通念に基づくアドバイスに従う人たちは、投資の達人と違い、リスクの性質をまったくわかっておらず、だからリスクを避けると同時に儲けることができるなどとは信じられないのだ。そればかりか、分散投資は確かにリスクを最小化する方法だが、一つ不幸な副作用を伴う。利益も最小化されてしまうのだ。

分散投資は儲からない

ポートフォリオを二つ考えてみよう。一つ目は一〇〇銘柄に分散投資、二つ目はたった五銘柄に集中投資している。分散投資ポートフォリオの持つ銘柄の一つが二倍に値上がりしたとすれば、ポートフォリオ全体の価値は一%だけ上がる。集中投資ポートフォリオに同じ銘柄が入っていれば、投資家の資産は二〇%も増加する。分散投資を行なう投資家がそれだけの結果を出そうと思えばポートフォリオに含まれるもののうち二〇銘柄が二倍になるか、あるいは一銘柄が二〇〇〇倍も上がらなければならない。さて、どちらが簡単だろうか。

- 二倍になる銘柄を一個見つける。
- 二倍になる銘柄を二〇個見つける。

勝負にならない。そうでしょう?

同じことの裏返しは、分散投資ポートフォリオの持つ一銘柄が半分になっても、投資家の資産は〇・五%しか下がらない一方、集中投資ポートフォリオに同じことが起きれば投資家の資産は一〇%下がる、である。しかし、ここで先ほどと同じ問題をもう一度考えてみよう。どちらが簡単だろうか。

- 下がりそうにない銘柄を一〇〇個見つける。
- 下がりそうにない銘柄を一個見つける。

もちろん答えは同じだ。勝負にならない。ここに並の投資家と投資の達人の違いを知る鍵が一つ隠れている。投資の達人のポートフォリオは集中投資しているため、正しい投資を選別するためにエネルギーをはるかに濃密に、はるかに効果的に集中できるのだ。

しかし、集中投資は結果であって原因ではない。投資の達人は意図的に一握りの銘柄を持とうとしているわけではない。投資の達人が使う銘柄選択の方法が集中投資をもたらすのである。達人は時間とエネルギーを自分の基準に合った非常に儲かる展開を発見するために使う。達人は、そんな投資対象を見つけたなら、損をする確率が非常に低いと知っている。達人はリスクを恐れて躊躇したりはしない。

また、とても儲かる展開というのはめったに見つからない。次にいつ見つかるかなんて誰にもわからない。山積みの現金が今手元にあって投資したいと思っているとき、いつになるかわからない次の投資チャンスがやってくるまでその現金を置いておくのは意味のないことだ。バフェットやソロスが投資するとき、彼らは巨額を投じる。ウォール街では「弱気派《ベア》も儲けるし、強気派《ブル》も儲けるが、欲張り《ピッグ》は殺される」という。これは修正したほうがいいだろう。「自分で何をやっているかわかっていない欲張りは殺される」

息の根を止めろ

バフェットやソロスのポートフォリオは、組入れ比率を決める際、明らかに等金額投資などといったような単純なルールに従ってはいない。ポートフォリオを見ても、どうやってそんな姿になったのかわからない。それは、バフェットやソロスが、よい投資対象を見つけるとその都度それに投資してきたためである。チャンスを見つけると必ずつかむ、それを繰り返してきた結果が今日のポートフォリオなのだ。

この点で彼らが唯一従う尺度は、ブローカーの口からは決して聞くことのないものだ。期待収益である。投資対象の期待収益が高ければ高いほど彼らはポートフォリオのより大きな部分をその投資対象に投じる。期待収益は計測したり推定したりして得られる数値である。たとえば、バフェットが二つの会社を見たとする。一方の資本利益率は一五％であり、他方は二五％である。どちらの株の価格もバフェットの基準を満たす。明らかに、バフェットは二つ目の会社により大きな資金を投じるだろう。

バークシャー・ハサウェイの保有する資産や保険事業が毎年巨額の現金を生むので、バフェットにとって目下の問題は購入するに足る投資対象がなかなか見つからないことだ。だから、この場合、バフェットは両方とも買うだろう。

しかし、あなたや私のような、元手の限られた者たちがバフェットのやり方に習おうとするなら、二つ目の会社だけを買うことになる。一つ目の会社は完全に無視だ。もしすでに一つ目の会社を持っているなら、それを売って、より期待収益の高い二つ目の会社を買うだろう。

そんなわけで、投資の達人は集中したポートフォリオをつくろうと思ってそうするわけではない。むしろ、集中投資は投資のやり方の結果としてそうなったというだけなのだ。バフェットやソロスが儲かると確信しているとき、彼らを縛るものはどれだけ買えるのかということだけだ。彼らは自分のポートフォリオがどう見えようがまったく気にしない。彼らが気にするのは儲かるかどうかだけだ。

違いを生む投資

とある日の午後、友人たち――ほとんどがアジア株のブローカーだった――と昼食をともにしていると、一九九七年のアジア株暴落のときにどれほどぼろ儲けしたかという話になった。彼らは優良株を四分の一、あるいは一〇分の一で買ったといったような自慢話をしていた。投資家が集まると、彼らが話すのはだいたいいつでもそんな過去の成功譚になる。

しかし、彼らが自分の財産のどれだけを一九九七年にそんな地底まで沈んだ優良株に注ぎ込んだというのだろう。彼らが喋っているのはおおむね買った価格のことであって、自分がどれだけ儲けたかではなかったので、あえて聞こうとは思わなかった。そんなこと聞いたらせっかくの昼食の楽しい会話が、つかみ損ねた儲けを嘆く反省会になってしまうからだ。

対照的に、そんなときバフェットは腹いっぱいになるまで安値で飲み込むのだ。売春宿に踏み込んだ性欲絶倫男みたいな気分だと彼は言う。彼の不満と言えば、目についた割安株を全部買ってしまえるだけの十分な金を持っていないことである。また、(コカ・コーラのように)本当に好きな会社を見つけたときは、バフェットはただ単に、買えるだけ買うのである。

ソロスも同じようなやり方をする。一九八五年、ジャガーのリストラは完了し、同社の車はアメリカで大人気になるだろうと確信したクウォンタム・ファンドは、資産の五%近くにのぼる二〇〇〇万ドルを同社の株式に投資した。これはほとんどのファンドでは巨大なポジションに相当する数字だ。

この取引を最初に行なったのはアラン・ラファエルだった。彼は、ソロスに同社が思った通り上がっている、ポジションをつくってよかったと告げた。ソロスの反応に彼は驚いた。ソロスは即座にトレーダーたちに告げたのだ。「ジャガーの株をあと二五万株買い乗せしよう」

「買った株が上がったらもっと買うんだ。組入れ比率がどんなに大きくなろうが知ったことじゃない。自分が正しいことがわかったら積み増しだ(注7)」

ソロスにとって、投資を成功に導くのは「元本の確保とホームランだ(注8)」。同じように、バフェットもバークシャーの純資産に「大きな影響を与えられるだけの大きな(注9)」投資を好む。二人ともどっちつかずの金額では満足しない。チャンスが訪れるとき、彼らは資産に大きな違いをもたらすだけの投資をする。

第8章 稼いだ一セントも節約した一セントも同じ

朝起きて息を吸う練習をする人がいないのと同じで、本当に優れた経営者は朝起きて「今日こそコストを削減しよう」なんて言わないものだ(注1)
——ウォーレン・バフェット

宇宙で一番強い力は何かって? そりゃ金利の複利効果だよ
——アルバート・アインシュタイン

世界の七不思議が何かは知らないけど、八番目の不思議は知ってるよ。金利の複利効果だ
——バロン・ロスチャイルド

成功する習慣6
税引き後利益で考える

達　人——税金(や取引コスト)を嫌い、合法的に税金を最小化するべく手段を講じる。

負け犬——税金や取引コストが投資の長期的なパフォーマンスに与える悪影響を見過ごす、あるいは無視する。

バフェットが配当を支払わない理由《わけ》

ウォーレン・バフェットがバークシャー・ハサウェイのハンドルを握って以来、同社が配当を支払ったのは一年だけである。バフェットはそのことを「ちょっとトイレにでも行って席をはずしてたんだろう」(注２)とごまかす。バークシャーは配当を支払わない。バフェットも配当が嫌いだ。なぜだろう？

税金のせいだ。配当が支払われると税金が二度かかる。まず企業が利益に対する法人税を支払う。そのうえで株主は配当に対する税金を支払う。企業が一ドル稼いでも、法人税を引くと六五セントになる。それが配当として支払われると、連邦所得税が差し引かれて五五セントしか残らない。そればかりか、ニューヨークやカリフォルニアに住んでいれば州税もかかるので、結局残るのはたったの四四セントか四五セントだ。

会社が配当を支払わなければ、税金は一度だけしかかからない。また、会社は内部留保した利益をROEで再投資するので複利効果が得られる。バフェット基準の会社なら、内部留保で毎年一五％以上の利益を得る。配当を貰って四四～五五セントしか手元に残らない株主がそれと同じリターンを得るには、ROEが二〇％以上の会社を見つけなければならない。バフェットが配当を支払わないのは、株主（特に自分）の資産を二重課税で減らしたくないからだ。彼が配当を受け取るのも嫌うのは、すでに買っている会社にそれを置いておけば複利効果が得られるからである。

「浦島太郎」投資家

バフェットはキャピタルゲイン課税も当然嫌っている。彼が一番好きな投資期間が「永久」なのはそのためだ。これならキャピタルゲイン課税は永久に先延ばしできる。一九八九年の株主への報告で、なぜ「浦島太郎」投資法が好ましいかをバフェット自身が説明している。

バークシャーが一ドルだけ持っており、それを証券に投資したところ、年末には二倍になったので売却したとしよう。また、それで得られた税引き後の売却代金をまた投資する、という手続きをさらに一九年間繰り返したとしよう。売却のたびにキャピタルゲインに対する三四％の税金を売却益から支払うと、政府に一万三〇〇〇ドルを献上し、私たちの手元には二万五二五〇ドルが残る。悪くない。しかし、二〇年間放っておけば二〇回も二倍に上がる夢のような証券を持っていたとしたら、一ドルは一〇四万八五七六ドルにまで増えるのだ。そうなったところで売却し、キャピタルゲインに対して三四％の税金を支払うと、だいたい三五万五〇〇〇ドルになるので、手元に残るのは六九万二〇〇〇ドルである。

この大きな違いはただ一つ、税金を支払うタイミングによってもたらされたものだ。興味深いことに、二番目のシナリオと一番目のシナリオでの政府の収入の比率は三五万六五〇〇対一万三〇〇〇で、私たちとぴったり同じ二七対一になる。ただ、二番目のシナリオでは、彼らは二〇年後まで税金の受け取りを待たなければならないけれども。(注3)

バフェットは自分の金が再投資される利益率を最大化するために、税金を抑えたいのである。並の投資家は次の投資でどれぐらい儲かりそうかにだけ関心を持つ。対照的に、バフェットは長期的な「金の増え方」にまで注意を払う。彼の考える投資期間は次の一年ではなく、一〇年から二〇年だ。

複利効果で金の増えるスピードを上げる方法の一つが、税金やその他のコストを抑えることである。今日節約した金は小額でも、長期的にはそれが大きな違いとなって現れる。それが複利の不思議な力なのだ。バフェットはそうした節約法をみな自分の投資システムに取り込んで、複利の効果を大きく利用する。

ジョージ・ソロスの考え方もまったく同じだ。「私は（クウォンタム・）ファンドの長期的なパフォーマンスに関心を持っているのだ（注4）」と彼は述べている。「最初の投資はとても小額でも、二五年間にわたって年率三〇～四〇％のリターンをあげていれば、膨大な資産を築くことができる。だから私は素晴らしい額の資産を貯えることができたのだ（注5）」。しかし、彼の節税方法はバフェットよりずっと単純だ。ソロスはただ、タックス・ヘイブンであるオランダ領アンティルにクウォンタム・ファンドを置き、利益を無税で再投資できるようにしたのである。アメリカの税法が適用されていれば、クウォンタム・ファンドの複利年率リターンは実際の二八・六％から二〇％未満へと下落する。ソロスは、資産額七〇億ドルで『フォーブズ』の二〇〇三年長者番付で三八位に入ることもなく、「たったの」五億ドルほどでランク外だっただろう。投資の達人がトータル・リターンで考えるのも当然だ。達人は、自分の資産を増やすものも減らすものも、すべての要因を考慮に入れるのである。

取引手数料の抑制

リターンを台無しにする取引コストは税金だけではない。アクチュアリ的な投資手法に従う商品トレーダーを考えよう。単純化のために、彼のシステムは取引のうち七回に一回、儲けを出すとする（これはさほど現実離れした設定ではない）。数値に法則性を持たせて計算を楽にするために、一つ非常に非現実的な設定を用いる。儲かる取引で彼は六五％の利益を得る一方、損をする取引では五％を失うとする。さらに、二カ月に七回の取引を行なうとしよう。一年では四二回だ。加えて、各ポジションの大きさは同じであるとする（これも非現実的な設定である）。

当初、このトレーダーは七〇〇〇ドル持っており、各ポジションに一〇〇〇ドルずつ配分したとすると、二カ月後に彼は取引の一つで六五〇ドル儲け、他の六つの取引でそれぞれ五〇ドルずつ損をする。全体として、彼は三五〇ドル儲けたことになる。五％の収益率だ。年末、彼は九三八〇ドルを手にしている。年リターンは三四％になる。彼がリターンを大きくするにはどうしたらいいだろうか。

ほとんどの投資家は、儲かる取引の利益を増やす方法はないかと探す。あるいは、儲かる取引の数を増やそうとする。しかし、そうするためには取引システムに手を加えなければならない。ベテランの投資家ならわかるように、まず取引コストを下げるほうが容易だ。たとえば、このトレーダーは取引手数料などのコストを取引一回当たりほんの五％だけ下げることができるとしよう。これで彼の損は五〇ドルから四七・五〇ドルに下がる。年リターンはこれで三五・九％に跳ね上がる。なかなかの改善だ。しかし、この取引一回当たりたった五％のコスト・カットが、一〇年間後の彼の財産に大変な効果をもたらす。

変更前、当初の七〇〇〇ドルが一〇年後には一三万七〇〇〇ドルになっている。複利年リターンは当然三四％だ。しかし、手数料を引き下げて取引の損を抑えるだけで、一〇年後の資産は一五万八〇〇〇ドルに増加する。コストを抑制するだけで、最初に投資した額の三倍、二万一〇〇〇ドルも増えている。

投資の達人は、複利効果を使えば一セント節約するだけで一ドル儲かることを知っている。

「たくさん税金を払うのが好きだ」

とある成功した投資家に「私は税金をたくさん払うのが好きだ」と言われて仰天したことがある。なぜだろう？　税金をたくさん払わなければならないのは、たくさん儲けたときに決まっているからだ。サン・マイクロシステムズの創業者の一人、ヴィノッド・コスラは「一生のうちにできる節税を全部あわせても、正しい行動をするほうがずっといい(注6)」と述べている。

投資家がそれぞれ直面する租税制度は投資戦略の決定的な要因の一つである。しかし、「絶対税金を払わない」ことを基本目標にしてはいけない。結局、税金を一切払わないですむ一番簡単な方法は、収入も利益も手にしないことだからだ。お勧めできない。投資収益が最終的な物差しだ。投資収益とは税引き後収益である。投資の達人は、税金やその他の取引コストも含め、自分の財産に影響を与えるすべての要因を考慮に入れる。あなたもそうするべきだ。

第9章　自分の流儀に専念する

自分が何をやっているか知っておけ(注1)　――ベンジャミン・グレアム

神様と同じように、市場は自らを助けるものをお助けになる。神様と違って、市場は自分が何をやっているかをわかっていないものをお許しにはならない(注2)

――ウォーレン・バフェット

自分が何をやっているかちゃんとわかるまでは何もするな(注3)　――ジム・ロジャーズ

成功する習慣7

自分に理解できるものにだけ投資する

達　人――自分に理解できるものにだけ投資する。

負け犬――自分のやっていることを深く理解することが成功の条件だとわかっていない。自分の知っている範囲に儲けるチャンスが（おそらくたくさん）転がっていることにほとんど気づかない。

ラリーとメアリー

ある晩、夕食の席上で、一人でベンチャー・キャピタル・ファンドをやっているラリーという投資家に出会った。彼は秘書さえ置いていなかった。ラリーは二〇歳のとき一文無しでニューヨークへやってきて、ウォール街で職を得、二年後に投資で五万ドルを手にしていた。数年後、彼は職を離れ、自分の資産の運用に専念するようになった。今や億万長者となった彼は、立ち上げ期にある有望なバイオテクノロジー企業に乗り込んで切り盛りすることを専門にしている。

ラリーの成功の秘訣は、市場の中で自分のニッチを見つけたことだ。彼はバイオテクノロジーに魅了されている。彼には強力な動機がある。彼はとても長生きしたいと思っているのだ。彼は『ネイチャー』やその他の科学雑誌の熱心な読者で、彼のリサーチは企業ではなく科学から始まる。彼はバイオテクノロジーに熱中している。

そんなわけで、食事中に投資について尋ねられると、彼はなぜバイオテクノロジーで大儲けできるのかを語り始めた。私の隣に座っていたメアリーという女性が私に言った。「株式をやろうと思っていたのだけれど、バイオテクノロジー株を買うべきかもしれないですね」。彼女の声の調子から、彼女は確信からはほど遠いことがわかった。だから私は彼女に尋ねた。「これまでどんなものに投資していました？　それでどれぐらい儲かりました？」

数年前、彼女はコンドミニアムを二つ買ったのだそうだ。それ以来値段は倍になった。彼女の友達や不動産業をやっている知り合いはみな、買うなと言ったそうだ。ビルの管理会社は訴訟を抱えている、内紛が絶えない、資金繰りが行き詰まっている……手を出した日にはそれこそ蜂の巣をつついたような大騒ぎになる、誰も彼もそう言ったという。やめておいたほうがいい。その証拠に、と彼らはコンドミニアムがとても安い値で売りに出ていることを指摘した。「どう見ても」値段は下がるしかないだろう。

長年不動産事業にかかわってきたメアリーにはそうではないことがわかっていた。彼女の見たところ、そのコンドミニアムは大変なお買い得だった。彼女には、値段を安くしている管理会社の問題はそのうち何らかの形で解決されるに決まっていた。最悪でも、価格は市場水準へと戻るはずだった。

そこで私はこう言った。「それじゃ、なんでバイオテクノロジーのことなんて知りたいんです？株式市場なんか放っておけばいいですよ。あなたはもう、投資のやり方も金儲けのやり方も十分ご存じだ。わかっていらっしゃることをやればいいんですよ」

明かりが灯る

しばらくの間、彼女はびっくりして黙っていた。それから彼女の表情が変わった。まるで消えていた電球が突然灯ったようだった。視界が開けたのだ。メアリーはウォーレン・バフェットの正反対だ。バフェットはかつて、「株式市場でこんなに容易くやれるのに、なんで不動産に手を出す必要がある？」（注4）と語っている。

メアリーはすでに自分の投資ニッチを知っていた。ただ、自分が知っていることに気づいていなかっただけだ。ラリーのような人たちの成功に感銘を受けて、不動産市場の自分の知識や技術を価値のないものと卑下していたのだ。不滅の真理である「隣の芝生は青い」の法則により、彼女は投資を成功させる鍵を、自分で間違いなく見つけられる場所以外をうろうろして探していたのだ。自分の家の裏庭に行けばちゃんと見つかるのに。

ニッチはどこか

成功する人はみな、はっきりと定義されたニッチを持っている。たとえばジョン・マッケンロー、マイケル・ジョーダン、ベイブ・ルース、タイガー・ウッズが何で有名かなんて誰でも知っている。私のようにスポーツと名のつくものには一切興味がなくてもだ。また、ジョン・マッケンローがバスケットボール・コートに、ベイブ・ルースがウィンブルドンに立ったとしたら、まるで陸に上がった魚だということも誰にだってわかる。

まったく同じように、成功する投資家はそれぞれ自分のニッチを持っている。ほんのしばらく投資をやっていたというだけでも、ベンジャミン・グレアム、ウォーレン・バフェット、ジョージ・ソロス、ピーター・リンチ、ジョン・テンプルトン、ジム・ロジャーズ、ジェシー・リバモアといった投資家を、それぞれの専門や特定の投資スタイルに結びつけることができるようになっているだろう。

ウォーレン・バフェットやジョージ・ソロスといった鯨のような「大物」が小さなニッチの中にいるなんておかしいと思うかもしれない。しかし、七一九億ドルの純資産を持つバークシャー・ハサウェイでさえ、二三兆一〇〇〇億ドル規模の国際株式市場という「池」(注5)ではほんの中ぐらいの魚にすぎないのだ。鯨にもさまざまな種類がいて、それぞれが自分に合った環境に住んでおり、それぞれの道が交わることはほとんどない。同じように、バフェットとソロスは、広い投資の海で、環境の異なるニッチに住んでいる。さらに、鯨の生態上のニッチがそれぞれの食性に関連して成立しているのと同じように、投資家の市場でのニッチも、彼らそれぞれが理解できる種類の投資で決まるのだ。

財産を倍にしたい

残念ながら、専門化と成功は結びついているという一般的な法則に、投資の世界も従うことをまったく信じようとしない投資家に何人も出くわした。たとえば、何年も前に、自分の投資セミナーの参加者に、来てくれた理由を尋ねてみた。「これから一二カ月でどうやったら財産が倍になるか知りたいと思ったんです」と彼は言う。

この男は、二〇年の間、一日二四時間働いて自分の会社を大きくし、数百万ドルの資産を築いていた。彼は金儲けがどんなに大変かわかっているはずなのに、それでもなお、投資で儲けようと思えば、彼が会社に注ぎ込んだのと同じぐらいの努力が必要だと言っても信じようとしなかった。投資ニューズレターや投資信託の販売努力が功を奏したためか、投資で儲けるのは簡単だと思っている人はあまりにも多い。宝くじだけれど毎回当たりが出る、そんなところなんだろう。

はじめて株を買った頃は私も間違いなくそうだった。一九歳ぐらいで、前の晩にパーティーで出会ったブローカーが売り込んでいたとある株を買おうと意気込んで出かけたものだ。買った会社の名前は思い出せないが、買った値段が過去最高値を何セントも下回っていなかったのはよく覚えている。そのブローカーが自分の言っていることを本当に信じていたのか、それとも単に自分が売るために買いを煽ろうとしただけなのか、今でもわからない。いずれにしても、そんなことはもうどうでもいい。どうでもよくないのは、今でも同じような話が毎日世界中のブローカーのオフィスで繰り返し語られている点だ。

投資は簡単だという妄想は投資の七つの大罪すべての根底にあるものだ。第一の大罪「次にマーケットがどう動くかを予測しなければいけないと考えている」だけをとっても、そのために費やされた時間とエネルギーは大変なものだ。日刊紙の株式市場のページか、テレビの金融ニュースでも見れば、そこでの基本的なテーマはいつも同じであることに簡単に気づく。市場は次にどう動くかだ。投資のプロも、ほとんどは第一の大罪を犯している。

さらに、そんな妄想につけられる理屈は山ほどあって、実際たくさんの人がチャートや相対上昇率、移動平均、モメンタム（直近の動き）などを使って、望むべくは市場の方向を当てようと試みている。エリオット波動やコンドラチェフの波など、循環系の理論もある。市場には何らかの周期性があって、それを特定できれば簡単に儲けられるという考え方だ。そんな循環理論には共通点がある。先行きに関しては視界不良、そして後付けに関してはとても視界良好なことだ。

投資成功の秘訣は占星術だ、間違いないという投資家までいる。彼にとって問題は一つだけだった。二〇年間も彼を悩ませているその問題とは、どの占星術師も彼に儲けさせてはくれなかったということだった。それでも彼の信念は微塵も揺るがず、お迎えか破産か、どちらか先に来るほうが彼を止めるその日まで、探求は続くことだろう（と思ったが、破産のほうは妨げになるだけで、彼の探求を止めることはないのだろう）。

投資が簡単だと信じている投資家は、理解することこそ本当の秘訣だということを信じようとしない。理解するのは難しいと言うのかもしれない。時間と労力がかかるというわけだが、そういうときそういう人は、安易な道を探して費やした時間と労力、もちろん金のことも忘れている。

「理解」と「知識」

知識なら壜（なり本なり）に詰めてキャンディみたいに売ることもできるが、理解はそういうわけにはいかない。理解するとは、知識を経験と結びつけることである。誰か他の人の経験ではなく、自分の経験とだ。経験は実際にやってみないと得られない。誰か他の人がやったことについて読んでも（知識にはなるがそれでは）ダメだ。「知識」（あるいは「知る」）という言葉は「理解する」という意味でも使われるので、それぞれが正確にはどういう意味なのか辞書で見ておくのがいいだろう。

知識　名詞　一a（人や物事について）認識すること、または知ること。例：そのことについて知識は持っていない。b人の持つ情報の範囲。

二a物事の理解。例：ギリシャ語のよい知識。b知っていることの全体。例：ありとあらゆる知識。

理解　名詞　一a（言葉、人、言語、事項その他について）意味を知っていること。例：あなたの言うことが完全に理解できる。代数が理解できない。

二　重要性や問題に気づく。例：なぜ彼が来たのか理解できない。

たとえば、

マリオンはギリシャ語の知識がある。
ピーターはギリシャ語を理解している。

の二つの文章が意味するところは明らかに違う。マリオンはギリシャ語がうまく話せるだろうか。それとも読めるだけだろうか。あるいは、単にギリシャ語のこと（たとえば文法や歴史、言葉の由来、言語学的なことなど）をたくさん知っているのだろうか。なんとも言えない。対照的に、ピーターは、ギリシャ語を、流暢ではないかもしれないけれども、うまく喋れると思って間違いないだろう。同様に、「彼女はたくさん知識を持っているよ、よく知っているよ」と言うとき、彼女なる人はひょっとするとトリビア好き（雑学マニア）だというだけかもしれない。「彼女は原子物理学をわかっているよ、理解しているよ」と言うのとは、質的に大きく異なっている。

知識は通常事実の集合である。右の表現を借りれば「人の持つ情報の範囲」または「知っていることの全体」である。一方、「理解」は「熟達」――情報を適用して望む結果を得ること――を示唆している。

自分の土俵

成功している投資家がみな、ありうるすべての投資の中から小さな一部分だけに着目し、そこに特化してそれ以外のことをやらないのは偶然ではない。達人が投資哲学を形づくる過程そのものが、彼らに理解できる投資の種類を決定する。それが達人にとっての自分の土俵となり、その中で勝負する限りは市場全体に勝てるだけの競争優位を得られるのである。ここでの競争優位とは、平均を上回るプラスの利益が期待できる投資かどうかを測る能力である。達人が土俵内にない投資を見た瞬間、達人の「計測器」は動かなくなる。測れないわけだから、その投資が儲かるかどうかを判断する能力は並の投資家と変わらない。

投資の達人は特定の「生態的」市場ニッチに住み着こうとするわけではない。ニッチは達人が自分で理解できることとできないことから自然に決まるだけだ。そして両者の境目は、達人自身には火を見るよりも明らかだ。ウォーレン・バフェットの言葉を借りよう。「自分の土俵ということについて一番重要なのは、土俵がどれだけ広いかではなく、土俵の円をはっきり描くことだ（注6）」

自分の基準を通して投資の世界を見ることで、彼には自分で理解できる投資対象しか目に入らなくなるのである。

第10章 いつ「イエス」と言っていいかわからないなら、いつも「ノー」と言え

わからないことならするな[注1]——ウォーレン・バフェット

わからないということはわかっている[注2]——ラリー・ハイト

成功する習慣8
自分の基準に合わない投資は拒絶する

達　人——自分の基準に合わない投資は拒絶する。合うもの以外には躊躇なく「ノー！」と言える。

負け犬——基準自体持っていない。あるいは誰かの基準を真似している。欲に目が眩んで「ノー！」と言えない。

勘違い

あるとき、友人のアンドリューに、私がよくする質問の一つをぶつけてみた。「まったく投資をしていなかったとしたら、君の財産はどうなっていたと思う？　金は全部銀行預金に置いておいて、金利だけ貰っていたとしたら？」

「ああ、ずっと少なかっただろうねぇ」と彼は答えた。はて、と思った。というのは、三、四年前から彼は株式に手を出しては損しているのを知っていたからだ。アンドリューは、自分で立ち上げたいろいろな事業と不動産で財産を築いた人だ。そこで私はもう一つ尋ねてみた。「もしも君が自分の事業か不動産にだけ投資をしていたら、君の財産はどうなっていたと思う？」

彼は躊躇なく答えた。「そりゃずっと多かっただろうなぁ」

不動産に関しては、アンドリューは自分のやっていることを理解していた。彼はとても単純なルールを決めていた。月に一%手に入らないなら立ち去れ、だ。アンドリューはよくある間違いを犯していた。不動産で成功したのだからどの投資をやっても成功すると考えたのだ。彼は不動産投資で明確な基準を持っていたが、基準を持つことこそが投資で成功するための鍵だとは気づいていなかったのだ。損を積み上げ、自分には株式市場はさっぱりわからないと認めざるをえなくなるまでの四年間、彼は勘違いしていたのだ。言ってみれば、投資の幼稚園からやり直さない限り、彼が株式で儲けることはできないのだ。

どんな知識や技術を持っていようが、よく知らない領域に足を踏み入れたなら、人は無意識的無能になる。ある領域で成功をもたらした知的習慣はあなたの無意識に深く刻み込まれていて、それが別の領域では失敗につながるのである。

あなたがテニスの名手であるとしたら、ラケットを構え、振り、サーブし、リターンし、といったように、数々の習慣が身に染みついているだろう。だから、スカッシュなりラケットボールなりバドミントンなりのコートに立つと、何かをするたびそうした習慣がみな顔を出す。一見よく似ているけれど、実はまったく違うゲームで成功しようと思ったら、染み付いているテニス向けのよい習慣を体から追い出して、まったく新しい習慣を学び直さなければならない。

アンドリューはよく練られた投資哲学など持ってはいなかった。彼は自分にわかることとわからないことをはっきり定義できていなかった。彼は自分の土俵を意識していなかった。だから彼はいつ「イエス」と言い、いつ「ノー」と言うべきかわかっていなかったのだ。ウォーレン・バフェットはこんなふうに言っている。「ほとんどの人にとって投資で大事なのはどれだけ知っているかではなく、むしろ自分は何を知らないかをどれだけ正しく認識できるかだ」（注3）

投資の達人は自分がわかることとわからないことをとてもはっきりさせている。だから、自分が理解できない投資を見ても、単に興味を持たないだけだ。そんな達人の無関心さは、判断に感情が入り混じる並の投資家の行動と非常に対照的である。

隣の芝生は……

一貫した投資哲学という拠って立つものを持たない投資家は、よく、いい判断をしてもそれとは逆の投資行動を取ってしまうことがある。ドットコム・ブームのような熱狂が起きると特にそうだ。あいうブームの初期段階ではほとんどの投資家が半信半疑である。彼らはアマゾン・ドット・コムのような会社を見ては、どこまで行ってもずっと損失続きじゃないか、ファンダメンタルズに基づく価値はまったくないと言う。人によってはそういう株を空売りし、ずいぶん後悔することになった。「ニューエコノミー」パーティーがいっそうにぎやかになり、投資の真言は「利益なんて関係ない」になり、企業価値も顧みられなくなった。ドットコム企業の株価はどこまでも上がり続け、一方「オールドエコノミー」なバリュー株は見捨てられていた。

これで懐疑派は完全に混乱してしまった。手を出せないで見ていると、目の前で起きることはすべて――価格は上昇し、周りの人たちは大儲け――それまで機能していた投資のルールと完全に矛盾していた。起きていることが理解できないので、彼らは自分の投資の信念を疑い始め、自信を失い、一人また一人と、タオルを投げてパーティーに加わっていった。熱狂の終わり頃、参加していないのは根っからの「異端」――自分だけの堅固な哲学を持ったバフェットのような人たち――だけだった。そういうわけで、悲しいことに、熱狂で一番損をするのはいつも懐疑派なのだ。最後になって参加するため、バブルが人々の耳元で弾けて崩壊する直前に買ってしまうのである。

これは、隣の芝生は青いという妄想の極端な例である。他人が儲けている一方自分は指をくわえて眺めているという状況に耐えられず、投資家はよく、自信を喪失して蜃気楼を追いかけ回すようになる。そうでない人も、メアリーのように、自分の知識や技術を価値のないものと思い込み、虹の端へと金の壷を探しに出かけてしまうのだ。金の壷ならお尻の下にちゃんと埋まっているのに。この種の行動によくついて回る特徴は、いつ「イエス」と言い、いつ「ノー」と言うべきかをわかっていないという点だ。対照的に、ウォーレン・バフェットは一九六九年、強気市場の頂点で、株主に次のような手紙を書いてバフェット・パートナーシップを閉鎖した。

私は今の市場環境とは波長が合わない。英雄になれるからというだけで自分にはわからないゲームに加わって、まあまあのトラックレコードを傷つけたくない。(注4)

間違った理解

誘惑に負けて自分にわからないものに投資するよりも最悪なのが、自分は自分のやっていることがわかっていると勘違いしてしまうことである。仮免許もまだ貰っていないティーンエイジャーが運転ぐらい簡単だと思っているのと同じだ。どう思っていようが、これは無意識的無能の状態である。

一九九八年、友人のスチュワートが四〇万ドルで証券取引口座を開き、アマゾン・ドット・コム、AOL、ヤフー、イーベイ、シスコ・システムズといった銘柄を購入した。一九九九年の終わりまでに、彼のポジションは二〇〇万ドルに膨れ上がっていた。そのうち八〇万ドルが信用取引だった。

スチュワートとはよく話をしていたのだが、そのたびに彼を「ニューエコノミー」の夢から目を覚まさせようとして、いつもうまくいかなかった。「ウォーレン・バフェットはもう過去の人だ」と彼はよく言っていた。儲けが膨らむにつれて、自分は自分で何をやっているかちゃんとわかっているという彼の確信はどんどん強くなっていった。それでも、二〇〇〇年になると彼はだんだん神経質になった。彼はいくらか利食い売りをし、「ヘッジ」と称して空売りもした。残念ながら、市場は上がり続け、彼ははじめて追加証拠金の請求を食らった。

その年の終わり、彼のポジションの価値は口座を開いたときの四〇万ドルに戻っていた――しかし、そのうち二〇〇万ドルは信用取引で、しかも彼はマージンコールを受けていた。悲しいことに、暴落があってもなお、ドットコム企業の将来は明るいという彼の妄想は崩れなかった。そして、誰もがやめておけと言ったのに、彼は預金を取り崩して現引きを行なった。今日、彼のポートフォリオの価値は二〇万ドルまで下がってしまった。スチュワートに投資がどうなったかなんて聞かないほうが身のためだ。自分はドットコム株のエキスパートだという誇大妄想に取りつかれ、スチュワートは六〇万ドルの預金を二〇万ドルにまで減らしてしまった。「投資のルール①：決して金を失うな」（およびその応用である「現引きは絶対するな」）への抵触である。

これこそは、投資の達人が自分に理解できない投資に対して必ず「ノー」と言う理由だ。自分の土俵の外で資本をリスクに晒せば、投資の成功の根幹を揺るがすことになる。すなわち、元本の確保である。

自分の土俵を決めろ

投資の達人は、自分の限界を知っているので、理解できない投資には無関心である。そして達人が自分の限界を知っているのは自分の土俵を決めているからだ。達人は、また、自分の土俵でなら容易に利益があげられると知っている。土俵の外の芝生は青いかもしれないけれど、達人は興味を示さない。達人がそれまでやってきた投資のスタイルは、達人自身の性格によく合っている。他のやり方をするのは、サイズの合わないスーツを着るようなものだ。アルマーニのスーツでも、大きすぎたり小さすぎたりするなら、自分にぴったり合った安手のスーツのほうがずっといい。

バフェットやソロスは自分の土俵を作る際、次のような自問自答をする。

●自分は何に興味を持っているだろうか。

●自分は今何を知っているだろうか。
●自分は何を知りたいだろうか。何を学びたいだろうか。

もう一つ重要なことは、自分が興味を持った分野で金儲けはできるかという点だ。たとえば、私は昔から飛行機が大好きだった。しかし、いくつかの例外を除けば、航空業界は投資のブラックホールであり、絶え間なく莫大な資本を注ぎ込まなければならないうえ、往々にしてその金はパイロット組合へと流れていくのである。投資の達人がやるように、先に挙げた三つの自問に答えてはじめて、自分の投資ニッチを見つけることができ、また、自分の限界がはっきりわかるようになるのである。そうしてはじめて、自分の基準に合わない投資「チャンス」をやり過ごせる――また損をしなくなり、儲けが出る――ようになるのだ。

第11章　Aから始めろ

ある会社に興味を持ったら、私はまずその会社の競争相手全部の株を一〇〇株ずつ買って、アニュアル・レポートを手に入れる（注1）――ウォーレン・バフェット

発見とは、誰もが見ていることを見ることと、誰も考えないことを考えることから成る（注2）
――アルベルト・フォン・セント＝ジョルジ・ナージラポルト

成功する習慣9
自分の手で調べる

達　人――自分の基準に合った新しい投資機会をいつも探しており、自分で積極的に調査を行なう。十分な敬意に値する投資家やアナリストにだけ耳を貸す。

負け犬――「千に一つ」の大ヒットのような安易な道を探す。その結果、往々にして「今月の耳寄り情報」に従う。いつも「専門家」らしき人の言うことを聞く。買う前に投資対象をよく研究するなんてことはめったにしない。「調査」と言えば、ブローカーやアドバイザー――あるいは昨日の新聞――から最新の「耳寄り話」

を仕入れることを指す。

「自分で見つける」

ウォーレン・バフェットやジョージ・ソロスのような投資の達人が、どうやって金持ちになれるような投資対象を見つけるのかは、誰もが知りたいと思っている。簡単に言ってしまうとこうだ――自分で見つける。

バフェットお気に入りの投資のアイディアは、誰でも手に入れられて、頼めば普通タダで送ってくれるものである。会社のアニュアル・レポートだ。アダム・スミス（もちろん『スーパーマネー』（日本経済新聞社刊）の著者のほう）とのインタビューで、バフェットは投資の初心者に次のように勧めている。「私が四〇年ちょっと前にやったのとまったく同じことをすればいい。アメリカの上場企業を全部調べるんだ。長い目で見ればそうして得られる知識はとても役に立つだろう」

「でも、上場企業は二万七〇〇〇社もありますよ」とスミスが言った。

「なるほど」とバフェットは答えた。「それじゃ、Aから始めてはどうかな(注3)」

一九五〇年にベンジャミン・グレアムの著書『賢明なる投資家』をはじめて読んで以来、バフェットはアニュアル・レポートを読み続けている。今日でも、バフェットのオフィスには金融情報端末はなく、代わりに書庫には一八八のキャビネットにアニュアル・レポートが収納されている。バフェット唯一の「リサーチ・アシスタント」はアニュアル・レポートをファイルしておく人だ。「私は毎日会社を見て過ごしてきた。アボット・ラボラトリーからゼニスまでだ（注4）」

広告はペイするものだ

バフェットは株式投資から始めたが、今日、彼は会社を丸ごと買収することを好む。投資対象の見つけ方を彼はこんなふうに説明する。「非常に科学的な方法だ。座って電話が鳴るのを待つんだ。ときどき間違い電話もあるけど（注5）」

確かに、最初はバフェットよりも売り手のほうから接触してくることが多い。しかし、バフェットは積極的に電話をかけてくるよう呼びかけている。バークシャーのアニュアル・レポートでの株主に向けた言葉や、彼に売却してよかったという売り手の声、さらに『ウォールストリート・ジャーナル』に掲載する広告まで、彼は広告はペイするものだと知っている。

その結果、バフェットは無意識下にアメリカの主要な企業すべてに関する膨大な情報を蓄積している。そして、その情報は新しいアニュアル・レポートが出るたびに更新され続けている。知りたいことがアニュアル・レポートに載っていなければ、彼は情報を掘り起こしに出かける。一九六五年がそうだった。

バフェットは、一カ月近くカンザスシティの駅構内で、燃料を輸送する貨車の数を数えて過ごしたという。しかし、彼は鉄道株を買おうと思っていたわけではなかった。彼が興味を持っていたのはおなじみのスチュードベイカーだった。同社は画期的なガソリン添加物であるＳＴＰを開発していたが、ＳＴＰの売れ行きがどうかを教えてはくれなかった。しかし、バフェットは同社が基本的な原料をユニオン・カーバイドから仕入れていること、そしてＳＴＰ一缶を製造するのにどれだけの原料が必要かを知っていた。だから燃料輸送貨車を数えていたのだ。出荷が増えてきたところで彼はスチュードベイカーの株を買い、その後株価は一八ドルから三〇ドルへと上昇した。(注6)

この場合、実地調査を行なったおかげで、バフェットは確信を持って投資することができた。会社外部の人間では他に誰も気づいていないことを知ることができた。同じようなことに気づいていた人はいたかもしれないが、確認のためにそこまでやる人はほかにいなかった。投資の達人の優れている点は、他の人に見えないものが見えるということではなく、見たものの解釈の仕方にある。加えて、自分が最初に思ったことを確認するために「もうあと数マイル」歩みを進めることを厭わない点にある。

バフェットやソロスは、投資の世界を自分たちの投資基準というフィルターを通して見る。彼らは人からどう見られようと気にかけない。それればかりでなく、他の人が思うことや言うことは彼らにとってほとんど、あるいは完全に無価値である。バフェットは「自分で考えなければならない。知能指数の高い人たちが考えもなしに他人を真似するのを見るたびに驚いてしまう。人と話していいい考えが得られたことは一度もない」(注7)とさえ言う。
投資の達人にとって、唯一他人に頼っていいのは、その人が自分と同じ投資哲学を持っており、自分とまったく同じフィルターを使いこなしてものを見ている場合だけである。バフェットならパートナーのチャーリー・マンガー、ソロスならクウォンタム・ファンドでの後継者スタンレー・ドラッケンミラーがそうだ。

盲人の王国で

バフェット同様、ジョージ・ソロスも常に自ら調査を行なう。彼はずっと、他人とは違った視点で市場を見てきた。クウォンタム・ファンドを設立する前でさえそうだった。一九五六年にニューヨークへやってきたとき、彼は自分が競争優位を持つことに気づいた。ロンドンでは、ヨーロッパ株の専門家は掃いて捨てるほどいた。しかし、ニューヨークではそういう人たちは鶏の歯ぐらい稀な存在だったのだ。その結果、一九五九年にヨーロッパ株が上がり始めると、彼はウォール街ではじめて広く世に知られるようになった。

その後ヨーロッパ経済共同体へと脱皮することになる、ヨーロッパ石炭鉄鋼共同体の設立がすべての始まりだった。これがヨーロッパ合衆国への礎になると考えたアメリカの銀行や機関投資家は、ヨーロッパ株に強い関心を持つようになった。(中略)私はヨーロッパ投資ブームの扇動者の一人になった。ドレイファス・ファンドやJ・P・モルガンといった金融機関が、私の差し出すものなら何にでも食いついた。彼らには情報が欠けていたからだ。彼らは膨大な金額を投資

した。私がその中心にいた。あれが私のキャリアで最初の飛躍になった。(注8)

同じように優位に立ったアナリストの中には、ニューヨークに居座って「駐在専門家」の地位を楽しむ者もいたが、ソロスは違った。彼の考えがそうであるように、彼のリサーチもオリジナルであり、第一次情報に基づくものだった。英語とハンガリー語のみならず、ドイツ語とフランス語も堪能なソロスは、ヨーロッパ企業の隠し資産を明るみに出すため、税金の還付まで詳しく調べて回った。また、彼は経営陣を訪ねた。当時、そんなことはほとんど行なわれていなかった。

ソロスの独立したリサーチは一九六〇年に大きな実を結んだ。ドイツの銀行が持つ株式ポートフォリオの市場価値が、それらの銀行自身の市場価値よりも大きいことに気づいたのだ。一方、保険業界では、保険会社グループの一つであるアーヘナー&ミュンヒェナーについて、グループ会社間で複雑に絡み合った株式持ち合いを解明してみると、それらの会社のいくつかが、市場を大きく下回る価格で買えることがわかった。

ちょうどクリスマス前の頃で、私はJ・P・モルガンへ行き、五〇社の企業からなる相関図を見せながら、自分の得た結論を説明した。クリスマス休暇の間にレポートを書き上げると言ったのだが、レポートを書き始めるやいなや、彼らは即座に買い注文をくれた。私のレポートが出ればそれを根拠に株価は二倍、三倍になってしまうと思ったからだ。(注9)

今日、ソロスは先物やフォワード（先渡契約）の市場を使ったレバレッジを伴う投資でよく知られている。しかし、一九六九年にソロスと当時のパートナーであるジム・ロジャーズがクウォンタム・ファンドを立ち上げたとき、先物契約といえば小麦やコーヒーといった農作物か、銀や銅などの金属しかなかった。通貨、債券、および株式市場インデックスのデリバティブ（派生商品）契約が爆発的に成長するのは一九七〇年代になってからのことだ。それでも、ソロスは、現在彼が用いている金融先物が登場する前から、現在と同じ原則に基づいて投資を行なっていた。個別企業の株式を購入――あるいは空売り――することで、これから生じる業種のトレンドに乗るというやり方だ。

ソロスとロジャーズはどうやってそんな銘柄を見つけていたのだろうか。読みまくったのだ。徹底的に。『肥料溶液』とか『週刊繊維』とかといった業界紙、あるいは市場に影響を与えそうな社会情勢や文化的傾向を探して一般向け雑誌を読み漁った。さらに、アニュアル・レポートも詳しく分析した。そして、トレンドを発見したと思ったら、会社の経営陣を訪ねて行った。ソロスの記憶によれば、一九七八年か一九七九年にジム・ロジャーズが世界はアナログからデジタルへと移行すると予測した。

ジムと私はモントレーで開かれるＡＥＡ（アメリカ電子工業会）――その頃、ＷＥＭＡ（西部電子工業会）と呼ばれていた――の会議に出席し、一週間ずっと、一日に八～一〇社の経営陣と会って話をした。私たちはこの難解な技術分野を捕まえて放さなかった。成長が一番期待できる分野を五つ取り出し、それぞれの分野から一社以上を選んで投資した。このときが私たちのチームの絶頂だった。その後一、二年はこのときの成果で食っていけた。ファンドはそれまでで最高のパフォーマンスを記録した。（注10）

先物市場の成長で、ソロスは自分の再帰性哲学を応用できる新しい分野を得た。この流動性の高い市場はクウォンタム・ファンドにとって理想的だった。現物株式市場よりもずっと素早く膨大なポジションを構築でき――さらに、売買を行なってもそれが価格に影響を与える危険性はほとんどなかった。一見無関係な現象間の関係を探して、ソロスの関心は政治、経済、産業、通貨、金利などのトレンドに移っていった。彼の手法は変わらなかった。関心の向く先が変わっただけだ。人々とも話をして回った。彼の名刺ホルダーは世界中のさまざまな市場に関するコンタクト先で大変な大きさになった。「ミスター・マーケット」が何を考えているか知りたいとき、彼らに電話をすることがあるのだ。

常に自己批判の視点を欠かさないソロスは自分の考えをいつも改善していた。部下の一人が何かの考えに熱中すると、ソロスは決まってもう一度よく考え直してから――さらに見直せと命じた。彼はまた、何か思いついたら、反対の考えを持つ人にそれを話して、自分の考えが十分に高いレベルに達しているかテストするように促していた。

ソロスもバフェットも、自分の基準に見合う投資を見つけるために厳しい系統だった手続きに従う。自分でそのプロセスをコントロールしているので、高い利益が期待できることを確かなものにするために、必要な手順をすべて踏むことができるのだ。

それを典型的な個人投資家の探索手続きと比べてみよう。典型的に、個人投資家はブローカー、アナリスト・レポート、投資ニューズレター、テレビの金融番組、新聞、あるいは雑誌といったものからでたらめに集められた二次情報に頼って投資の判断をする。株を買う前に、その会社のアニュアル・レポートを調べるなんてことはめったにやらないし、バフェットのように競合他社のアニュアル・レポートなんて論外だ。徹底した探索戦略に従ったとしても、多くの場合、投資の達人が持つ最も重要な成功のための手続きを無視する。すなわち、探索戦略と同じくらい徹底して、現在持っている全ポジションを監視することである。

一回判断したらそれで終わりなんて株はない

私に監視の重要性をはっきりと思い知らせてくれたのはハロルドだった。私がずっと若い頃に知り合った投資家である。はじめて会ったとき、彼はすでに七〇代だった（今生きていれば一〇〇歳を超えていることになる）。ハロルドは趣味として投資を始め、「バリュー・ライン投資調査」を使って割安な株を見つけていた。それがとても楽しかった（そのうえとても儲かった）ので、彼は四〇歳で仕事を辞め、専業の投資家になった。

彼は私に、ここでは仮にペーパー・フォームと呼ぶ会社の話をしてくれた。彼はその株を一九七〇年代に一株二ドルか三ドルほどで購入し、二一ドルでやっと売却したのだった。ペーパー・フォームはあらゆる種類のビジネス書類を製造する会社だった。アメリカ全土に二〇カ所の工場と倉庫を持っていた。ハロルドの目を引いたのは、同社はそうした工場などの敷地を一九五〇年代に二〇年契約で借りており、また賃貸の終了時には、希望すれば買い取ることができるオプション契約になっていたことだった。その場合の買取価格は一九五〇年代終わりならとても高い水準だったのだろうが、一九七〇年代終わりの二桁インフレの時代にはばかばかしいほど安いものになっていた。

同社の利益は安定していたが目を見張るほどではなかったから、同社の株を買う理由はただ一つ、同社が持つ不動産を安く買える権利だけだった。そしてハロルドは一株二ドルから二・五〇ドルの間で買い続け、創業者一族に次ぐ大株主になった。買ったら後は放っておけばよさそうな株があるとすればこの銘柄はぴったりその条件に合いそうだ。しかし、もしもハロルドがそうしていたら、ペーパー・フォーム株でビタ一文儲けることはできなかっただろう。というのは、彼が買い始めた直後、同社の創業者であり、支配株主であった人が亡くなったのだ。

その人の持ち株は銀行の信託部門に委ねられ、同社は財務屋どもの手に委ねられることになった。いくら銀行のアホどもだって、一九七〇年代に一九五〇年代の価格で不動産を買えるなんていうおいしい話を見過ごすはずはないとあなたは思うかもしれない。しかし、銀行屋にとって、オプションは危険なデリバティブなのだ。しかも、権利行使して手に入るのは不動産開発という危ない事業である。彼らの視点では、同社は得意分野に特化していたほうがいいということになる。だいたい、銀行屋が安全で保守的な道を選んでどこが悪い？

創業者が死に、銀行が会社を支配しているという事実は広く知られていたことだった。ハロルドは経験から、経営陣が変わればどんなことでも、それこそどんなバカなことでも起こりうると知っていた。ハロルドがペーパー・フォームの株を買っていた理由は同社の持つ不動産買取権だけだったから、同社がその権利をどうするかが決定的に重要だった。だから、彼は同社の中間管理職にわたりをつけた。銀行の信託部門が自分たちの叡智に照らして権利を行使しないことに決めたと聞き、ハロルドはその銀行の社長に面会を求めた。

社長に会った際、ハロルドは社長に信託部門ペーパー・フォームに不動産買取権を行使させないと決めたというのは本当かと確かめた。社長が知らないと言ったので、ハロルドは事の次第を説明した。そのうえでハロルドは社長に次のように尋ねた。「なんでそんな、少数株主からの株主代表訴訟の標的になるようなことを好き好んでするんです？　企業価値の最大化を怠っていると訴えられますよ」

「あなたも株主でいらっしゃいますか？」と社長は尋ねた。

「ええもちろん。今後も買い続けます」

ハロルドの活動のおかげで、銀行の信託部門は考えを変えた。ハロルドは三ドルになるまで株を買い続けた。そうたたないうちに、ペーパー・フォームに買収がかかった。当初の買収提案価格は一八ドルだったが、ハロルドはどっしり構えて価格が二一ドルになるまで売らなかった。ハロルドが自分の投資を監視していなければ、一株当たり一七ドル超の利益はすべて水の泡だっただろう。

監視は継続的なプロセスである。新しい投資対象を見つけるのではないが、万事順調に行っているか、そろそろ売却して利益を手にする時期かを確かめたり、あるいはハロルドのように自分の財産を守るために何らかの行動を起こすべきかを考えたりするという点で探索手続きの延長線上にある。投資の達人ごとに違っているのは監視の頻度だけである。たとえばバフェットなら、持っている会社に何らかの形で影響を与える情報や展開がないかと注意する一方、監視するのは月に一度、あるいは四半期に一度でいいかもしれない。

ソロスの場合監視の頻度はずっと高く、場合によっては一カ月に一度ではなくほぼ一分に一度である。そして、バフェットにとって探索と監視の違いは明らかだが、ソロスに投資スタイルの場合、二つのプロセスは融合しうる。たとえば、ソロスはまず、市場にちょっと手を出してみて自分の仮説を実験する。ポジションを監視することで自分の仮説の質を判断することができる。また、彼の実験は探索手続きの一部でもある。正しいタイミング、つまり、引き金を引くべきタイミングを探す手続きである。実験を監視することで、「市場の感触」も得られる。実験が失敗に終わればソロスは仮説を修正して、探索の範囲を狭めることができる。

スタイルは違うものの、バフェットもソロスも自分の投資基準に合う投資対象をいつも自分で探す。また、常に投資対象を測ることで、彼らはすでに、新たな行動が求められているか、いつそれが必要になるか、手仕舞って利益なり損失なりを実現するべきか——あるいはハロルドのように、株主代表訴訟をちらつかせて銀行の社長を脅すべきかを判断するべく、自分の投資基準を適用していることになる。

第12章 することがないなら何もするな

秘訣は、することがないときは何にもしないことだ(注1)——ウォーレン・バフェット

成功するためには暇な時間が要る。両手にたっぷり余るぐらいの時間が必要だ(注2)

——ジョージ・ソロス

ソロスの秘密? まずは無限の忍耐力だ(注3)——ロバート・スレイター

成功する習慣10

無限の忍耐力を持つ

達　人——自分の基準に合う投資対象が見つからないときは、見つかるまでいつまでも待てるだけの忍耐力を持つ。

負け犬——四六時中市場で何かやっていなければならないと思い込んでいる。

喜んで待つ

バフェットやソロスは、自分の投資基準にこだわるなら投資できるものがないことがあり、場合によってはそうした期間が長期に及ぶこともあると知っている。二人ともいつまでも待ち続けられるだけの忍耐力を持っている。バフェットが冗談めかして言うように、「怠惰の罪に迫るほど何もしない、というのが私たちの投資スタイルの基本だ（注4）」。

バークシャー・ハサウェイの一九九八年アニュアル・レポートで、彼は投資家に宛てて次のように述べている。

> 株式についてはもう何カ月も大した投資をしていません。いつまで待ち続けるのかというと、いつまでも待ちます。ただ買うためにだけに何かを買ったりはしません。何かいいものが手に入ると思ったときにしか投資はしないのです。（中略）時間制限などありません。金が積み上がるなら、積み上がるに任せます。何か納得のいくものが見つかったなら、とても素早く、とても大きく動きます。しかし、間違いないとわからない限り、私たちが動くことはないのです。
> 何かやったことで給料がもらえるわけではありません。正しかったときにだけ報酬をもらえるのです（注5）。

ソロスは何もしない時間があってもいらいらしたりはしない。むしろ、ソロスはそうした時間が重要だと考えている。「成功するためには暇な時間が要る。両手にたっぷり余るぐらいの時間が必要だ」と彼は述べている。なぜだろう？　考える時間が必要だからだ。「ポジションを取る前に仮説を立てなければならないと私は言っている」と彼は言う。「しかし、市場でトレンドらしきものが見えても、理論的説明を発見するのには時間がかかるのだ[注6]」

またソロスは、しっかりした仮説が得られた場合でも、引き金を引く正しいタイミングが来るまでしばらく待つことがある。たとえば、イギリスがヨーロッパの「スネーク」に参加した一九八七年、ソロスにはいつか「スネーク」は崩壊するとわかっていた。彼が具体的な仮説、すなわち、ポンドは「スネーク」体制から追い出されるという仮説を立てたのは、三年後にドイツの再統一が起きてからだった。しかし、彼が実際にとどめを刺しに動いたのはさらに二年後のことである。全体で、ソロスが自分の投資プランを実行に移すまでには五年かかっている。彼はこのときの取引で二〇億ドル儲けたわけだから、待っていた期間に配分すると一年当たり四億ドル相当だ。投資の達人にとっては、待てば海路の日和あり、である。

バフェットも同じくらいは喜んで待つ。「毎年いい投資が一つできれば十分だ」と彼は言う。「どうしてもというなら、二年に一つでもなんとかなる[注7]」

とりあえず何かをやって金を取る

このように、投資の達人は投資システムに待つことを取り込んでいるわけだが、そうした戦略はウォール街ではウケないだろう。投資のプロはあなたに儲けさせて報酬を得ているというのは神話だ。実際には毎日仕事に出てきて、何かを「やる」ことで報酬を得ている。

アナリストは、何も書くことがないときでもレポートを書き続けて給料を貰っている。市場コメンテーターはでっち上げてでも何か言わなければならない。ファンド・マネジャーは投資をするために雇われているのであり、現金の山の上に座っているだけではすまされない。現金こそが最高のときでさえそうなのだ。投資ニューズレターの書き手は締め切りが来るから推奨をするのであって、何か素晴らしい株を勧めたいからではない。

投資の達人は違う。ソロスが友人でモルガン・スタンレーのアメリカ投資ストラテジストであるバイロン・ウィーンに次のように語っている。

「バイロン、君の問題は毎日仕事にいって何かをしなければいけない（と思っている）ことだよ。私はそうじゃない。（中略）私は仕事に行って意味があるときにしか仕事には行かない。（中略）で、行ったときには徹底的に働くんだ。(注8)でも、君は毎日仕事に出て、毎日何かをやってるんで、特別な日があってもそれに気づかないんだ」

バフェットやソロスのような投資の達人に先ほどの人たちのような足枷はない。投資システムが何もしないのが賢明だと示しているときにさえ何かをさせられるような、組織による圧力を受けたりはしない。典型的なファンド・マネジャーと違って、金を積み上げてその上に座っているべきときに「ディフェンシブな」銘柄（つまり、市場が下落するとき、市場全体ほどには下がらない株）を買ったりはしない。それればかりか、やることがないなら職場に出てくる必要もない。バフェットはグレアムから「ときどき何もいい投資対象が見つからないときが来るから、そういうときは浜辺にでも行ってたほうがいい(注9)」と教わった。あるいは、ソロスの前パートナーのジム・ロジャーズの場合、こういう言い方をする。「投資で誰にでもできる一番いいルールは、何かやるべきことが見つかるまで何も、それこそ本当に何もやらないことだ[注10]」

金脈を探して

投資の基準が不完全な（というよりも、投資の基準自体持っていないことのほうが多い）並の投資家は、いつも市場に参加していなければならないと思っている。そういう人は待つということがどういうことかわからない。基準がないので何を待っていいのかわからないからだ。四六時中「あれ買えこれ売れ」と言ってくれるブローカーに電話していないと投資をした気にならないのだ。

対照的に、投資の達人は金脈を探す山師のようだ。自分が何を探しているのか完全にわかっているし、どこで探すのがいいかもだいたいわかっている。必要な道具は全部携えている。そして彼は金を見つけるまで探し続ける。金脈を探し当て、開発したら、道具をまとめ、また次の金脈を探す。この意味では、投資の達人は決して待ってはいない。発見と発見の間の期間、達人は新しいチャンスを毎日探しているのだ。それは継続的で終わりのないプロセスである。そうした探索から達人の気をそらすものといえば、現金をどこかに置いておかなければならないという現実である。どこか安全なところに置いておいて、投資システムが行動のときだと告げれば即座に使えるようにしておく必要がある。

第13章　引き金を引く

何か納得のいくものが見つかったなら、とても素早く、とても大きく動きます（注1）

——ウォーレン・バフェット

歳月人を待たず——イギリスの古い格言

ためらう人はとってもおバカさん——メイ・ウェスト

成功する習慣11

すぐに行動する

達　人——決めたらすぐに行動する。

負け犬——ぐずぐずしている。

なぜためらうか

投資の達人は、一度売る、買うと決めたら、即座に行動に移す。何をためらうことがあろう？　自分に理解できる投資対象が見つかった。自分の投資基準にも合っている。いくらでどれだけ買いたいか、あるいは売りたいかわかっている。そのために必要なものも揃っている。それまでに蓄積した経験と積み重ねてきた思考が、自分の投資哲学も投資システムも正しいと証明している。もはや何も考えるべきことはない。買ったり売ったりするのはもはや自動的な作業にすぎない。そんなときの達人の境地は、おそらく誰にでも容易に達することができる。投資に無関係な分野では、だけれども。実際誰でも、冷静に事務的に行動することが間違いなく一日に何度もあると思う。

たとえば、とあるレストランへ行くことにしたとしよう。電話をして予約を入れる。別に逡巡したりはしない。そのレストランに行くというひらめきが正しいかどうかと心の中で葛藤することもない。他のレストランのほうが良かったかもと延々悩むこともない。あのレストランに行くのは正解だろうかと思い悩んだりもしないし、そんなに金を注ぎ込んで大丈夫かと心配することもない。もちろん、明日にしたほうがおいしいものが食べられるんじゃないかと思う（あるいは昨日行ったほうが良かったと後悔する）こともない。あなたの頭の中は他のこと――そこで友達に会う楽しみや楽しい夕べへの期待――でいっぱいだろうから、予約するという行動はまったく無意識なものだ。

「もし○○○したら？」ゲーム

投資家の頭の中では「もし○○○だったら？」という考えがいくらでも湧き起こる。もし来週もっといい投資チャンスが見つかったら？　もしAを売ってBを買ってみたらAのほうがいい結果になったら？　もし間違ったら？　もし金利が下がったら――あるいは上がったら？　もしFRB議長が明日は寝起きが悪かったら？　もし相場が暴落したら？　もし明日、あるいは来週のほうが、価格が下がってもっと安く買えたら？

そんな「もしも間違っていたら」という疑念で、投資家はよく、最初に思っているよりもずっと少ししか投資できなくなることがある。たとえば、一万株買おうと決めて上機嫌になり――ブローカーに電話したところで気が変わる。本当に金を賭けなければならないところまできて、自分の判断を疑い始めるのだ。「やっぱり」と投資家は思うのだ。「まず二〇〇〇株だけにしとこう。それで様子を見るんだ。残りはまたにしよう」。で、結局残りを買うことはない。

達人の頭にそんな疑念が湧くことはない。達人にとって、ブローカーに電話するのは仕事を完結させるための自動化された行動なのだ。そのとき、頭はもう他のことに移っている。目下検討中の他の投資プラン、あるいは晩のテレビのことかもしれない。

資金が足りないと思い込んでいる、というのもよくある制約の一つだ。使える金はみな投資してしまって手元にないので、別の資産をもう一つ買うのは無理だと思い込んでしまう。投資の達人も、特に始めて間もない頃には同じ制約に直面する。しかし、達人にははっきりした基準があるので、最新の投資プランとすでに持っている投資とではどちらが優れているかを判断できるのだ。だから、そんな制約に突き当たっても、引き金を引いたときにはどの保有資産を手放すかがもう決まっている。

私が知っている例をもう一つ挙げれば、使える金はあっても別の口座にある場合だ。金を素早く動かして使える状態にするために必要な手続きを考えている間に、疑念が膨らんで、途中で立ち止まってしまう。そして、時間がたてばたつほど、疑念や心配の裏側にある思考がどんどん進むのである。


バフェットやソロスは、あなたがレストランや劇場、飛行機の予約をするのと同じ調子でブローカーに電話をする。では、売買をするのが引き金を引くだけのことならば、世の投資家たちがそれをまるで歯を引き抜きでもするように逡巡するのはなぜだろう。彼らがやっていることはバフェットやソロスがやっていることとどう違うのだろうか。

自分の投資基準を明確にしていない投資家は、自分の投資プランがどれだけの価値を持っているか測ることができない。綿密に投資対象を調べたうえで買うと決めても、基準がないので自信が持てないのだ。そんな人がやる「実験」と言えば、友達や、場合によってはブローカーに話して意見を聞くことぐらいだが、自分の基準がないので、それでは代わりに他人の見方を使っていることにしかならない。ブローカーに電話する段になってもまだ心の底で自分の行動は正しいのだろうかと疑っていても不思議ではない。

基準を持たない投資家はいつも自分に自信が持てない。意思決定プロセスに終わりというものがない。自分の行動が正しいと信じられることなど絶対にないだろう。

素早い判断

投資の達人は行動が素早いだけではない。投資するかしないかの判断も非常に速い。判断と行動を区別することができないことさえあるほどだ。

あるとき、ソロスがテニスをやっている最中に電話が鳴った。一九七四年、ウォーターゲート事件がリチャード・ニクソン大統領の地位を揺るがしていた頃だ。電話は東京のブローカーからだった。ウォーターゲート事件で東京市場が荒れているというのが電話の内容だった。ソロスは何百万ドルも日本株に投資しており、それをどうするか決めなければならなかった。彼は躊躇しなかった。彼がブローカーに持ち株を全部売れと言うまでに一秒もかからなかった。

ウォーレン・バフェットもやはり意思決定が速い。彼のところに持ち込まれる投資案件のほとんどに対して、彼は「一〇秒ほどで『ノー』と言える。（中略）投資を峻別するフィルターを持っているからだ」(注2)。彼の言う「フィルター」とは投資基準にほかならない。投資基準のおかげで、彼は光の速さでいい投資と悪い投資を見分けられるのだ。ティファニーに次いでアメリカ第二位の宝石小売会社ボーシャイムを買ったときがそうだった。

一九八八年、クリスマスの買い物にボーシャイムへやってきたバフェットが指輪を見ていると、（共同オーナーのドナルド・）イェールが叫んだ。「ウォーレンに売るのは指輪じゃないぞ、店を売れ！」。元旦が過ぎてから、バフェットは電話をして、本当に売る気があるかと尋ねた。それから間もなくバフェットは、ボーシャイム社長のアイク・フリードマンの家で、フリードマンとイェールに会い、フリードマンからその店を買収した。「実質的に話は一〇分で決まった」とイェールは語っている。「バフェットは質問を五つして、アイクは値段を示した。その後、三人でバフェットのオフィスへ行き、アイクとバフェットが握手をして買収は成立した（注3）」

一九八二年のアニュアル・レポートの株主に対する手紙にも見られるように、「どんな提案にも迅速に、通常五分以内にお答えします（注4）」と言うとき、バフェットは決して冗談を言っているのではない。バフェットやソロスの意思決定は、白か黒かを選ぶのと同じぐらいスムーズだ。グレーゾーンはない。投資が自分の基準に合うか合わないか、それだけだ。合うとなれば、彼らは即座に飛びかかる。

第14章　買う前にいつ売るかを知る

入る前にどこで出るかわかっている(注1)――ブルース・コヴナー

成功する習慣12
うまくいった投資は事前に決めた手仕舞う理由が現実になるまで手放さない

達　人――うまくいった投資は事前に決めた手仕舞う理由が現実になるまで手放さない。
負け犬――利食うべきときを事前に決めておかない。ちょっと利が乗っただけで、それが損になったらと恐れ、すぐに手仕舞ってしまい、大きな利益を逃す。

いつ手仕舞うか

投資をするのに時間、労力、エネルギー、そして金をどれだけかけようと、出口戦略を決めておかなければ結局すべては無に帰す。だからこそ投資の達人は、まず、いつ売るかを決めてから投資を行なうのだ。出口戦略は投資家の手法やシステムによってさまざまである。しかし、成功している投資家はみな、自分のシステムに合った出口戦略を持っている。ウォーレン・バフェットとジョージ・ソロスも、それぞれの投資基準に合った出口戦略を持っている。

バフェットは投資した事業の質を、最初に投資したときと同じ基準で継続的に測っている。彼にとって一番の投資期間といえば「永久」だが、基準を満たさなくなった株式市場投資は売却している。たとえば、事業の経済的性質が変化したり、経営陣が求心力を失ったり、企業が「堀」を埋められてしまったりという場合、彼は株式を売却する。

二〇〇〇年のバークシャーの米証券取引委員会（SEC）に対する届出を見ると、ディズニー株を大量に売却したことがわかる。バークシャーの二〇〇二年株主総会で、バフェットは株主になぜ売ったのかと尋ねられた。バフェットは自分の行なう投資についてコメントしないという方針を採っているので、このときの答えは遠回しなものだった。「私たちはこの会社が持つ競争上の特性の一つに着目していましたが、それが変わったのです[注2]」

ディズニーがピンぼけしてしまったのは疑いようもないことだ。もはや、『白雪姫と七人の小人』のような不朽の名作をつくった頃の会社ではなくなっている。ディズニーのCEOであるマイケル・アイズナーはバフェットが聞いたら卒倒しそうなストック・オプションを自分に与えていた。ドットコム・ブームの間、同社は、Goto.comのような検索サイトに資本を注ぎ込んだり、インフォシークのような損ばかり出している会社を買収したりして、せっせと浪費をしていた。なぜディズニーがバフェットの基準を満たさなくなったのかは明らかだ。

また、バフェットはよりよい投資機会に資本が必要な場合にも手持ちの投資を売却することがある。

しかし、実際に彼がそうせざるをえなかったのは、資金よりも投資案件のほうをたくさん持っていたごく初期の頃だけだ。バークシャーの保険フロートで得られる現金がある今、彼にとっての問題はむしろその逆である。つまり、投資案件よりも金のほうがたくさんある。

バフェットが売却を行なう第三の場合は、間違いを犯した場合、つまりそもそもその投資はするべきではなかったと判明したときである。この点については第16章で説明する。

バフェット同様、ジョージ・ソロスもポジションをいつ手仕舞うべきかについて明快なルールを持っている。そして、やはりバフェット同様、そのルールは彼が投資をするときの基準と深く結びついている。彼は事態が仮説通りの展開を見せて終わったときにポジションを手仕舞う。一九九二年にポンドを売ったときがそうだ。また、仮説はもはや有効ではないと市場が示したときもやはり手仕舞う。そして、ソロスは資本が危険に晒されたとき、いつも急いで逃げる。一九八七年の暴落時、ロングしていたS&P五〇〇先物を投売りしたのがその代表的な例である。市場が彼は間違っていると示した極端な例だ。

手法はそれぞれだが、バフェットやソロス同様、成功する投資家は誰でも投資を行なったときには、すでにどうなれば利益や損が出るかを知っている。そして達人は常に投資対象のその後の展開を自分の基準に照らして監視しているので、いつ手仕舞うべきかを知っている。

出口戦略

売却するとき、成功している投資家はみな、次に挙げる六つの出口戦略のいずれか一つ、または複数を用いている。

1 **基準を満たさなくなった場合**。たとえばバフェットがディズニーを売ったケース。

2 **システムが予測した通りの現象が起きた場合**。特定の現象が発生するとの予測に基づいて投資が行なわれる場合がある。ポンドは切り下げられるというソロスの仮説が一例である。この場合、退出すべき時期とは、ポンドがヨーロッパ為替相場メカニズムから放り出された時点であった。バフェットが買収裁定取引《アービトラージ》を行なう際、退出すべき時点とは買収が完了したとき、または白紙になったときである。

いずれの場合にも、特定の現象が起きれば投資家は利益または損失を確定する。

3 **システムに基づく目標が達成された場合**。投資システムには、投資対象について特定の目標価格を弾き出すものがある。それが出口戦略になる。ベンジャミン・グレアムの投資手法がそうだ。株式を本質的価値のはるかに下で購入し、価格が本質的価値まで上昇したら売却する。または、二、三年たってもそうならなければ売却する。

4 **システムのシグナル**。これは基本的にテクニカル・トレーダーが用いる手法であり、売りシグナルはチャートのパターンや市場の取引数量、あるいはボラティリティ（収益率の年率標準偏差）等やテクニカル指標に基づいて生成される。

5 **機械的なルール**。購入した水準から一〇％下落したら手仕舞う、あるいは移動ストップ・オーダー（価格が上昇すればストップ・オーダーの水準を上げる一方、価格が下落してもストップ・オーダーの水準は動かさないやり方）を用いて利益を確定する方法がこれにあたる。機械的なルールは、アクチュアリ的な手法を用いて成功している投資家やトレーダーに非常によく用いられている。ルールは投資家のリスク管理戦略や運用戦略に基づいて構築される。私の友人の祖父はそうした機械的なルールを用いていた。彼のルールは、持っている株が一〇％上昇するか下落したら売却する、というものだ。このルールに従っていたおかげで、彼は一九二九年の大暴落を、損を出さずに切り抜けた。

6　**自分の間違いに気づいたとき**。投資で成功するためには、間違いの認識と修正が不可欠である。この点については第17章で詳しく述べる。

基準を持っていない投資家や、持っていても不完全な投資家は、出口戦略1を用いることはできない。基準がなければそれが破られることもないからだ。そしてもちろん、自分が間違いを犯したと気づくこともない。システムを持たない投資家にはシステムが生成する目標や売りシグナルもない。そんな投資家にできることと言えば、機械的なルールに従うことぐらいだ。そうすれば少なくとも損失は抑えることができる。しかし、それだけでは利益が得られる保証はない。投資の達人のすべてを見習ってはいないからだ。すなわち、まず平均でプラスの利益が期待できる資産クラスを見つけ、それに対して適切なシステムを構築する必要がある。

損は切って利を伸ばせ

先に挙げた達人の出口戦略には共通する特徴がある。手仕舞う際に、感情と無縁にしてくれることだ。達人は、利益を出すか損を出すかではなく、自分のシステムに従うことに集中する。出口戦略は達人のシステムのほんの一部分にすぎない。基準やシステムの他の部分と無関係に構築した出口戦略を用いて成功することはない。投資家自身の基準や投資システムと深く結びついた出口戦略が必要なのである。

典型的な投資家が利食いや損出しをなかなか行なえないのはそのためだ。並の投資家はあらゆるところから「損は切って利を伸ばす」のが投資で成功する秘訣だと聞かされる。達人もその通りだと言う。だからこそ達人は、このルールを上手に実行するためのシステムを持っているのだ。

そんなシステムを持っていない典型的な投資家は、損の出ている投資をいつ手仕舞えばいいのか、あるいは利益の出ている投資をいつまで持っていればいいのか判断できない。どうやって決めればいいのだろう？ 典型的には、利益が出ていても損失が出ていても、並の投資家は不安になる。利が乗っていれば利益がそのうち消し飛んでしまうのではないかと心配し始める。そして不安から逃れようと手仕舞ってしまう。専門家も「利食いで破産する人はいない」と言っていることだし、というわけだ。そしてもちろん利益が出れば、たとえそれがたったの一〇％や二〇％でも嬉しいことには違いない。

損が出ているとき、そういう投資家は単なる計算上の損だからと自分に言い聞かせる。手仕舞って実現させてしまわない限り本物の損ではないというわけだ。損をもたらした値下がりは単なる「一時的な」調整で、価格はすぐに上がり出すだろうと希望的観測をする。損が膨らんでくると、彼らは価格が元の水準まで戻ったら手仕舞うのだと自分に言い聞かせる。価格が下がり続けると、いつか上がるという希望は下がり続けるのではないかという恐れに取って代わられる。彼らはこの段階で売るのだが、往々にしてそのときが底値だったということになる。そして全体を通してみると、細かい一連の利益とそれを帳消しにして余りある一連の大損という結果になる。ソロスの言う成功の秘訣、「元本の確保とホームラン」のまるっきり逆だ。

基準がないとき、損益を確定するべきかどうかという疑問は不安に満ちている。何かあるたびに投資家は持っている株はよい投資だという理由をつくり上げては自分に言い聞かせ、その株を持ち続け、疑問そのものを避けて通ってしまう。

混乱しているとき――しかし何か行動しなければならないとき、ほとんどの人は不安を感じる。投資をするという意思決定は永久に延期してしまえるかもしれないが、損益を確定するか否かと言う判断は避けることができない。その際の不安を取り除けるのは、投資哲学と基準を明確に決めた場合だけだ。

第15章　自分のシステムを疑うなかれ

いまだに自分のシステムをアウトパフォームできるのではないかと思うことがあるが、そんな道草をすると、往々にして損をして思い知らされることになる(注1)

——エド・シーコッタ

私にとって大事なのは、自分のシステムに忠実にやることだ。そうしないと（中略）判断を誤る(注2)——ギル・ブレイク

長期的に見ると、自分のシステムに疑問を挟むことなく従うのが一番いい結果につながると思う(注3)——トム・バッソー

成功する習慣13

神に従うごとく自分のシステムに従う

達　人——神に従うがごとく自分のシステムに従う。

負け犬——自分のシステムを持っていても、いつもシステムより先へ行こうとする。自分の行動を正当化するためにご都合主義的に基準を変える。

ジョエルの悩み

ジョエルとは数年前に共通の友人を通じて知り合った。彼はコンピュータで売買のシグナルを出すシステムを使っていた。そのシステムを使って五年間も成功してきたのに、システムが売りシグナルを出すと、彼はいまだにそれに従うのに努力が要るという。

「前は売りシグナルが出ても、いつも考え直していたんだよ」と彼は言う。「持ってる株が上がり続ける理由なんていつも、いくらでも思いつくからね。それで、数年前のある日、腰を落ち着けて売った銘柄や売るべきだった銘柄を分析し直してみた。すると、システムの言う通りにしなかったせいでずいぶん利益を取り逃していることがわかったんだよ」

「それじゃ、今は売りシグナルが出るとそれを頭から信じて従っているんだよね？」と尋ねてみた。

「うん。でも、無理やりそうしているんだ。目をつぶってブローカーに電話している感じだな」

ジョエルが自分のシステムの売りシグナルになかなか従えないのはなぜだろう。買いシグナルが出ると、彼はその企業を調べ、ファンダメンタルズがしっかりしている場合にだけその銘柄を購入する。

売る段になると、一〇回に九回は、企業のファンダメンタルズは変わっていないように見える。その会社について知っていること、目に見えることすべてがコンピュータの出す売りシグナルに反しているので、彼は取引の実行をためらうのだ。彼は途中で、それまで機能していたテクニカル分析によるシグナルから、ファンダメンタルズに基づく「いい感じ」のシグナルへと、基準を変更してしまう。

しかし、そうしたファンダメンタルズのシグナルは、彼のシステムとは無関係なのである。そのせいでどれだけのコストがかかったかを知り、ジョエルは今では、コンピュータが売りだと言えばファンダメンタルズのデータを見ずに売るようになった。

それで――ほとんどの場合――うまくいくようになった。しかし、彼のもともとの好みとしてはファンダメンタルズ分析も使いたいため、今でもときどき自分のシステムを疑う。ほとんどの人と同じように、彼もセイレーンの歌声に聞き入ってしまうのだ。ほとんどの人と違うのは、彼はその歌声に逆らうことができるという点である。

自分のシステムに従う

自分のシステムを使う限り、彼はずっと同じ問題を抱え続けることになる。システムが彼自身の性格に合っていないからだ。ジョエルの「アナリスト的」傾向（一九四ページのコラムを参照）が彼に立ちふさがるのである。成功している投資家の多くもジョエルと同じだ。彼らはシステムを持ち、それが機能するのは実験を通じて証明済みで、しかし、システムの一部が自分の性格に合っていないために、なかなかシステムの言う通りにできないのである。こらえ性がなくせっかちな人や、結果をすぐに見たい人なら、株が本質的価値に達するまで数年もかかるグレアム流の投資戦略では決して満足できないだろう。

同じように、静かに研究を重ね、行動を起こす前に影響を十分検討したい人の場合、素早い判断、直感、そして頻繁な行動が必要で、いつも市場とつながってなければならないような、たとえば為替のトレーディング・システムを使いこなすだけの神経は持ち合わせていないだろう。あるいは、何か目で見たり手に取って触れたりできる、実態のあるものに投資するのが好きな人なら、ハイテクやバイオのベンチャー企業に投資するようなシステムは好まないだろう。製品と言えばアイディアだけで、開発さえされておらず、実験段階さえまだ遠い先だとすれば、そこにあるのは価値が得られる可能性だけだ。確かなものやしがみつけるようなものは何もない。
ここで挙げたどう見ても極端な三つの例から容易にわかるように、投資家が自分の性格からまったくかけ離れたシステムを用いた場合、結果は散々なものになる。仮にそのシステムが誰か他の人にとってとてもうまくいくものであってもだ。
ジョエルの例が示すように、自分の性格にほぼ合っているが完全に一致してはいないシステムを使っても十分儲かることはある。実際、ジョエルは全投資家の九九%よりもうまくやっている。しかし、ジョエルはいつも、自分のシステムに抗う誘惑と闘っていなければならず、実際ときどき誘惑に負ける。商品トレーダーのウィリアム・エクハートの言葉を借りよう。「恒常的に（自分のシステムに）反したことをしているとすれば、それは必要な要素が何かシステムに欠けているということだ」(注4)
単に成功しただけの投資家と、バフェットやソロスのような投資の達人の違いは、達人は神に従うように自分のシステムに従うという点だ。そして、ジョエルと違い、システムに従うよう自分に無理強いすることはない。彼らはいつも、何の苦もなく自分のシステムに従う。彼らのシステムは、仕立てた手袋のように、彼らの性格にすべての点で合っているからだ。達人はそれぞれ、投資哲学の基礎から投資の選別方法、詳細な売買ルールに至るまでの投資手法を構築する。だから、彼らは決して自分のシステムを疑わない。しかし、だからといって、彼らが間違いを犯さないわけではないのだ。

アナリスト、トレーダー、アクチュアリ

私は投資家には三つの元型があることを発見した。すなわち、アナリスト、トレーダー、そしてアクチュアリである。この三者は、それぞれの投資哲学に基づいて、市場に対してまったく異なるアプローチを取る。

アナリストはウォーレン・バフェットに象徴される。賭け金を置く前に、ありうるすべての結果を注意深く検討する。

トレーダーは基本的に無意識的能力で動く。この元型はジョージ・ソロスが典型であり、市場の感触に基づいて行動する。しばしば不完全な情報に基づいて、自分の「直感」を信じて断固とした行動を取る。いつでも急いで逃げることができると絶対の自信を持っている。

アクチュアリは数字と確率で勝負する。保険会社のように全体を通じての結果に集中し、個別の結果にはとらわれない。アクチュアリ的投資戦略は、おそらく、『ランダム性に騙されて（*Fooled by Randomness*）』の著者ナッシム・ニコラス・タレブが代表例だろう。元々は数学者であり、現在ではヘッジファンドを運用している彼は、数百もの小額の損失を耐え忍び、そのうちやってくる大きな利益を待ち続けることができる。アクチュアリ的な発想に基づいて、彼は、そのときの利益が積み上がった損失を取り返してくれると知っているのだ。

この手の類型化がみなそうであるように、ここに挙げた投資家の元型三種も、投資家の性格を表現するために作った極端な例である。どれか一つに完璧に当てはまる個人などいない。実際、投資の達人は

・これら三つすべての能力を兼ね備えている。

しかし、他のすべての人同様に、達人も生まれつき三つの元型のうちどれか一つにより近いのであり、基本的にはその一つの立場に立って投資を行なうのだ。

第16章 間違いを認める

私が確かに人より優れている点は、私が間違いを認められるところです。（中略）それが私の成功の秘密なのです（注1）――ジョージ・ソロス

大きな間違いを避けられるならば、投資家がやらなければならないことなど、あとほんのいくつかしかない（注2）――ウォーレン・バフェット

素早く間違いを見つけ、行動を起こすのだ（注3）――チャーリー・マンガー

成功する習慣14

間違いを認めてすぐさま正す

達　人――自分があてにならないことを意識している。間違いがわかったらすぐさま正す。その結果、損はほとんどの場合少しですむ。

負け犬――「トントン」まで戻すと願いながらいつまでも失敗した投資にしがみつく。その結果、より大きな損を食らう。

ミスをしないバリントン

成功している人たちは間違いを避けることに集中し、間違いを見つけたら即座に正す。間違いを避けることだけに集中していて成功する場合さえある。一九六〇年代から一九七〇年代にかけて、ジョナサン・バリントンがイギリスと世界のスカッシュ・チャンピオンになれたのはそんなやり方だった。

スカッシュについて説明しておこう。ラケットボールにちょっと似ている。ラケットボールと同じように、小さなゴムのボール（スカッシュのボールのほうが硬く、また小さい。眼窩《がんか》にちょうどはまるぐらいの大きさなので、危険なスポーツかもしれない）を追いかけて閉ざされた室内を走り回る、そんなゲームだ。

コートは狭いが、ボールは速い。相手が打ったボールに追いつくためには、スタンディング・スタートで五～一〇ヤードをダッシュし、前の壁に当たって跳ね返るようにボールを打ち返し、それからほんの数秒後の次のダッシュに備える。チャンピオンを目指すスカッシュ・プレイヤーは、短距離のダッシュをゆうに四、五時間続けて繰り返せなければならない。決勝戦になるとウィンブルドンのテニスで決勝戦がもつれたとき以上の時間がかかるのだ。肉体的に過酷なスポーツであり、試合中に心臓麻痺を起こしてコートで亡くなる人まで出る。

バリントンはいつも絶対に勝つと決意を固めていた。そして彼は、一貫してただ一つの単純な目標を目指すことで勝とうと考えていた。すなわち、ミスをしないことである。テニスでそうであるように、スカッシュでもミスとはボールを打ち返せないか、コートの外に打ってしまうことである。だから、バリントンはいつ、いつ、いつも必ずボールを打ち返すことを目標にした。また、いつ、いつ、いつも必ず正面の壁に打ち返すことを目標にした。そうすればプレーが続くからだ。

単純な目標とはえてしてそういうものだが、この目標は簡単に達成できるものではない。身体能力がとても高くなければできないし、大変な体力も必要だ。バリントンは相手を根負けさせる。三時間、四時間、五時間と試合が続くと、相手は疲れてくる。しかしバリントンは元気でボールを打ち返し、まるで疲れることなどなさそうである。相手はだんだんミスをするようになり、試合に負ける。つまり、バリントンは決して試合に勝たない。いつも相手が負けるのだ。

「バリントン・ファンド」

バリントンが投資信託を運用したとしたら、そのファンドはいつも一〇〇%短期国債に投資しているに違いない。当然、見るべき利益をあげることは絶対にないが、間違いは避けられるので、損をすることも絶対にない。現金を積み上げてその上に座っているというのはよくない投資戦略だと思うなら、過去、私がアドバイスをしてきた人たちを何人か紹介しよう。すでに述べたように、私が好んでする質問の一つは「あなたはこれまで投資を一切やっていなかったものとしましょう。お金を全部銀行に置いていたとしてください。その場合、あなたの財産は今日、どうなっていましたか?」だ。

私の顧客の一人であるジェフに、計算してみたところ財産は五〇〇万ドルも多かったと言われたときには、聞いた私も驚いた。別の顧客、ジャックに至っては七〇〇万ドルをドブに捨てたも同然だった。この二人の紳士に共通するのは、彼らがいつも儲けることに集中していた点だ(だからといって実際に大儲けしたことがあったわけではないのだが)。二人とも間違いを避けることの重要さをわかっていなかった——私に言われて計算するまでは。

血眼《ちまなこ》になって儲けを追求するというのは投資の達人の態度ではない。バークシャーの副会長チャーリー・マンガーは、むしろバリントンのように「事業でも他のことでも、成功よりも失敗こそ研究する価値があるといつも強調している」と、バフェットがある年の株主への手紙で述べている。「彼は『自分が死ぬ場所がわかればいいのに。絶対にそこへは行かないから』と言った男の精神で、失敗を研究するのだ」(注4)

同じように、ジョージ・ソロスも常に自分の間違いを探している。「私はどんな投資家にも負けないくらい間違いを犯している。しかし、おそらく私は間違いを素早く見つけて、あまり傷口が広がらないうちに修正できるのだ」(注5)と彼は述べている。

元本の確保は投資の達人の第一目標だから、実際、達人が最も重視するのは、間違いを避けること、また間違いを犯したらそれを修正することである。利益を追求するのはその次だ。だからといって一日中間違いを避けることばかり考えているわけではない。自分の土俵を注意深く決めているので、ありそうな間違いの多くは最初から取り除かれているのだ。バフェットも次のように述べている。

> チャーリーと私は事業上の難しい問題をどうやって解決するかなど学んではいない。私たちが学んだのは、そういう問題を避ける術である。（中略）結局、竜は倒すよりも避けて通ったほうが身のためだ。(注6)

だから、ウォーレン・バフェットがアニュアル・レポート以外に暇つぶしに読むお気に入りの本が『なぜあなたはブリッジで負けるのか（*Why You Lose at Bridge*）』であるのは当然だろう。

凡ミス

ほとんどの人は、間違うことと損をすることは同じであると思っている。投資の達人は間違いをもっと厳密に定義する。つまり、「自分のシステムに従わないこと」だ。自分の基準に合わない投資で儲かっても、それは間違いであるととらえる。投資の達人が徹底して自分のシステムに従ったとしたら、それでも間違いを犯すことがあるのだろうか。

うっかりやってしまうことはある。たとえば、一九六一年にウォーレン・バフェットはパートナーシップの資産の五分の一にあたる一〇〇万ドルを費やして、デンプスター・ミル・マニュファクチャリングを買収した。同社はオマハから九〇マイル行ったところの町にあり、風車や農業用品を製造していた。その頃、バフェットは「タバコの吸殻」に投資するグレアムのアプローチを採用しており、デンプスターはその範疇にぴったり当てはまった。

支配株主として、バフェットは会長の座に収まった。毎月、彼は「管理職の人たちに、間接費を抑え、在庫を減らしてくれと懇願し、彼らはリップ・サービスをしてバフェットがオマハに帰るのを待っていた」。支配株主になったのは間違いだったとわかり、「バフェットはさっさと同社を売りに出した(注7)」。しかし買い手は現れなかった。彼は少数株主になることと支配権を握ることとの違いを理解していなかったのだ。株式の一〇%、あるいは二〇%を持っているだけなら投げ売りも容易だっただろう。しかし、彼が売ろうとしていたのは七〇%であり、誰もそんなもの受け取りたいとは思わなかった。

会社を立て直すのは自分の「得意分野ではない」とバフェットは悟った。間違いを正すために、バフェットは友人のチャーリー・マンガーに助けを求め、マンガーが「ハリー・ボトルという人を知っていて、彼ならデンプスターの建て直しができるかもしれない(注8)」ということになった。ボトルはコスト・カットを実現し、在庫を減らし、同社から現金を搾り出した――バフェットはそれを証券投資に回した。

一九六三年になってやっと利益が出るようになり、二〇〇万ドルの有価証券を保有するデンプスターをバフェットは二三〇万ドルで売却した。後日バフェットも認めているように、会社そのものを保有しているのではなく、単なる一株主であったとしたら、「間違いの修正はもっと素早くできただろう」(注9)。

自分の成功の秘密

バフェットは容易に間違いを認められる人であり、そのことはアニュアル・レポートに彼が毎年載せている株主への手紙を見れば明らかだ。だいたい二年に一度、彼は一セクションをまるまる「今回の間違い」に費やしている。

同様に、ソロスの投資哲学の根幹には「私はあてにならない」という彼自身の観察結果が組み込まれている。「成功にだけ注意を向けるよりも、むしろ自分の間違いを研究することのほうが重要だと理解させてくれた功績はチャーリー・マンガーのものだ(注10)」とバフェットが述べているのに対し、ソロスにそうした助けは不要だった。彼は間違いの扱い方をシステムに組み込んでいる。「私は自分の間違いを検出できる基準を持っている」と彼は書いている。「それは市場の挙動である(注11)」。お前は間違っていると市場に告げられると、ソロスは即座に「急いで逃げる」。そうしなければ、彼は自分のシステムに従わなかったことになる。自分が当てにならないことを強調するとき、ソロスは自分が間違いを認められることを「自分の成功の秘密」であるとしている。

投資の達人は大失敗をしたとわかると間違いを認めるのに何のためらいも覚えない。失敗の責任を取り、間違いを正す。元本を確保するために、そうしたときの方針は、まず売れ、考えるのは後だ、である。

経験

あるとき、とある銀行の頭取が質問された。

「あなたの成功の秘訣は何ですか？」

「シンプル。正しい判断」

「では正しい判断はどうすればできますか？」

「シンプル。経験」

「では経験はどうすれば得られますか？」

「シンプル」

「何ですか？」

「悪い判断」

第17章　間違いに学ぶ

愚者と賢者の主な違いは、賢者が間違いに学ぶのに対し、愚者がそうすることは決してない点だ(注1)——フィリップ・A・フィッシャー

人は成功ではなく、間違いから学ぶことが多い(注2)——ポール・チューダー・ジョーンズ

間違いを犯すのは普通。同じ間違いを繰り返すのは性格——作者不明

成功する習慣15

間違いから学ぶ

達　人——いつも間違いを学習経験として扱う。

負け犬——手法をころころ変えるので、手法を改良する方法を学ぶことができない。いつも「お手軽な修正」を探している。

間違いから学習する

誰かに自転車の乗り方を教えようと思ったとして、本を渡して読めと言うだろうか。自転車運転の物理学、バランスの取り方、曲がり方と乗り方と止まり方といったことを延々説明する授業に連れて行くだろうか。それとも、いくつかアドバイスを与えたら、自転車に跨《またが》らせ、背中を押してやり、自分でコツをつかむまで転ぶままにしておくだろうか。

自転車の乗り方を本や授業で学ぼうとするのがいかにバカな話かということは誰にでもわかるだろう。世界中から説明を集めてきたうえでもなお、結局は私や私の子供がやったのとまったく同じ方法でマスターする以外ない。何度も何度もミスをして痛い思いをする以外ない。

「地面を歩くのがどんな感じか魚にちゃんと説明できる人がいるだろうか」とバフェットは言う。「一〇〇〇年間説明を続けるよりも地面に立たせてやるほうがずっといい(注3)」

同じ意味で、私たちは過ちから学ぶような仕組みになっている。しかし、何を学ぶかは私たちが間違いにどう反応するかで変わってくる。子供が熱いストーブに手を触れれば、その子は思い知って二度とそんなことはしなくなるだろう。しかし、彼が自動的に学んだのは、どんなストーブでも触っちゃいけない、ということかもしれない。冷たいストーブなら触っても大丈夫だと知るためには、自分の過ちを分析しなければならない。

その子が学校へ行くようになったとして、学校では過ちについてどんなことを教わるだろうか。過ちを犯すと罰を与える学校はあまりにも多い。そこでその子が学ぶのは、過ちを犯すのは間違いだということだ。つまり、過ちを犯すのは悪いことだということになる。

そんな態度を入念に植えつけられて学校を出て、現実の世界では必ずあることだが、間違いを犯してしまったときの、その子の反応はどんなものになるだろう？　否定、そして言い訳だ。その株を勧めた投資アドバイザーのせいにしたり、市場が下がったせいにしたりするだろう。あるいは自分の行動を正当化するだろう。「ルールに従ってやったんだ――オレが悪いんじゃない！」。まるで「お前のせいだからな！」とわめく子供みたいだ。この種の教育を受けた子供は、自分の間違いに対して冷静になり、間違いから学ぶということができない。だから、結局また間違いを犯すことになる。

間違いを犯したときの投資の達人は、それとはまったく異なる反応をする。まず、当然達人は間違いを認め、その影響を相殺すべく即座に行動を起こす。そんなことができるのは、達人が自分の行動とその影響について、全面的に責任を取るからだ。

バフェットもソロスも、自分の間違いを認めるのに感情的な抵抗を感じたりはしない。二人とも、自分の間違いに関して公正明大であれという方針を取っている。バフェットによれば、「人を欺くCEOは、いつか自分を欺くことになる」(注4)。バフェットにとって、自分に対して正直になるには、自分の間違いを認めるのが重要なのである。

ソロスも同様に率直である。「他の人にとって間違っているというのは恥であるようだ。私にとって間違いを認めるのはむしろ誇りである。そもそも人間は物事を不完全にしか理解できないとわかってしまえば、自分の間違いを認めることは恥ではない。間違いを正せないことこそが恥なのだ」(注5)

間違いは最高の機会

投資の達人は、間違いに基づいた投資を手仕舞った後、何が間違っていたのかを分析できる。そして、常にすべての間違いを分析する。第一に、達人は同じ間違いを繰り返したくないのであり、だから何が間違っていたか、そしてなぜ間違っていたかを理解しなければならない。第二に、間違いの数を減らせば、自分のシステムを強化し、パフォーマンスを向上させることができると知っている。第三に、現実こそが最高の教師なのであって、間違いは最高の学ぶ機会であると知っている。そして達人はその機会を逃さない。

一九六二年、ソロスは間違いを犯して危うく資金を吹き飛ばしそうになった。これは彼に降りかかった、おそらく最も強力な学習経験になった。ソロスはスチュードベイカー株に裁定取引の機会を見出した。同社は一年ほどで普通株になる「A株」を発行していた。普通株に比べて価格は大幅に安かった。そこでソロスはA株を買い、普通株を空売りして価格差で儲けようと考えた。

また彼は、スチュードベイカー株は当初値下がりすると考えた。そこで、下がったところで空売りのポジションを手仕舞い、A株だけを持っておいて価格の回復を待つことにした。一方、もしもそういう動きにならなければ、価格差を取るポジションのままにしておくことにした。

しかし、スチュードベイカー株は急激に上昇した。いっそうまずいことに、A株は出遅れていたので価格差は広がった。ソロスをいっそう窮地に追いやったのが、「兄に金を借りてい」たことで、そんなときに「破産の一歩手前まで追い込まれた」(注6)のだった。その頃事業を立ち上げたばかりだった兄が工面してくれた金を失うわけにはいかなかった。

このとき、取引が裏目に出てもソロスは急いで逃げることができず、ショート・ポジションを保つために証拠金を積み増した。彼は金を借りすぎていた。取引が裏目に出たとき、自動的に作動する出口戦略もまだ用意していなかった。自分の間違いに対応することができなかった。

予断を許さない状態が長く続いた後、ソロスは損を取り戻したが、この試練が彼の心に与えた影響は長い間消えなかった。「心理的に、このときのことはとても重要だった」(注7)

これは、ソロスがはじめて経験する金融市場での大敗であった。彼は市場に対するアプローチ全体を考え直させられた。ソロスを投資の達人へとのし上がらせた投資システムの構成要素の多くを、このときの取引で彼が犯した間違いに帰することが可能である。

投資の達人が犯す間違い

達人の間違いは通常次の六つのカテゴリーのうちいずれか一つに当てはまる。

1　うっかりシステムを踏み外す。
2　見過ごし。投資を行なう際、何かを見過ごす。
3　心理的な死角を突かれて判断が鈍る。
4　自分でもわからないうちに、自分自身が変わってしまう。
5　気づかないうちに環境が変化している。

一九六一年にデンプスターの支配権を握ってから、バフェットははっきりと、それまで採用していた純粋なグレアムのシステムから離れ始めていた。彼の中の事業家としての側面が表に出てきたのだ。しかし、デンプスターのような「タバコの吸殻」を買うとき、彼はグレアム的なやり方を踏襲していた。

バフェットが舵を取る

次のターゲットとなったバークシャー・ハサウェイではそのときの教訓が存分に生かされた。一九六三年までに、バフェット・パートナーシップはバークシャー最大の株主になっていた。一九六五年五月、バフェットは同社の支配権を握ったが、会長となったのはもっと後だ。

彼はすぐさまケン・チェイスに同社に関する自分の計画を話した。チェイスは、バフェットがバークシャーを自分と同じやり方で運営できる者として見出していた人で、当時の社長だった。端的に言えば、バフェットは、ハリー・ボトルがデンプスターに対して果たした役割を、チェイスがバークシャーに対して果たしてくれると期待したのだ。つまり、バークシャーの危篤状態にある繊維事業から現金を搾り出してバフェットに提供し、それをどこか他に投資できるようにしてくれればと考えたのである。二年たって新生バークシャーが買収したのは保険会社ナショナル・インデムニティだった。

多くの点で、これは三〇年たった今バフェットがやっていることと非常に近い。経営陣ごと会社を買い、彼自身は直接に関与することなく、従来の経営陣が会社をやっていく。同時に、会社はバフェットに余剰資金を提供し、バフェットはそれを他に投資する。大きな違いは、今日バフェットが買収するのはデンプスターやバークシャー・ハサウェイのような「タバコの吸殻」ではないという点だ。

バフェットの二〇億ドルの間違い

バフェットが独特なのは、間違いを分析するとき、もし間違いを犯していなければどうなっていたかを考える点だ。

一九八八年、バフェットは連邦住宅抵当金庫（ファニーメイ）の株式を三〇〇〇万株購入しようとした。実行していれば三億五〇〇〇万ドルにのぼる投資だ。

七〇〇〇万株購入したところで価格が上がり始めた。欲求不満を感じたが、そこで買うのをやめた。いっそう愚かだったのは、少しだけ持っているのは嫌だという自分の好みに負けて、買った七〇〇〇万株も売却してしまったことだ。[注8]

一九九三年、バフェットは『フォーブズ』に次のように語っている。「彼はファニーメイを早く売りすぎたので二〇億ドル取り損ねた。買った株数が少なすぎたうえ、早く売りすぎた。『分析は容易だった。私の土俵内にある会社だった。で、ちょっとした理由で、やめてしまった。もっといいことを言えたらと思うが[注9]』」

このときの間違いを同じ年のもっと後になって「コカ・コーラ株が買い続けている最中に同じように上がり始めたときには繰り返さなかった[注10]」と彼は述べている。

私を一番厳しく批判しているのは私だ

ジョージ・ソロスは単に自分の間違いを分析するばかりではない。自分のあてにならなさに基づいて哲学や手法を構築する人なら当然のことだろうが、ソロスはすべて――自分自身も含めて――を批判的な目で見る。「私を一番厳しく批判しているのは私だ」(注11)と彼は言う。「金融市場でやっていくには、自分の見方を検証することが重要だ」(注12)と彼は部下に言い、自分の考えに対して批判的な視点を持ち続け、逆の見方をする人と議論して自分の考えをテストするように促す。彼自身も同じことをやり、常に自分の考えの間違いを探している。

そうした心がけをもつソロスは自分の仮説と現実に起きている現象の違いにいつも注意している。そうした違いを発見すると、彼は「批判的検証を始める」(注13)と言う。その結果、ポジションを投げる羽目になることもあるが、「そのままじっとしていることもないし、違いを無視することもない」(注14)。

自分の考えや行動に対して疑問を持ち続けることで、ソロスは、自分の考えに拘泥し、何かが間違っているときにもそれをなかなか認識できない投資家に対して優位に立つことができる。

ソロス同様、バフェットも自分に対して厳しい。厳しすぎることとさえある。一九九六年バフェットは、バークシャーが大株主であったキャピタル・シティーズ／ＡＢＣがディズニーと合併したため、再びディズニーの株主になった。彼は三〇年前にはじめてディズニーに興味を持ったのはなぜだったかを思い出した。そして、

　同社は一九六五年に税引前で二一〇〇万ドルの利益をあげており、負債額を上回る現金を持っていたのに、市場価値は九〇〇〇万ドルを下回っていた。ディズニーランドでは一七〇〇万ドル

をかけたパイレーツ・オブ・カリビアンのアトラクションがもうすぐオープンするところだった。私がどんなに興奮したか想像してほしい。会社が丸ごと、アトラクションのたった五個分で買えるのだ！

当然のように良い印象を持って、バフェット・パートナーシップは大量のディズニー株を、分割調整すると一株三一セント相当で買った。株価が今では六六ドルになっていることから考えれば、この判断は素晴らしいように見えるかもしれない。しかし、みなさんの会長である私がそれを台無しにしてしまった。一九六七年、私は同社を一株四八セントで売却した。(注15)

後から考えて、四八セントで売ったのは大失敗だと言うのは容易《たやす》い。しかし、その価格で売った自分を批判する際、バフェットは、一九六七年に自分が依然としてグレアムの投資モデルにほぼ従っていたことを見落としている。そのモデルのルールによれば、価格が本質的価値に達したら株式は売却すべきだったのだ。

いずれにせよ、フィリップ・フィッシャーの「(間違いの) 研究をするほうが過去の成功を回顧するよりずっと得るものがある」(注16)という教えを、バフェットは真摯に受け止めている。

バフェットとソロスの例がともに示すように、自分の間違いは、許してしまうよりも過度に批判的であるほうがまだましだ。バフェットのパートナーであるチャーリー・マンガーは次のように述べている。

自分の間違いを思い返すのは非常に有効だ。私たちはそれがとてもうまいと思う。私たちは心

の中で、自分たちの間違いを自分の鼻先に突きつけているのだ。これは精神的にはとてもよい習慣だ。(注17)

第18章　望むだけでは得られない

はしごを登ろうとする者は一段目から始めなければならない（注1）——イギリスのことわざ

一日で金持ちになりたいと思う者は一年で首を吊られる（注2）——レオナルド・ダ・ビンチ

ｓｕｃｃｅｓｓ（成功）がｗｏｒｋ（働く）より前に来るのは辞書だけだ（注3）——ヴィダル・サスーン

成功する習慣16
修行を積む

達　人——経験を積めば積むほどリターンも高くなる。今では金儲けのために過ごす時間は減ったように見える。「修行は積んだ」

負け犬——「修行を積む」必要があるのだとわかっていない。経験から学ぶことはほとんどない。一文無しになるまで同じ間違いを繰り返す。

下積みの歳月

ウォーレン・バフェットとジョージ・ソロスの名前を聞くと、人はたいてい彼らの驚異的なトラックレコードのことを思う。それぞれ年率二四・七％と二八・六％だ。どこからともなく現れた投資の天才だと思っているようだ。そんな考えは真実からはほど遠い。一九五六年、バフェットがバフェット・パートナーシップを始めたとき、彼はすでに貯蓄や投資の経験、そして事業と金の勉強を二〇年も積んでいたのだ。同じように、ソロスも、一九六九年にダブル・イーグル・ファンドを設定したときには、自分のやり方を確立するべく一七年の歳月を費やしていた。

二人とも、そうした長い下積み時代があったからこそ、資産運用の世界に足を踏み入れた最初の日からあれほど優れたパフォーマンスを挙げることができたのだ。そういう意味では、バフェットもソロスも、たとえば、立つことができるようになるや否やゴルフを始めたタイガー・ウッズと同じようなものである。ウッズは二一歳のとき突然出現し、プロになって初の栄冠を手にしたわけではない。彼はそれまでに一九年もゴルフをやっていたのだ。

バフェットの「先乗り」

タイガー・ウッズに比べればバフェットは遅れてきた人でさえある。彼がはじめて株を買ったのはやっと一一歳のときだ。また、彼は五歳になるまで事業に手を出さなかった。はじめての事業は、自分の家の前で通行人にチクレッツのガムを売ることだった。その後、彼は自分の家ではなく、友人の家の前でレモネードを売り始めた。そっちのほうが人通りが多く、お客もたくさんつかまえられると気づいたからだ。六歳のときには、彼は雑貨屋でコーラを六本二五セントで買い、一本五セントで家から家へと売り歩いていた。

お小遣いを稼ぐためになどのアルバイトをしている子は多かった。バフェットはそれだけではすませなかった。一四歳の頃、バフェットは新聞配達の仕事をいくつも抱えていた。彼はそれを事業として確立していたのだ。一日五〇〇部の新聞を配達していたが、うまく順路を決めたので配達にかかる時間はたった一時間一五分だった。また、彼はそうして接するお客に雑誌の購読を売り込み、さらに収入を増やした。この新聞配達の巡回だけで彼は月に一七五ドルを稼いでいた。一九四〇年代半ばのティーンエイジャーとしては驚異的な額である。稼いだ金は貯めておき、使わなかった。

彼は他にも、ゴルフ場でロストボールを集めて売る事業をやっていた。それも、一度に何百個も売っていたのだ。彼と彼のパートナーはピンボール・マシンを持ち、床屋に置いてもらっていた。これで週に五〇ドル（今の金で三六五ドル）稼いでいた。一七歳のときにこの事業は一二〇〇ドルで売れた。さらに、彼はロールス・ロイスまで折半で持っていて、一日三五ドルでレンタルしていた。

バークシャー・ハサウェイの一番小さな買収に比べてもはるかに小さい規模であったにせよ、そうした事業を興して経営していた経験で、バフェットは本を読んだり授業を受けたりしても得られない、事業というものに対する深い理解を得たのである。

そして一九歳のときには、（コロンビア大学に入学する前に通っていたペンシルバニア大学の）ウォートン校に「愛想を尽かし、教授よりも自分のほうがものを知っていると公言した（注4）」。同級生の一人によれば、「ウォートン校で学ぶことは何にもないとウォーレンは考えた。そして、彼の考えは正しかった（注5）」。

バフェットはまた、株にも入れ込んでいて、父親のやっていた証券会社に入り浸り、ときどき黒板に株価を書き込む仕事までやっていた。「株価のパターンを解読するというアイディアに惹かれて」(注6)チャートまでつけ始めた。一一歳のときにはじめて買った株はシティーズ・サービスだった。彼は三八ドルで三株購入し、その直後に価格は二七ドルに下落した。バフェットは持ち堪え、そのうち五ドルの利益で売却した。その後株価は上がり続け、二〇〇ドルにまでなった。

他の子供が新聞のスポーツ欄を読んだり野球をして遊んだりしていたのに対し、若きバフェットは学校が終わると株価表を書き、『ウォールストリート・ジャーナル』を読んで過ごした。学校の先生まで彼に投資のアドバイスを求めるほどだった。しかし、株式市場をとても研究していたのに、彼の運用はあまり成功しなかった。彼は何でも試した――「チャートも集めたし、テクニカル分析の本もみな読んだ。耳寄り情報にまで耳を貸した」(注7)と、後日彼は回想している――が、どれもうまくいかなかった。彼は枠組みもシステムも持ってはいなかったのだ。ベンジャミン・グレアムに出会うまでは。

一九五〇年に、ベンジャミン・グレアムが教える証券分析の授業を取るためにコロンビア大学に入学したとき、彼はまだ二〇歳だった。しかし、彼はすでにベテラン投資家だった。私たちの多くが二〇代、三〇代になるまでやれないような間違いを何度も犯し、たくさんの経験から学んでいた。

- 彼はビジネスや投資の本を片っ端から読んでいた。その数は一〇〇を超える。
- 彼はチャートを読んだり「耳寄り情報」を聞いたりといったものまで含め、たくさんの手法を試し（その上で捨て）ていた。
- 二〇歳の若者としては、非常にさまざまな事業の経験を積んでおり、事業の才能がすでに現れていた。

金利の複利効果のおかげで、他にあまり例を見ない「先乗り」は彼に何十億ドルもの資産をもたらすことになった。

バフェットの師

その後六年間、バフェットはグレアムから学べるだけのことを学んだ。まず学生として、彼はグレアムがA＋の成績をつけた唯一の学生となった。(注8) それから、グレアムがやっている運用会社グレアム・ニューマンで一九五四年から一九五六年まで働いた。しかし、バフェットはこのときすでに自分の師を越える兆しを見せていた。

何をするにしてもバフェットは素早かった。グレアムは数字が何行も並ぶページをすごい速さで読み、間違いを見つけては部下を驚かせていたが、バフェットは彼に輪をかけて速かった。（グレアム・ニューマンのパートナーである）ジェリー・ニューマンの息子、ハワード・ニューマンも同社で働いていた。彼によれば、「ウォーレンは素晴らしく頭がよいうえに、控えめだった。彼はグレアム以上にグレアムだった(注9)」。

そしてバフェットは自分が学んだことを即、使い始めた。

一九五〇年にコロンビアへやってきたとき、彼はティーンエイジャー時代の事業で貯めた金を九八〇〇ドル持っていた（一九五〇年の九八〇〇ドルは今日の金ではだいたい七万七二〇〇ドルだ。二〇代になったばかりの若者としては素晴らしい業績である)。一九五六年にニューヨークを離れ、オマハで自分の運用会社を始めたとき、その金は一四万ドルになっていた。今日の価値に換算すればこれは一〇〇万ドル近い(九四万二〇〇〇ドルになる。一九五〇年代初期の株式市場が一九八〇年代から一九九〇年代とは似ても似つかないものだったことを考えれば驚異的な成績である)。複利年率リターンは五〇%を上回る。

彼は自分の投資哲学を確立し、自分の投資システムを開発して実験した。結果は成功だった。準備は整ったのだ。

成功できなかった哲学者

一九五三年の春にロンドン・スクール・オブ・エコノミクスを卒業したとき、ジョージ・ソロスは学界を目指していた。しかし、彼の成績はあまりよくなかった。その結果、卒業後の彼はさまざまなアルバイトをし、家賃を支払う必要に迫られて、金融業界で稼ごうと思いついた。

ソロスはロンドンのシティにある商業銀行のマネージング・ダイレクターにそれぞれ手紙を送った。面接に呼ばれた一握りの機会の一つ、ラザール・フレールでは、彼を呼んだのはただ、シティでの仕事の探し方を間違っていると教えてやるためだとマネージング・ダイレクターに言われた。彼が言われたのはこんなことだった。

「私たちシティの住人は、ここでのやり方を『賢い身内びいき』と呼んでいるんだ。つまり、マネージング・ダイレクターにはそれぞれたくさん甥がいて、そのうちの一人が賢ければその甥が次のマネージング・ダイレクターになる。君がマネージング・ダイレクターと同じ大学の同じ学部出身なら、その会社に雇ってもらえる可能性があるだろう。同じ大学だというだけでもうまくいくかもしれない。でも、君はお国さえ違ってるじゃないか（注10）」

そうするうち、ソロスはシティのシンガー＆フリードランダーで職を得る。マネージング・ダイレクターはソロスと同じハンガリー人だった。そこでの仕事は決して華々しいものではなかったが、彼が実践で学習をしたこと——たとえば、金鉱株の裁定取引——は、彼が金融の仕事に慣れ親しむのに大いに役に立った。華々しくはなかったが、散々な結果というわけでもなかった。親戚の一人が運用してくれといって彼に一〇〇〇ポンド（四八〇〇ドル相当）預けていた。ソロスが一九五六年にニューヨークのE・M・メイヤーで働くためにロンドンを離れるとき、彼は五〇〇〇ドル持っていたが、それはこのときの一〇〇〇ポンドで得られた儲けのソロスの取り分だった。ソロスは投資市場で相場を張る天賦の才能を持っていた。

ニューヨークでソロスは石油株の裁定取引を始めた。異なる国の市場で取引されている同じ証券を売買して小さい価格差を取る戦略である。しかし、彼がウォール街ではじめて名を上げたのはヨーロッパ株のアナリストとしてだった。ジョン・F・ケネディがホワイトハウスの主になるまで、彼は大きな成功を収めていた。一九六一年に大統領になったケネディがやった最初の仕事の一つは、国際収支を「維持」するための「金利平衡税」の導入だった。外国投資に一五％の課税が行なわれたため、ヨーロッパ株でソロスが大成功を収めていた投資は粉々に砕け散った。

どうすることもできずに、ソロスは再び哲学に向かった。一九六一年から一九六二年、ソロスは週末と晩に『意識の足枷』を執筆した。彼がロンドン・スクール・オブ・エコノミクス時代に書き始めた著作だ。書き上げるには書き上げたが、出来に満足できなかった。

前日書いたものを読み返したが、もう自分でもよくわからなかった。私はカール・ポパーの考えをなぞっているだけだったのだ。(注11) しかし、自分が何か重要で独自の考えを持っているという幻想は、今でも捨て切れていない。

ソロスが投資に全神経を傾けようと決心したのはやっとこのときだった。彼は三二歳になっていた。一九六三年、最後から二つ目の転職をし、アーンホルド&S・ブライヒレーダーで自分の哲学的アイディアを市場で実験し始めた。クウォンタム・ファンドが考え出され、生み出されたのはここでのことだった。

一九六七年、アーンホルド&S・ブライヒレーダーはソロスを運用担当者に据えてファースト・イーグル・ファンドを設定した。第二のファンド、ダブル・イーグル・ファンドの設定は一九六九年——ソロスがロンドンのシティではじめて職を得てから一七年後のことだ。現在のソロスの数十億ドルに及ぶ資産は、このファンドに投資した二五万ドルが始まりだった。翌年、ジム・ロジャーズ（『大投資家ジム・ロジャーズ世界を行く』の著者）がソロスのパートナーになった。一九七三年に彼らは独立の運用会社ソロス・ファンド・マネジメントを設立し、ダブル・イーグル・ファンドの運用会社とした。数年後、同ファンドはクウォンタム・ファンドと改名され、それ以降は誰もが知るところである。

あぶく銭

ゴルフ・クラブをはじめて手に取った人間が大した練習もせずにタイガー・ウッズに立ち向かえるといったら誰でも笑い飛ばすだろう。初心者がウィンブルドンでアンドレ・アガシに勝てると思うのは夢想家だけだ。マイク・タイソンのいるリングに上がり、一五秒以上立っていられると思う正気の人間がこの世にいるだろうか？　それなら、証券会社に口座を開いて五〇〇〇ドル放り込み、それでウォーレン・バフェットやジョージ・ソロスと同じだけのリターンを稼げると思う人がたくさんいるのはなぜなのだろう。

投資をやれば簡単に金持ちになれる、特別な訓練も修行も必要ないという神話が投資の七つの大罪それぞれの後ろに隠されている。そして、インターネット・ブームのような時流にうまく飛び乗って運よく大儲けするド素人が出るたび、そうした神話が膨らむ。ウォーレン・バフェットやピーター・リンチのような投資の達人まで、いい会社をいくつか見つけて適切な価格で買い、それを持っているだけでいいと公言し、（意図せずしてではあるけれど）この神話を助長している。

参入障壁がないというのは確かにそうだ。特別な身体能力が必要なわけでもない。トップ・アスリートや公演を行なえるほどのピアニストのように、幼稚園に通っている間に始めなければならないわけでもない。そして投資本やＣＮＢＣの解説者はみな、投資なんて簡単だという言い方をする。

そして、実際投資は簡単である――無意識的能力が高ければ、だが。しかし、そうなるためにはまず「修行を積」まなければならないのだ。

バフェットもソロスも「修行を積」もうとして仕事をしていたわけではない。しかし、実際に金を賭けて間違いを犯し、それを分析し、教訓をしっかり学んだことで、結局修行を積めたのだ。そうした過程の中では、彼らが被った損失は結局長期的な成功を収めるための「投資」であったとも言える。本物の金を失うことのつらさは、経験を積むうえで必要不可欠の要素だ。損をしたときどんな反応を示すかで、投資家として成功できるか否かが決まる。

バフェットもソロスも成功するのだと心に決めていた。彼らは目的を達成するために「もうあと数マイル」行くことにしたのだ。間違いや損失があっても彼らの自信は揺るがなかった。彼らはそれを、なぜ自分がこんな目に、というふうには受け取らなかったのだ。バフェットは次のように言っている。「株式は、誰が自分を持っているかは知らない。株が上がったり下がったりするたびにいろいろな考えや感情が湧き起こるけれども、株のほうはそんなこと気にもかけていない」(注12)

自分の行動の責任をすべて自分で背負うことで、彼らは自分の行く末は自分で決められると感じる。彼らは市場やブローカーのせいにしたりはしない。彼らが損をしたのは彼ら自身が間違っていたからで、だから彼ら自身の手で修正ができるのだ。自分の間違いに対し、バフェットやソロスのような対応をしない投資家は、「修行」が終わるまでやり続けようとしない。

代償

しばらくの間素晴らしい成功を収めている投資家でも、修行を積んでいなかったがために、必然的にその代償を支払う羽目になることがある。ロングターム・キャピタル・マネジメント（ＬＴＣＭ）がそうだ。

ＬＴＣＭはサロモン・ブラザーズの裁定取引《アービトラージ》グループを率いていたジョン・メリウェザーが一九九四年に設立した。彼のグループのトレーダーの多くがＬＴＣＭへ移った。ＬＴＣＭは、主にノーベル賞受賞者である二人のパートナー、ロバート・C・マートンとマイロン・S・ショールズの力で一二・五億ドルを集めて運用を開始した。彼らはサロモンで債券の価格差を取引して平均で年に五億ドルを稼いでいた。同社の利益の大きな部分が彼らの手によるものだった。

当初の数年間LTCMはサロモン時代とまったく同じ戦略で同様の利益をあげていた。彼らは自分たちがやっていることを理解していたし、おかげでとてもうまくやれていた。あまりにもうまくいきすぎたせいか、一九九七年に問題が起きた。資金が多すぎて手に余り始めたのだ。巨額の資金を投資家に返してもなお多かった。同時に、ウォール街の誰もが同じような取引を始めたために、彼らの餌場だった債券の価格差も縮まっていた。

メリウェザーを除いて、LTCMのパートナーのほとんどは「クウォンツ」だった。つまり、マートンやショールズ、あるいは彼らの教え子の誰かの下で経済学やファイナンスを学び、博士号を取った人たちだ。彼らの考え方の基礎になっているのは、「市場は効率的だ」という信念だった。サロモンでは、彼らはコンピュータ・モデルを使って債券市場の非効率性を発見し、利鞘を稼いでいた。債券市場は彼らの土俵だった。そこでは、彼らは修行を積んでいたのだ。

しかし、彼らは大成功でいい気になってしまった。稼いだ金をどこに持っていくかという問題が起きたとき、彼らは債券市場のモデルを買収アービトラージなどの市場に持ち込んだ。しかし、そういう市場で、彼らに競争優位はなかった。債券市場の外でも彼らのモデルが機能する保証はなかったし、実験さえすんではいなかった。それればかりか、「教授たち」（サロモンで、LTCMのパートナーたちはそう呼ばれていた）は実験など必要でないとさえ感じていた。彼らは数十億ドルをそうした取引に投じた。

（後になってわかったことだが）彼らにとって不運だったのは、債券市場の外へ彼らがはじめてさまよい出たとき、取引がうまくいってしまったことだ。それを見た彼らは、通貨や、ロシア、ブラジルといったエマージング市場の債券、さらに株式オプションといったものにまで手を広げた。株の単純な空売りまでやった。その中にはバークシャー・ハサウェイの株も含まれていたが、結局一億五〇〇〇万ドルの損失に終わった。

ショールズはそうした取引に反対するパートナーの一人だった。「彼は、LTCMは自分たちのモデルに忠実であるべきだと主張した。彼らのモデルは他の分野ではまったく『情報優位』を持っていなかった」(注13)。しかし、彼は完全に黙殺された。ショールズ以外のパートナーたちは、自分たちは水の上を歩けるとでも思っているようだった。それまでの成功で、自分たちは決して間違わないことが証明されたと彼らは思い込んだ。うまくいかなくなったらどうするかという「プランB」など彼らは持っていなかった。数学的に厳密な計算によれば、彼らの持つポジションすべてに同時に影響を与えるような市場の急変は、シックス・シグマどころかテン・シグマだった。つまり、宇宙の誕生から消滅までに一度起きるかどうかの事象だった。

彼らの第一の間違いは、もちろん、自分たちの土俵の外へ出て行ったことだ。しかし、新たな投資のやり方を学び、実験して、自分たちの土俵を広げようということならば、これは必ずしも間違いではない。修行をもう一度積む気があるなら、それはそれでよい。のっけからいきなり何十億ドルも抱えてマイク・タイソンの待つリングへ目をつぶって飛び込んだとしたら、それは自殺行為というものだ。

あにはからんや、LTCMは一九九八年八月に砕け散った。ロシアが債務をデフォルト（不履行）し、市場は大混乱に陥った。一時は投資家の資金を一二・五億ドルから五〇億ドルへと五倍に増やしたLTCMは、一九九八年一〇月には四億ドルしか持っていなかった——元の投資資金一ドルに対して四〇セントだ。

もちろん、「教授たち」の間違いは「修行を積んで」いなかったことだけではなかった。彼らは成功する投資の習慣23カ条のほとんどすべてを破っていた。しかし、最大の間違いは、自分たちは学習曲線を端から端まで一気に飛び越せると思い込んだことだ。

修行を積んでいなければ、いつしか破綻することになる。それを避けることはできない。

怖くなるほど簡単

職人の世界の達人なら誰でもそうであるように、修行を積んだ投資の達人は、人によっては「株価がどっちへ行くかがわかる第六感のようなもの」と表現するものを得る。「理屈ではない。ただわかるのだ[注14]」

それはたとえば、ソロスの場合、背中が痛むといったようなことだし、バフェットなら、会社の一〇年、二〇年先の姿が頭に浮かぶといったようなことだ。あるいは、内なる声が「大底だぞ!」と響く人もいるかもしれない。どんな形であれ、投資の達人の無意識のレベルに長年蓄積された経験が、頭の中で符丁のような形で語りかけるのである。

だからこそ、達人には何もかもが簡単だと感じられるのだ。

無意識的能力が発揮される状態にたどり着くまでは、数十億ドル規模の買収を数分で決めるなどということはバフェットにもできなかっただろう。ソロスも、一九九二年にポンドを売ったときのような巨大なポジションを持つことはできなかっただろう。実際、一九八五年のプラザ合意まで、ソロスは為替市場では損をしていたのだ。

しかし、ソロスやバフェットの力量が増加していることは、それぞれが運用している資産の額が膨大になっているために、ある程度目立たなくなっている。今や数百万ドルどころではなく数十億ドルを投資しなければならない二人にとって、「巨象」級の投資案件でないと、もはや彼らの資産に大した影響を与えないからだ。

「巨象」級で、しかも高い収益率が期待できるような投資案件はめったに見つからないけれど、より規模の小さい投資家にとっては収益率の高い投資対象はいくらでもある。バフェットが一九七〇年代後半に離婚し、個人として持つ現金を根こそぎ持っていかれたとき、彼はそのことを証明した。

資産は一億四〇〇〇万ドル持っていたが、それは全部バークシャーの株だった。彼は自分の「芸術作品」を一株も売ろうとはしなかった。もちろん自分の家賃に当てるためだけに配当を支払おうともしなかった。代わりに、彼は、個人口座で株を買ったのだ。


「あまりに簡単なので怖いぐらいだった」とバークシャーのある社員は語る。「彼が探し物でもするように分析をやっていたかと思うと、突然彼の手には現金が入っていたんだ」。アート・ロウセルの営業担当者によれば、「ウォーレンはビンゴでもやるような調子で三〇〇〇万ドル稼いでしまった」(注15)。

「聖杯」や正しい公式、チャート読みの秘術、あるいはいつ何をすればいいか教えてくれる導師《グル》さえ手に入れば万事うまくいくと思っている投資家には、ウォーレン・バフェットやジョージ・ソロスのような技術は決して身につかない。修行は長くつらいかもしれない。バフェットやソロスはそれぞれ二〇年近くかかっている。しかし、彼らはそうした道のりを手探りでたどったのだ。彼らと違い、あなたには学習曲線の下の端から始めなければならないことがわかっているはずだ。試行錯誤を重ねて熟練の域に達した投資の達人たちに比べれば、これはとても有利だ。

第19章　黙って仕事をしろ

テレビのインタビュアー：「今どの銘柄に注目していらっしゃいますか？」
ジョージ・ソロス：「誰が言うか」

（バフェットは）ベッドで話したら奥さんが聞いているかもしれない、それが怖いと言っていた(注1)――ロジャー・ローウェンスタイン

相談して決めようと思うとき、私は鏡を見る(注2)――ウォーレン・バフェット

成功する習慣17
自分がやっていることを人に言わない

達　人――自分が今やっていることをほとんど人に言わない。自分の投資意思決定について他人がどう思おうが気にしないし、心配もしない。

負け犬――自分の今の投資について喋るのが大好きだ。自分の意思決定を、現実ではなく、他人の意見と比べて「実験」する。

手札は隠せ

ベンジャミン・グレアムがコロンビア大学で講座を持っていたとき、彼は自分の手法を説明するのに、そのときに過小評価されている銘柄を例として使っていた。授業が終わると急いでその銘柄を買う学生がいた。そうやって授業料を捻出していた学生は一人二人ではない。

ウォーレーレン・バフェットはあらゆる点で師匠を真似た（彼が書く株主への手紙さえ、グレアムのやり方に基づいている）が、例外が一つだけあった。たとえば、一九五三年にバフェットはオマハ大学で「投資の基礎」という講座を持ったが、グレアムと違い、彼は決して耳寄り情報を漏らさなかった。一九五六年にパートナーシップを設立したとき、彼は見込み顧客に次のように語っている。「私は自分の金を運用するのと同じように、運用を行ないます。損失も利益も、一緒に受け取ります。それから、何をやっているかは話しません」(注3)

その後現在に至るまで、バフェットは自分がどの株に注目しているか誰にも教えない。パートナーシップに新しい投資家を呼び込もうというときでさえそうだ。『ファンド・マネジャー』（日本経済新聞社刊）でバフェットの横顔を描いたジョン・トレインは次のように書いている。バフェットとはじめて会ったとき、トレインは「資産を置いておくいい場所を探していた。どんな銘柄を持っているか公表しないと聞いて、バフェットのところに投資するのはやめにした」(注4)。彼は後でそれをとても後悔することになる。投資家に、自分が何をやっているか絶対教えないと言うとき、バフェットは本気だ。

あるとき、パートナーシップの保有者の一人が（バフェットのオフィスがある）キーウィット・プラザの受付へ突然やってきて、自分の金がどこに投資されているか知りたいという。バフエットは、その後バンク・オブ・ボストンの会長になる銀行家のビル・ブラウンと会っているところだった。彼は秘書に、今忙しいからと伝えろと言った。秘書はすぐ戻ってきて、どうしても会いたいと言っていると言う。バフェットは一分ほどで戻ってきて、秘書に「あいつを（パートナーシップから）追い出せ」と命じた。ブラウンに向かってバフェットはこう言った。「私のルールは知っているはずだ。報告は年に一回だよ(注5)」

今日、世界中で何十万もの投資家が、バフェットの動きを知りたいと思っている。だから、バフェットが口を閉ざすのは当然なのだ。しかし、彼のやり方は、一〇万ドルしか持っておらず、誰も彼の名前を知らなかった頃からまったく変わってはいない。チャーリー・マンガーに出会うまでバフェットは、自分が何を持っているか、売却するまでは一切誰にも教えなかった。さらに、売却した後でさえ――いつか将来、買い戻そうと思っているときには――喋らないこともしばしばだった。

そもそも人に話す理由があるだろうか。彼は自分のやっていることを理解している。人に大丈夫だと言ってもらう必要などない。「他人が同意したからといって、自分が正しいとも間違っているとも言えません」と、彼は一九九一年のバークシャー・ハサウェイ株主総会で語っている。「事実の認識が正しい、また論理が正しいからこそ正しいのです。正しいか間違っているかを決めるのはその二つだけです(注6)」

バフェットが自分の手札を胸の近くで持ち、ひた隠すのにはもう一つ理由がある。「よい投資のアイディアは、よい製品やお宝と同じように、めったになく、貴重だ(注7)」。バフェットにとって投資のアイディアは彼自身の「株価」を決めるものなのだ。ビル・ゲイツがウィンドウズのソース・コードを公表しないのや、トヨタが新しいエンジンのデザインや来年のモデル・ラインナップをフォードやゼネラル・モーターズに教えないのと同じように、バフェットは自分のアイディアを人に教えたりはしない。彼の行動の背後にあるのは自分に対する信頼だけではない。バフェットにとって投資のアイディアは彼の作品であり、彼の財産なのだ。彼の言葉を借りれば、「ちょっとした聖なるもの(注8)」なのである。

黙って相場を張ってくれ

バフェット同様、ジョージ・ソロスも自分のアイディアを人に言わない。生まれついての秘密主義者でもあり、彼は自分のファンドを目立たないようにしていた。一九八一年六月、彼は『インスティテューショナル・インベスター』の表紙を飾った。このときの記事は彼を「謎の男であり、自分の動きを喧伝することは決してなく、部下さえ近づけようとはしない一匹狼(注9)」と表現している。

「頭の中でどんなことを考えているかに関する限り、ジョージは決してオープンではなかった」と、一九八五年以降、クウォンタム・ファンドの事務に加え、ソロス個人の財産の管理まで担当していたゲイリー・グラッドスタインは語っている。スタンレー・ドラッケンミラーも同意見だ。「私は、彼が何をやっているかは知っているが、知っていることが余りに少ないのには改めて驚かされる。彼は当然のように尊大だが、同時に恥ずかしがりでもある。実際とても恥ずかしがり屋だ(注10)」

ソロスは部下にマスコミと口を聞くなと厳しく命じていた。その結果、彼らは秘密主義のソロス・ファンドとして知られるようになった。元クウォンタム・ファンドのマネジャー、ジェームズ・マルケスは、「前回インタビューを受けたのはジョージ・ソロスの下で働き出した日だったよ(注11)」と言ったことがある。ソロスは、自分たちがやっていることを部外者に知られるのを嫌った。「市場を相手にしているのだから、名無しでいなければならない」[注12]と彼は言う。彼は自分の足跡を残さないようとても注意を払っていた。「ソロスはとても厳しく秘密を守らせていたので、彼のグループがどの株を買い、どの株を持ち、どの株を売っているか、部外者が知るのはとても難しかった」[注13]

では、何十億ドルものポジションを持っていながらどうやって秘密を守ったのだろうか。私の知り合いで、勤め先がクウォンタム・ファンドと取引していたロンドン在住の元債券トレーダーがヒントをくれた。「マネージング・ダイレクターの机にホットラインがあってね」と、元債券トレーダーは言っていた。「その電話が鳴れば相手はソロスだとわかる。ソロスと話せるのはボスだけだ。取引を執行する段になると、僕のようなトレーダーのところへ注文が流れて来るんだが、何十万本とかじゃなく、一〇〇〇本とか一万本とかといった普通の取引サイズなんだ。そのうえ、その注文をいくつもに分けて市場に出すから、痕跡が残らないんだよ」

ソロスがそんなふうに気を遣うのはバフェットと同じ理由だ。自分が何をやっているか他人に知れれば、みなそれに飛びついて、価格は彼の取引したい水準から遠くへ行ってしまうのだ。彼のやっていることがわからないので、他のトレーダーは、市場で彼の「足跡」を見つけようと探し回ることになる。一九九五年一〇月、「ソロスが売ったせいでフランス・フランが対ドイツ・マルクで急落したという噂が流れた」[注14]ときがそうだった。バフェットのような株式投資家が自分のやろうとしていることを公言すると、最悪の場合、他の投資家がやってきて価格は跳ね上がる。しばしば大きなショート・ポジションを持つソロスのようなトレーダーにとって、ダウンサイドはさらに大きい。

喋るとどうなるか

一九七八年、ソロスはカジノを営むリゾーツ・インターナショナルをショートした。トレーダーのロバート・ウィルソンも同じ株をショートして、周りのいろいろな人にそれを公言し、休暇で世界一周旅行に出かけた。

当時、ギャンブル株は注目されていた。ウィルソンがノルウェイのフィヨルドを周遊したり香港でショッピングしたりしている間に、本国の一般投資家はリゾーツ株に金を注ぎ込み、株価は一五ドルから一二〇ドルへと急騰した。ウィルソンがショートしているのを知っていたブローカーたちは、「株価がある程度以上高くなれば、ウィルソンは売りポジションを買い戻さざるをえなくなるはずだ、彼の手持ち資金は限られているからと顧客に言っていた。そうなれば株価はさらに上がるというわけである(注15)」。

そうするうち、ウィルソンのブローカーが彼と連絡をつけることに成功し、証拠金を積み増しするか、さもなければ手仕舞うかのどちらかだと伝えた。「『手仕舞ってくれ』とウィルソンは注文した。彼は自分自身を締め上《スクイーズ》げる羽目になったのだ(注16)」。リゾーツ株がそういう煽りなしでも上がった可能性は大いにある。しかし、自分はショートしていると他人に明かしたとき、ウィルソンは実質的に、スクイーズしてくれと自分から頼んだようなものだった。そして当然のようにスクイーズが起きたわけである。

ソロスはどうだっただろうか。彼はいつも通り誰にも喋らなかった。だから、その頃彼がリゾーツ株をショートしていたとは誰も知らなかった。株が上がるのを見て、彼はショート・ポジションを手仕舞い、ロングに転じ、ウィルソンの愚行で一儲けしたのである。ウィルソンが苦境に陥ったことからとてもよくわかる通り、ソロスの次の主張はまったく正しい。「投機家は、黙って相場を張るものだ」[注17]。しかし、ソロスはバフェットほど口が堅くない。「イングランド銀行を破綻させた男」として名を上げて以来、彼は注目されるようになり、必然的に市場の見通しについてしばしば尋ねられる。

今ほど知られていなかった頃、ソロスは、マスコミを伝染病のように避けていたが、他のトレーダーや投資家とはよく話をしていた。それは自分のアイディアを実験するためでもあった。しかし、多くの場合、彼は他の人がどんなことを考え、何をやっているかを知ることで、自分の「相場に対する感覚」を向上させようとしていたのだった。普通、そうしようと思えば、自分の考えの一部をほのめかすぐらいのことは必要になる。

しかし、ソロスが何を考えているかわかっても、それがいつも大いに役立つというわけではない。あるとき、彼は、ジャン・マニュエル・ローザンというトレーダーと、午後の間中ずっと株式市場について議論していた。ローザンによれば、「ソロスはとても弱気で、なぜ弱気かを壮大な理論に基づいて延々語っていた。しかし、彼は結局間違っていて、市場は暴騰した」。

二年後、ローザンはテニスのトーナメントでソロスに出くわした。「あのときの話を覚えてるか？」とローザンは尋ねた[注18]。「とてもよく覚えているよ」とソロスは答えた。「あの後気が変わってね。結局ものすごく儲けたよ」

バフェットは昼夜お構いなしに、事業や投資のことを喜んで話す（ただ、自分が市場で実際にやっていることについては一言も喋らない）が、ソロスはそうした話を公の場では一切喋りたがらない。彼の長年の友人の一人は、ジョージが何で暮らしているのか長い間まったく知らなかったと言っている[注19]。

とあるディナー・パーティーで、出席者の一人がソロスに投資のアドバイスを求めた。

空気が一変した。ジョージは冷たい表情になり、聞き返した。「あなたはいくら持ってらっしゃるんですか?」。いたたまれなくなった相手は質問をかわそうと聞き返した。「あなたこそいくら持ってらっしゃるんです?」

他の人たちが見守るなか、ジョージはやり返した。「ふむ。それは私の勝手ですな。でも私はあなたに私の財産をどうすればいいか聞いたりはしませんよ」。(ビル・)メインズによれば、相手はもう何も聞き返さなかったという(注20)。

自分がやったことは正しかったか?

ソロスのパーティーの出席者がそうであったように、ほとんどの投資家は自分の投資について助言や後押しの言葉をいつも探している。

何年も前、私と同じように投資ニューズレターを発行している人が、お客に対して電話助言サービスを始めた。彼の部下の一人によれば、電話の半分以上は、結局同じことを聞いていたという。「この前これこれの銘柄を買ったんですが」あるいは「最近不動産を買ったんですが」とお客は言う。何をしたにせよ、彼らが聞くのはいつもこういうことだ。「私がやったことは正しかったんでしょうか?」

残りの電話はといえば、何をすればいいか教えてくれという話か、あるいは自分がこれからやろうとしていることは正しいかどうかの確認だった。言うまでもなく、バフェットやソロスのように自分を信頼している人たちならそんな電話をしてきたりはしない。投資の達人は自分で考えるのだ。彼らは、自分の投資のアイディアを他の人に正しいと言ってもらう必要はない。だからこそ、彼らはアイディアを自分の胸にしまっておくのである。

第20章 インチキだ！　インチキだ！　インチキだ！

人を評価するとき私が見るのは三つだ。正直であること、知的であること、エネルギーがあることだ。(注1)もしも一つ目が欠けているとしたら、残りの二つはあなたの首を絞めることになるだろう――ウォーレン・バフェット

私と違う手法を使う人も、その人が正直なら喜んで雇う(注2)――ジョージ・ソロス

成功する習慣18
任せ方を知っている

達　人――すべてではないにせよ、ほとんどの仕事を他人にうまく任せている。

負け犬――投資を決めるときと同じ調子で投資アドバイザーや運用担当者を選ぶ。

バフェットは人を見るのが好き

私が投資アドバイスをやっていたときの顧客の一人はシンガポール人の女性だった。はじめて話を

したとき、彼女は、アニュアル・レポートなどの数字に基づいて銘柄を選んでいると言っていた。「そういうことは自分でやれますし、けっこううまいと自分で思っています。でも、やっていてあまり居心地がよくないのです」と彼女は言った。話をするうちに、自分は人を見る目があると思うと彼女が言ったので、こう勧めた。「ああ、それなら、注目している会社の株主総会へ行かれてはどうでしょう。そうすれば、その会社の経営陣や重役と話ができるかもしれないですし、少なくとも彼らがどんな人たちか観察できますよ。ご自分が金を預けようとしている人たちが気に入るかどうかわかるでしょう」

これはウォーレン・バフェットの投資戦略の一面だが、彼の投資手法の中では一番過小評価されている。彼は数字と同じように人を見るのが好きだ。そして、彼にはとても人を見る目がある。

ウォルター・シュロスも、グレアム・ニューマンで働いていたことのあるグレアム派の一人である。彼は、グレアム流の投資で、それ以来年平均二〇％のリターンをあげてきた。バフェットと自分のスタイルを比べて、彼は次のように述べている。

私は経営陣と話をするのが好きではない。株を相手にしているほうがずっといい。株はいちいち反論したりはしない。株は感情的になることもない。手を握ってやる必要もない。ウォーレンはめったにいない人物だ。彼はアナリストとして優れているばかりでなく、セールスマンとしても素晴らしいし、そのうえとても人を見る目がある。この三つが揃う人はめったにいない。私が事業と一緒に人を得ても、その人はすぐ翌日には辞めてしまうだろう。人を見る目が私にはないとか、あるいはその人は自分の事業がまったく好きになれず、さっさと売り払って手を切りたかったのを私が見抜けなかったとか、理由はそんなところだろう。ウォーレンが雇う人々は、ウォーレンが彼らの事業を買収してからも必死に働く。めったにないことだ（注3）。

バフェットがバークシャーの経営を任せたケン・チェイスはそのことをうまく言い表している。

「彼の下で仕事をするのがどれほど楽しいか、言葉にならないほどだ（注4）」

あいつはインチキだとわかっていた

ウォーレン・バフェットはどうして元のオーナーが「自分のために働いていたときよりもバフェットに買収されてからのほうがずっと一所懸命働く（注5）」ような会社を買収できるのだろうか。

彼の人を見る目はとても優れている。「部屋に入って来ただけでどれぐらいやる気があるかとてもよくわかる（注6）」とまでバフェットは言う。ウォーレン・バフェットは一九七八年にラリー・キング（CNNでラリー・キング・ライブの司会者をやっている人とは別人）を受け入れなかったオマハで数少ない一人である。キングは前フランクリン・コミュニティ信用組合の経営者兼財務担当者で、現在懲役一五年に服している。

「私はキングがインチキだとわかっていた」とバフェットは言う。「それに、私はわかっていると彼もわかっていたと思う。たぶんオマハで彼が一度も献金を頼みに来なかったのは私だけだろう」。なぜバフェットにはわかったのだろうか。「感じで言うと、彼の額に大きな字で『インチキだ！　インチキだ！　インチキだ！』と書いてあったんだよ（注7）」

人となりを正確に読み取るたぐい稀なる能力は、投資や事業におけるバフェットの成功にとって欠かせない要素である。彼が会社を経営陣ごと買収し、元のオーナーがずっと事業を経営し続けてくれると確信できるのは、彼にそういう能力があるからである。バフェットには経営者が「そのとき自分の求めている種類の人」であるかどうかがわかる。シュロスが自分にはないと認めている能力だ。

会社を丸ごと買うにせよ一部だけにせよ、バフェットは常に自分がオーナーであり、自分が経営陣を雇ったものとして行動する。だから、株式を購入するとき、彼は「この会社を買収したとしたら今の経営者を雇って経営を任せるだろうか」と自問することになる。そしてもちろん、答えが「ノー」なら彼はその株に投資しない。

バフェットにとって、投資はすべて権限の委譲である。自分の金を他の人に任せることになるのだと、彼は完全に理解している。そして、彼は自分が尊敬し、信用し、賞賛する人にだけ金を預けるのである。彼がバークシャー・ハサウェイで果たしている役割は二つだ。バフェット自身は、自分の基本的な仕事は資本の配分だと言う。しかし、同じように重要な仕事がもう一つある。それは働く必要のない人々に仕事をする気を起こさせることである。

バフェットが会社を買収して支配権を握るときの条件の一つは、元のオーナーがその後も会社にとどまって経営するということである。買収後、バークシャー・ハサウェイの株かあるいは現金をたくさん手に入れた元オーナーたちが、場合によっては何十年も、以前にも増して必死で仕事をする。自分のためでなく、バフェットのためにである。

バフェットが成功していることの一つに、バフェットと同じようにただ働くのが好きだという人々のいる会社だけを選べているという点がある。そうできている理由の一つは、バフェットが忠誠心を呼び起こすのがうまいという点だ。自家用飛行機の共同所有というやり方を発明し、自ら設立したエクセクティブ・ジェッツ社をバークシャー・ハサウェイに売却したリチャード・サントゥーリは、このことを簡潔に表現している。

　ウォーレンがやってくれというなら何でもやる。（注8）

　そんな忠誠心は今どきの企業社会ではめずらしい。しかし、サントゥーリとまったく同じことをバークシャーが多数持つ子会社の経営者たちが口を揃えて言うのである。「バフェットは部下の経営者たちにとても敬意を払うので、彼らの一人の言葉を借りれば、『ウォーレンに褒められたい』と思うようになる（注9）」

　自分の会社を売却した後も以前と変わらぬ熱心さで元オーナーたちを働かせることができるというのは恐るべき離れ技であり、他の会社では決して見られないことだ。権限委譲の技術について、バフェットはいまだ十分に評価されていない天才なのである。

　バフェットがうまく人に任せられるため、バークシャー本社で働く人の数はたったの一五人である。フォーチュン五〇〇社の中で、他を圧倒する最も少ない人数である。その結果、バフェットは自分が最もうまくやれることであり、私たちがバフェットの天賦の才であると認めている、資本の配分に注力することができるのである。

ソロスはどうやって委譲することを学んだか

バフェットと対照的に、ジョージ・ソロスにとって権限の委譲は容易ではなかった。「私は人を見る目がない」と彼自身が認めている。「私は株を見る目があるし、歴史についてもかなりよく見通せていると思う。しかし、人間については、本当に、まったくダメだ。だから何度も間違いを犯している」(注10)

それでも、ファンドが大きくなるにつれて人も増やさなければならないとソロスも認識した。ソロスとジム・ロジャーズが袂を分かったのはまさにこのことが原因だった。ソロスは人を増やすべきだと考えた。ロジャーズはそうは思わなかった。

そんなわけで、彼らは三段階の手続きを踏むことにした。ソロスは次のように説明している。「第一段階として一緒にチームをつくって試してみる。うまくいかなかったら、第二段階として彼抜きでチームをつくる。それでもうまくいかなかったら、第三段階として私抜きでやる。で、結局そうなった」(注11)

一九八〇年、二人は袂を分かった。ソロスが全面的に責任者となった。しかし、当初計画していたようなチームをつくる代わりに、ソロスは自分でファンドを運用することになった。

私は船長で、同時に火に石炭をくべる機関士だった。艦橋でベルを鳴らして「取り舵いっぱい！」と言い、そのまま機関室へ走っていって、指示を実行するのだ。そして艦橋から機関室へ行く間にどの株を買うかといった分析をやっていた。(注12)

当然のごとく、ソロスは神経をすり減らし、一九八一年ははじめて二二・九％の損失に終わった。

それどころか、ソロスは終わったと考えた投資家たちの解約が相次ぎ、さらに資産の三分の一が流出した。そこでソロスは一歩下がり、ファンドを「ファンド・オブ・ファンズに変えた。資金を分け、他のファンド・マネジャー何人かに任せ、私はアクティブ運用をやるのではなく、総括責任者の立場に立つという計画だった（注13）」。

結局、これもうまくいかなかった。というのは、ソロスは自分が一番うまくやれること、すなわち投資を人任せにしてしまったからである。ソロスはその後の三年間をクウォンタム・ファンドにとって「ぱっとしない時期だった」と言っている。しかし、後部座席に陣取ることで、ソロスは自分（やその他のトレーダーたち）が直面している問題から立ち直ることができた。それは、バフェットのような投資家にはない種類の問題だった。彼らは「燃え尽きてしまっていた」のである。

トレーディングは非常に緊張に満ちた仕事である。長時間にわたって完全に集中していなければならない。一九八一年の経験についてソロスは次のように書いている。「ファンドが寄生虫のような生き物で、私の血を吸い、エネルギーを奪って生きているように感じられた（注14）」。彼は犬のように働いていた。「それだけやって何が手に入る？　金が増え、責任が増え、仕事が増え――苦痛が増えるだけだ。私は苦痛に頼って判断をしていた（注15）」

一九八四年、ソロスは再び舵を握った。権限委譲の実験はうまくいかなかったが、代わりにソロスは復活し、一九八五年のリターンは一二二・二％にもなった。この年は、ゲイリー・ゴールドスタインが会社に加わった年でもある。ソロスはやっと、会社の経営方面の仕事から解放された。しかし、ソロスは運用責任者の仕事を彼に代わって担ってくれる人間も探し続けていた。一九八八年にスタンレー・ドラッケンミラーが加わり、やっと望みがかなった。ソロスの息子ロバートは、ドラッケンミラーを紹介されたとき、彼は「第九番目、つまり第九位の継承権を持つ人だ」と聞かされた。(注16)ソロスは次のように書いている。

よい運用チームを見つけるのに五年かかり、そのうえたくさんの苦しい経験もした。やっと思った通りにできて嬉しいが、人選びは運用ほどにはうまくいかなかった。(注17)

ドラッケンミラーはクウォンタム・ファンドを一三年間運用した。しかし、最初の年には彼がいつまでいるかまったくわからなかった。彼は船長として雇われたが、ソロスはなかなか手綱を放そうとはしなかった。そして一九八九年、ベルリンの壁が崩壊し、ソロスはその後五カ月間のほとんどを、オープン・ソサイアティ財団を設立するために東ヨーロッパで過ごした。「やっと彼から連絡があり、彼は私がとてもうまくやっていると認めてくれた」とドラッケンミラーは言う。「彼が完全に私に任せてくれるようになったので、それ以来口論はしなくなった」(注18)

ソロスにとって権限の委譲は決して容易ではなかったが、試行錯誤を繰り返し、苦悩した末に、バフェット以上の権限委譲を成し遂げたのである。ドラッケンミラーが全面的な責任者となったとき、「コーチと選手のような関係を築いたのだ。それ以来とてもうまくいっている」(注19)とソロスは言っている。彼らの関係はバークシャーが持つ子会社の経営者とバフェットの関係に近いが、もっと密接である。ソロスは自分の治世を譲り渡し、他の活動に集中できるようになった。一方、バフェットは、死んでからも経営に加わると言っている。「死んでからも五年は働き続ける。重役たちにはウイジャ盤（訳注：イエス、ノーだけが書いてあるコックリさんのようなもの。霊界と通信するのに使う）を渡してあるからちゃんと話ができる[注20]」のだそうだ。

チームワーク

どうやって人に任せるかを知らなければ投資で成功することはできない。あなたがウォーレン・バフェットではなく、三一〇億ドルの現金をどこへ持っていくか考えなくてもいい人であってもだ[注21]。普通、権限の委譲といえば、私たちが思い浮かべるのは、ソロスのように、自分がやっていたことを誰かに引き継いでもらいたいときにやることだ。しかし、投資の成功というのはすべてチームワークの賜物なのである。投資家としてあなたは次のような権限委譲を行なわなければならない。

- ブローカーで口座を開くとき、自分の金と注文の執行について権限を委譲している。
- 投資信託、商品プール、リミテッド・パートナーシップ、あるいはマネージド・アカウントに投資すれば、ファンド・マネジャーを雇って意思決定を任せ、自分の金の面倒を見てもらうことになる。
- どのような形にせよ、投資をすれば、資産の運命の非常に大きな（市場が大きく動くときにはすべての）部分をミスター・マーケットに委ねたことになる（考えてみてほしい。躁鬱病のファンド・マネジャーをそうと知ったうえで雇うか？）。
- 会社の株を買えば、自分の資産の将来を会社の経営陣に委ねたことになる。

委譲には支配権を手放すということが必ずついて回る。銀行口座を開くだけでも、会ったこともない人に自分の金の支配権を渡している。権限の委譲を成功させるためには、何を期待してよいかを知っていなければならない。自分の口座はブローカー自身の資産とは分別されていることはわかっている。ブローカーに注文を出せば、ブローカーはあなたの指定した通りに注文を執行するとわかっている。電話を切った後は、他のことをしていてよい。自分の思った通りに注文が出されるか見張っている必要はない。

投資の達人は権限を委譲するが、仕事を誰かに頼んだからといって、責任まで委譲したりはしない。「ふさわしい人を選んだならそれは素晴らしい。しかし、間違った人を選んだなら、その責任は自分にある。その人ではない(注22)」

そして、投資の達人は常に、自分の取った行動の全責任を負う。もちろん、達人は並の投資家よりたくさんの仕事を人に任せる。しかし、そうする理由は変わらない。自分の頭をそうした仕事から解放して自分が一番うまくやれることに集中するためだ。

第21章　いくら稼ごうが支出を減らせ

年間収入二〇ポンド、年間支出一九ポンド一九シリング六ペンス。結果：幸せ。年間収入二〇ポンド、年間支出二〇ポンド〇シリング六ペンス。結果：不幸

――ミカウバー氏、チャールズ・ディケンズ著『デイヴィッド・カパーフィールド』より。

（億万長者になって得られた）一番はっきりわかるメリットは、テニスがとてもうまくなったということだ[注1]――ジョージ・ソロス

金は、ある程度まで、人を面白そうなところへ連れて行ってくれる。しかし、金があってもあなたのことを愛してくれる人の数が増えたりはしないし、より健康になれたりもしない[注2]――ウォーレン・バフェット

成功する習慣19

稼いでもつつましい生活をする

達　人――稼ぎに比べてずっとつつましく暮らしている。

負け犬――おそらく稼ぎ以上の生活をしている（ほとんどの人がそうだ）。

金持ちになるただ一つの方法

信じようと信じまいと、子供が将来金持ちになるかどうかは三歳か四歳になる頃にはもうわかる。子供がお小遣いをすぐにキャンディに使ってしまう――それで、翌日には一ドル貸してくれとやってくる。もちろん貸しても返ってくるわけはないのだけれど――なら、大人になる頃にはそんな行動をしなくなってくれるよう祈ろう。残念ながら、ずっとそんなふうであることが多いのだが。

しかし、子供がお小遣いを節約し、いつもたくさん貯めておくほうなら、その子は大人になったら金銭的自由を勝ち取れると期待していいだろう。そして、もしも節約家の子がお小遣いでキャンディを買い、他の子に売って儲けていたら、その子はウォーレン・バフェットのようになれるかもしれない。

遺産や結婚、窃盗を除けば、金持ちになるただ一つの方法は投資による資産の蓄積である。つまり、稼いだものを全部は使わずに暮らしていくことだ。ウォーレン・バフェットもジョージ・ソロスも、若い頃からそうしてきた。人が夢にも思わないような財産を築いても、彼らの基本的な価値観は変わらない。子供の頃も、ティーンエイジャーになってからも、そして今でも、彼らは贅沢な暮らしはしていない。三つ子の魂百までだ。

ソロスは生まれてからほとんどの間、つつましい暮らしをしてきた。身の回りにほとんど無関心でさえあった。あるとき、スイスの画商がソロスにパウル・クレーの絵を貸し出した。ソロスの財産をもってすれば容易に買える絵だ。「彼は絵が気に入ったが、結局送り返してしまった。彼が言うには、どうしても値札が頭から離れなかったのだそうだ」(注3)

二人目の妻、スーザン・ウェバーと結婚したとき、「彼は私にアパートを探してくれと言った」と彼女は話している。「私が選んできたアパートを、高すぎるとか広すぎるとかと言って、彼は全部却下した（注4）」

運転手付きのリムジンに乗るのだと言って聞かない億万長者もときどきいる。ソロスは違う。移動するとき、彼はタクシーをつかまえ、バスに乗り、地下鉄に乗り、あるいは単純に歩く。金を節約するためではない。単にそうするほうが便利だからだ。自分が積み重ねた財産を振り返ってソロスは次のように言う。「成功することのメリットと言えば、欲しい物が買えるようになることだが、私は贅沢が好きではない。私は使える金に比べるとずっとつつましい暮らしをしてきた（注5）」

オマハの過激派

バフェットの倹約家（人によってはしみったれと言う）ぶりに関する逸話は多い。ある日、ウォーレン・バフェットが自分のオフィスのある一四階へ行こうとエレベーターに乗っていると、床に一セント硬貨が落ちていた。乗り合わせた総合建設会社ピーター・キーウィットの重役たちは誰もそれに気づかなかった。

バフェットはかがんで手を伸ばし、その一セント硬貨を拾った。キーウィットの重役たちは、彼が一セントごときを気にかけるのを見て驚いた。その後世界一の金持ちになるその人間は、こう言ったのだ。「次の一〇億ドルへの第一歩だ（注6）」

バフェットは金のことになると過激である。特に、金を使う話になるとその過激さにいっそう磨きがかかる。より正確に言えば、金を使わない話になると、であるが。

バフェットが金にうるさいのは、彼がいつも将来を基準にものを考えるからだ。一ドル使うとき、あるいは通りで一セント拾うとき、彼はその金の今日の価値を考えてはいない。彼が考えているのはその金が将来どれだけの価値を持つことになるかということである。

　バフェットにとって貯蓄は単なる美徳ではない。彼の投資手法の根幹なのだ。彼は（キャピタル・シティ／ＡＢＣの）トム・マーフィやダン・バークのような、「過去最高益をあげているときも、苦しいときも、熱心にコスト削減に取り組む」(注7)経営者を賞賛する。ネブラスカ・ファーニチャー・マートを買収するずっと以前から、彼は同社のオーナーであるローズ・ブラムキンを高く評価していた。彼女のモットーは「安く売れ、正直に話せ」(注8)である。彼女が容赦なくコストを削減するおかげで競争相手はみな廃業してしまった。大手家具チェーンはオマハに近寄ろうとしない。彼女には立ち向かえないとわかっているからだ。

　バフェットは、稼ぎよりもずっとつつましい経営をする経営者が好きだ。バフェットとチャーリー・マンガーはウェルス・ファーゴの株を買い貯めているとき、同行の会長であるカール・ライカートが重役たちに、自分のオフィスにクリスマスツリーを飾りたければ銀行の金ではなく自分の金で買ってくれと言ったと聞いた。「それを聞いて株を買い増しした」(注9)と、マンガーは一九九一年のバークシャーの株主総会で述べている。

　倹約主義は、バフェットとソロス両方にとって、生来の性格の一つである。資産が増えるにつれ、二人ともいくらか贅沢をするようになった。しかし、彼らの資産に照らして見れば些細な程度である。バフェットは自家用ジェット機を買い、弁解余地なし号と名づけた。ソロスはマンハッタンのアパートに加え、ロングアイランドにビーチハウス、ニューヨーク州北部に別荘（訳注：ともに東部の金持ちにとってのステイタス・シンボル）、さらにロンドンにも家を持っている。

しかし、富を手にしても彼らの生まれついての質素さは変わらなかった。当初、稼ぎよりも下の暮らしをすることがなぜ大事かは簡単にわかる。投資の元手はそうやってつくるしかないからだ。一方、資産が何十億ドルになってもなお、投資で成功するためにはそうした知的習慣が不可欠だということのほうは、誰もがわかっているわけではない。ごく単純に言って、金に対してそういう態度が取れなければ、稼いだものを置いておくこともできない。浪費するのは簡単だ。誰にでもできる。金を稼ぐことのほうはそう簡単ではない。だからこそ、稼ぎより下の生活をすることが投資の達人が成功する礎、つまり、元本の確保に直結しているのだ。稼いだものを確保し、稼ぎ以下の暮らしをしてそれに上積みしていくことで、投資の達人は永久に富を増やしていく。そして金利の複利効果と時間の経過は大金持ちになる鍵である。

ほとんどの人にとって、金持ちになりたいのは、クレジットカードの請求書を気にすることなくファーストクラスを使い、リッツ・ホテルに部屋を借り、シャンペンとキャビアを食らい、ティファニーで買い物ができるからだ。問題は、金にそういう態度を取る人は、金持ちになる前から、縮小版ではあるにせよ、そういう夢の生活を始めてしまうということである。その結果、彼らが資産を蓄積することはなく、もっと悪くすると借金してまで稼ぎ以上の生活をする。そして一生貧乏のまま、中流のまま過ごす。

富とは精神の状態である。チャーリー・マンガーの言葉を借りれば、「私は金持ちになりたいと心から思っている。それはフェラーリに乗りたいからではない。私は独立していたいのだ。独立こそ私が求めるものなのだ（注10）」。あなたもそうだとすれば、苦労して手に入れた独立性なのに、資産を吹き飛ばして危険に晒したりはしたくないだろう。稼ぎ以下の生活をすることの対極にあるのは、中産階級の借金漬けの暮らしだ。この場合、金利の複利効果は味方ではなく敵になり、血を噴き出す動脈のように、生命力である金を奪っていく。

第22章　金を払ってでもこの仕事をしたい

ニューズ社の会長ルパート・マードック氏が引退したら何をするかと聞かれて：「とっとと死ぬ」(注1)

生きている限り（投資を）続ける(注2)——ウォーレン・バフェット

成功する習慣20
金が問題ではない

達　人——刺激と自己充足のためにやる。金のためではない。

負け犬——金のため。投資は金持ちになる簡単な方法だと思っている。

逃れるためと近づくため

ウォーレン・バフェットとジョージ・ソロスは、朝起きてもベッドから出たくなければ出なくてよいだけの金をすでに持っている。生活は質素なわけだから、使い切れないほどの金を持っている彼らが、なお金を稼ぎたいと思うのはなぜだろう。何が彼らにそうさせるのか。

モティベーションには二種類ある。「逃れるため」と「近づくため」だ。貧乏を恐れ、それゆえに金持ちになろうとする人がいる。これが「逃れるため」タイプのモティベーションだ。そういう人の場合、ある程度金持ちになったらどうするだろう。貧乏ははるか彼方なので、このモティベーションに彼を動かす力はもうない。だから彼はそこで止まる。

「逃れるため」タイプのモティベーションはときとして非常に強力である。ジャングルを歩いていて突然トラに出くわしたら、あなたは恐怖で必死に走るだろう。しかし、安全になれば、もう走る理由はない。この種のモティベーションは「使用期限」いついつ、とシールが貼ってある電池みたいなものだ。期限が過ぎれば使えない。効力を失う。この種のモティベーションは、たとえば一生といったような長期間にわたって目標を追い続けようというときにはあまり役には立たないものだ。しかし例外もあって、それは人格が形成される時期に何か決定的な事件があり、そうしたモティベーションがその事件と強く結びついている場合である。バフェットもソロスも、どうやらそういう場合に該当するようだ。

一九三〇年代に生まれたほとんどの人同様、大恐慌は若いバフェットに、強い長期的な影響を与えた。彼は父親がすべてを失うのを目の当たりにしている。ナチによるハンガリー占領が若いソロスに与えた影響はそれにも増して強かった。数十億ドルを手にした今日でも、ジョージ・ソロスは自分にとっての「崇高な価値」は生き延びることだと言う。『ソロスの錬金術』の序文で、彼は次のように述べている。

私が持つ実用的な技術を端的に表現するとすれば、生き延びることの一言に尽きるだろう。(注3)

ソロスが「逃れるため」タイプのモティベーションに動かされているということで、彼がオフィスでやっていることの説明はつくが、もはや生き残りは差し迫った問題ではなくなった今も、彼が毎朝オフィスへやって来ることは説明できない。そのためには何らかの目標へ近づこうとする種類のモティベーションが必要になる。そして、目標が、たとえば億万長者になるとか、一マイルを四分で走るといったような決まったものであるとき、目標が達成されればやはりモティベーションは失われる。しかし、自分のやっていること自体が刺激になるなら、目標を追い続けている間に稼ぐ金はもはや副産物でしかなくなる。ウォーレン・バフェットのモティベーションは単純だ。彼は面白いことがしたいのである。「バークシャーの経営ほど面白い仕事は世界中のどこにもない。今いる地位につけてとても運がいいと思っている(注4)」と彼は言う。

彼にとって楽しみとは、毎日スキップしながら会社へ行き、山のようなアニュアル・レポートを読み、「素晴らしい人たち」と仕事をし、「金を稼ぎ、それが増えていくのを見守る(注5)」ことだ。彼は次のように述べている。

「とてもよい成績を上げている運動選手がいたとしよう。テッド・ウィリアムズでもアーノルド・パーマーでも誰でもいい。決して自分を彼らになぞらえようということではないけれど。衣食住には困っていないわけだから、彼らは金のためにやっているのではないだろう。私が思うに、テッド・ウィリアムズが球界最高年俸を稼いでいる一方、二割二分しか打てていないとしたら、彼はとても不幸な気分だろう。でも、もし彼が球界最低年俸しか稼いでいない一方、四割打っていたら、彼はとても幸せに感じるだろう。私は仕事に対してそんなふうに感じている。金は、私がとてもうまくやりたいと思っていることの副産物だ[注6]」

つまり、バフェットにとって金は自分が好きでやっていることをどれぐらいうまくやれているかを測る物差しにすぎないのだ。「(チャーリーと私は)金を払ってでもこの仕事がしたい[注7]」と、彼はあるとき株主に語っている。彼の年俸がたったの一〇万ドルであることを考えると、ある意味彼は本当に金を払っている。バークシャーが普通の投資信託で、運用報酬が一%なら、七一九億ドルの資産[注8]からバフェットに支払われる年俸は七億一九〇〇万ドルだ。大変な値引きである。

金が私のすべてではない

バフェットと同じように、ソロスの金に対する興味も「彫刻家が粘土や銅に持つ興味と同じようなものだ。私はそれを使って仕事をするわけだから[注9]」。彫刻家同様、彼が関心を持つのは材料ではなくそれを使って得られる結果のほうだ。彼は金そのものには関心を持たない。父の影響について語ったとき、彼は「私が学んだことの一つは、金儲けのための金儲けは空しいということだ。富は足枷になることがある[注10]」と述べている。

しかし、ソロスが投資をするときのモティベーションはバフェットのそれとは大きく異なっている。ソロスは投資が楽しいと言うバフェットに同意しない。「楽しんでいるとしたらたぶんあまり儲かってはいないだろう」と彼は言う。「よい投資とは退屈なものだ[注11]」

バフェットと違い、投資はソロスにとって「天職」ではない。学生の頃、ソロスはケインズやポパー、あるいはアインシュタインのような著名有識者になりたかったのだ。今日まで彼を動かしているのはまさしくこのモティベーションなのである。ヘッジファンド・マネジャーになって最初の数年について、ソロスは、自分の哲学的アイディアを現実の世界に応用することができるようになったので「非常に刺激的でダイナミックな時期だった」と述べている。「再帰性によるバブルとその崩壊という自分の考えをつくり上げたのはこの頃だ。哲学で現実に挑んだのである」(注12)『ソロスの錬金術』で彼は次のように書いている。

実業界における最初の一〇年の（中略）証券を売り込んだり取引したりといったゲームでは、本当の自分を出せなかった。ファンド・マネジャーになってすべてが変わった。自分自身を賭けているので、もう投資の意思決定を本当の自分と切り離して考える余裕はなくなった。自分の全知全能を賭けなければならなくなった。嬉しい驚きだったのは、私の抽象的な考えが思いがけずとても役に立ったということだ。抽象的な考えのおかげで成功したと言うといいすぎだが、そうしたことが私に有利に働いたのは確かだ。(注13)

投資市場は自分の考えを実験する格好の場所だと彼は気づいたのだ。現実の世界で自分のアイディアを実証できれば、哲学者として注目されるのではないかと彼は考えた。これは空しい期待だった（今もそうだ）。哲学者のほとんどは現実の世界が存在することさえ否定しているからかもしれない。だから、哲学的概念を現実の世界で実験しても、あまり哲学者たちに感銘を与えなかった。もちろん、ソロスの著作の一部（『ソロスの錬金術』など）は非常に難解であり、本当に理解できる人間は少ない。だから哲学界が彼を完全に無視したのも驚きではない。投資のプロのほうでも、彼が言おうとしたことを理解した人がそれほどいたわけではない。

　バフェットにしても学界でよりよい扱いを受ける「苦しみ」を味わうには至っていない。彼の文章はとても明快であり、投資の手法はずっとわかりやすく、そして哲学は、時代を通じて最も有名な投資の研究者、ベンジャミン・グレアムの流れを汲んでいるにもかかわらず、である。公平に言えば、グレアムの考えも、輝かしい学界での経歴にもかかわらず、バフェットの考えに比べてずっと学界で受け入れられているというわけではない。ソロスと同じように、グレアムも自分の投資哲学を現実に基づいてつくり、現実を相手に実験したことが原因なのかもしれない（アカデミックという言葉の意味の一つが「現実的でない」、あるいは「実用的でない」であることを思い出す度にいつも考えさせられる。英語で「それはアカデミックだ」と言えば〈机の上の話だろ、というように〉「関係ないよ」という意味だ）。

　ソロスの心の中では、彼は投資家ではなく思想家である。彼が自分のアイディアを市場で証明することで基本的な充足感を得る。「私が惹かれるのは思索による冒険だ（注14）」とソロスは言う。「私は哲学的推論《スペキュレーション》と金融市場での投機《スペキュレーション》の二つを結びつけることができたということに勇気づけられている。結びつけることで、それぞれにメリットがあると思う。それぞれを別個に扱うよりも二つ一緒にしたほうが、私にとっては考えやすい（注15）」

　富を蓄えた人の多くと同じように、ソロスもその一部を寄付しているが、彼のやり方は独特だ。単純に慈善団体に小切手を切ったりどこかの財団に寄付金を渡したりはしない。彼は自分でオープン・

ソサイアティ財団を設立し、それを通じて自分の哲学的アイディアを政治や社会に適用している。「金持ちになったことで、自分が本当に気にかけていることに対して何かをできるようになった(注16)」と彼は言っている。金を稼いでいるときも、寄付をしているときも、ソロスを駆り立てるのはアイディアである。彼自身も次のように述べている。

私と同じくらいの資産を持っている他の人と私の違うところは、私が興味を持っているのは基本的にアイディアで、私自身はあまり金を使わないという点だ。しかし、儲かっていなかったらどうなっていたかということを考えると嫌な気分になる。私のアイディアが世に出ることもなかっただろうから(注17)。

彼には、「イングランド銀行を破綻させた男」として有名になっていなければ、彼が世に問うた『グローバル資本主義の危機』（日本経済新聞社刊）などの本もさして注目されなかっただろうということもわかっている。ソロスは今でも、ケインズやポパーのような影響力ある思想家として記憶されたいという子供の頃の夢を持ち続けているのだ。「文明が存続する限り読まれ続けるような本を書きたい(注18)」と彼は述べている。

私たちが住むこの世界をもっと理解するのに貢献できるのなら、あるいは、さらに嬉しいことだが、私が参加者として活躍できた政治・経済システムを守るために役に立てるのなら、事業の成功よりもそのほうがずっと大事だ(注19)。

ソロスもバフェットも、あれほどの財産を築けたのは、それ自体が目的ではなかったからだ。金が目的なら何十億ドルもの財産にたどり着く前にやめていただろう。実際、バフェット自身も言うように、そもそも彼は投資家としてのキャリアを歩み出す前の一九五六年、すでに十分引退できるだけの財産を持っていた。一九八一年、ソロスが燃え尽きていたとき、彼はすでに二五〇〇万ドルの財産を手にしていた。しかし、彼はまだ人生でやりたいことを成し遂げてはいなかったのだ。

どちらの達人も、「逃れるため」と「近づくため」両方の強いモティベーションの組み合わせに突き動かされ、七〇代になった今も精力的に活動している。その副産物として、彼らは膨大な財産を築いた。彼らにとって、金を稼ぐことは目的達成のための方法であり、目的そのものではないのである。

第23章　その道の達人

（金儲けの）プロセスのほうが結果よりもずっと面白い。結果のほうとの付き合い方もそこそこ学んだけれど[注1]――ウォーレン・バフェット

成功する習慣21
持っているものではなく、やっていることを好きになる

達　人――投資のプロセスに深い思い入れを抱く（また自己充足もそこで得る）。個別の投資対象には思い入れを持たない。

負け犬――自分の持っている投資対象を愛す。

モティベーションは行なう過程から

一九五六年、バーモントの物理学教授ホーマー・ドッジはとある用事でオマハへ車を走らせていた。ウォーレン・バフェットに自分の金を運用してもらうためだ。彼はバフェットのことを友人のベンジャミン・グレアムから聞いた。バフェットは家族や友人から集めた金一〇万五一〇〇ドルで最初のパ

ートナーシップを立ち上げたところだった。バフェットはドッジのために二つ目のパートナーシップをつくることに同意し、ドッジは一〇万ドルを投資してはじめての外部投資家になった。

ドッジの息子であるノートンは次のように語っている。「父にはウォーレンが優れた金融アナリストだとすぐにわかった。しかし、それだけではなかった」

父のほうのドッジはバフェットに、投資のプロセスを愛し、必要な道具すべてに精通した、独特の才能を持つ職人を見た。(注2)

どのような芸術でも、巨匠は、まず何よりも自分の使う道具の達人であり使う技術の名人である。芸術家は自分の描く絵や完成した作品の構想を持っている。しかし、実際に絵を書いているとき、画家は技術的なことに神経を使い、キャンバスに絵筆をどう当てるかといったことに集中する。絵を描く過程に没頭するのである。自分のやっていることに完全に没頭しているとき、絵の巨匠は、心理学者ミハイ・チクセントミハイが「フロー」(注3)と呼ぶ精神状態に至る。

「フロー」とは、そのとき行なっている行為に完全に没入している人が感じる感覚のことである。画家の視野は狭まり、見えるものは絵と筆だけになり――精神の裏側で完成した作品のイメージを感じる。周辺視野は極度に縮小し、周りで何が起きていてもまったく気づかない。意識は完全に外へ向いているので場合によっては自己の感覚も失い、(いわば)絵を描くプロセスそのものになりきる。時間の感覚は消え、時間は過ぎるばかりとなり、食事も忘れ、日が昇ろうが沈もうがまったく気づきもしない。

絵の巨匠は描く過程を愛するのであり、絵を描く道具を愛するのではない。自分の絵が売れるかどうかは、まったく関係がないわけではないけれど、一番大事なことではない。ホテルの部屋の壁を飾る風景画を描いているような連中と違い、巨匠は金のために絵を描かない。描くことのためだけに絵を描くのである。屋根裏部屋でひもじい思いをしている典型的な作家や芸術家は、自分の作品がベストセラーになるのを、あるいは自分の絵がグッゲンハイムの壁に飾られるのを夢見るかもしれない。しかし、そういった想像は、貧困と不遇の生活を人に何年も続けさせることはできない。書く、あるいは描く過程が自己充足を与えるものであるからこそ、彼らは仕事をするモティベーションを得るのである。

それぞれの分野の達人が共通して言うことは、彼らは行なう過程に動機づけられているということだ。つまり、成果ではなく、活動のほうである。金であれ、偉業を讃えるメダルであれ、成果は「フロー」の状態に達したことのオマケである。ジョン・トレインが『ミダスの手』で次のように書いている。

> 偉大なチェス・プレイヤーと同じように、偉大な投資家というものは、投資に関して一流の職人になるのだと心に決めている。金持ち、あるいは大金持ちになるかどうかは、往々にして関係がない。将軍にとって褒章とは広いテントをもらえることではなく命令できることなのだ。言い換えると、行為を続けること自体が偉大な投資家を熱中させるのである。(注4)

投資の達人にとっての投資対象は、画家にとっての絵の具のようなものだ。仕事をする材料である。

ある画家は油絵の具で描くのが好きかもしれないが、その画家は油絵の具で描くのが好きなのであり、油絵の具を愛しているのではない。

ボールをよく見ろ

テニスでも、サッカーでも、野球でも、ホッケーでも、選手は「ボールをよく見ろ」と言われる。これの本当の意味は、何に精神を集中するか、ということである。自分が何かお気に入りのスポーツをやっていると想像してほしい。ここではテニスを例として使うが、好きなゲームに置き換えてよい。

今、スコアはお互い一セットずつ取ったところで、第三セットは一対五で劣勢だとする。次のゲームを落とせばあなたの負けだ。あなたはコートに立っている。ここで、あなたは試合に勝つことに集中しているとしよう。ポイントを取るごとに、あなたの頭をよぎるのは試合に勝つためにあと何ポイントとらなければいけないかということだ。これでは、とても深く、まっすぐでのぼるのが難しい穴の底にいるような気になる。相手にポイントを取られるたびに、穴はちょっとずつ深くなる。テニス（でも他のスポーツでも）の試合を見たことが一度でもあるなら、表情から、どちらの選手がそんな精神状態になっているかがわかる。負けた顔をしているのだ。まだ試合は終わっていないのに、もっと追い込まれた状態から巻き返した選手もいるというのに、その選手にとって試合はもう終わってしまっているのである。

さて、次に、「ボールをよく見る」ことにしよう。精神的にも肉体的にも、最高のボールを返すことにエネルギーを注ぎ込むのだ。ボールが来るたびに。スコアがどうなっているかは知っている。しかしこういう精神状態になると、スコアはもうどうでもいいような気になる。もはや勝負は勝ち負けではない。ただボールを打つべし。これで勝てるとは限らない。しかし、「ボールをよく見る」選手のほうが、相手を苦しめるということはわかるだろう。

精神を何に集中させているかで結果が変わる。並の投資家はどれぐらい儲けられるかに集中するがそれは間違いだ。極端な場合、投資家は投資対象と「恋に落ちる」。コガネムシと同じように、あるいはドットコム（でもなんでも）・バブルに巻き込まれた投資家のように「こいつが私を金持ちにしてくれるんだ」と思い込む。投資の達人は過程に精神を集中する。たとえばジョージ・ソロスは「カオスに惹かれる。私の金の儲け方はそこにある。私は金融市場の進化の過程を読み解くことで稼ぐのだ（注5）」。ソロスの見方によれば、金融市場では平穏や秩序は一時的な休止に過ぎない。だから、仮説を作って実験し、カオスで収益を得るチャンスは尽きない。

ソロスの最も有名な投資であるポンドの売りを、クウォンタム・ファンドが行なった数ある投資の一つという、より適切な文脈で考えてみよう。一九九二年、ファンドは六八・六％のリターンを稼いだ。ソロスとドラッケンミラーがイングランド銀行に立ち向かっていなかったとしても、リターンは四〇％であり、ファンドの長期的な年平均リターンを大きく上回っている。一九九二年はソロスについて一番語られる年かもしれないが、実は彼が最高のリターンを出したのはこの年ではない。一九八〇年と一九八五年、ファンドの価値は二倍以上になっている。ソロスが達人であったからこそ、ポンドの取引で利益を得たのである。

ウォーレン・バフェットにとって事業の買収とは

「いつも最初に（事業のオーナーに関して）する自問自答は、『彼らは金（＝結果）が好きなのだろうか。それとも事業（＝過程）が好きなのだろうか』だ。というのは、もしも彼らが好きなのは金だったら、私が会社を買い取ったとたん辞めてしまうだろうから（注6）」

成功する投資家の多くは、投資に関することの中で、一番やり甲斐があり、熱中させられる部分として、最終的に見つけた投資対象そのものではなく、それを探す過程を挙げる。「（投資は）大掛かりな宝探しみたいなものだ（注7）」と株式トレーダー、デイヴィッド・ライアンは言う。「狩りが好きだ（注8）」と別のトレーダーも言っている。

これは論理的にもっともなことだ。投資の過程は探し、測り、買い、監視し、売り――そして間違いを検証する、という作業を伴う。ほとんどの人が重点を置く売買は、いずれもほんの一瞬だ。探したり監視したりする作業には時間がかかる。そして、どれだけやってもそれで十分ということがない。そういう行動をすること自体に喜びを覚える人間でなければ、そうした行為に熟練し、投資の達人の地位にたどり着くことはできない。

バフェットの一日

ウォーレン・バフェットは自分の典型的な一日を次のように表現している。彼もやはり、部下の経営者たちと話しているとき（つまり監視を実行しているとき）以外は、基本的に、探すことに焦点を絞っている。

そうだな、まず、会社へはスキップしながら行くね。で、座って読み物をする。それから七時間から八時間ぐらい電話で話す。うちの会社ではたくさん読むよ。自分たちがやりたいことはだいたいわかっている。私たちが探しているのは七フィート《セブン・フッター》のでかいやつ（訳注：バスケットボールで七フィートを超えるプレーヤーと言えばシャキール・オニールや姚明がやっているセンターのポジションで、ダンクやブロックを決める花形になることが多い）(注9)だ。

投資の達人になっても儲ければ嬉しいものだろうか。もちろんそうだ。しかし、達人にとって、本当の喜びは投資の過程にかかわったことから生じている。達人にとって一番大事なのは投資した対象ではなく、投資を決めた自分の基準なのだ。自分の基準に合わない投資対象にはまったく興味を示さない。そうした投資対象を持っていたとしたら、それは何か間違いを犯したということであり、それまでどう思っていようが、達人の態度はがらりと変わる。そして、一度自分の基準に合う投資対象だとわかれば、達人の関心は、次の投資対象探しへと移っていく。

第24章　それが人生だ

（バフェットは）二四時間（バークシャーのことを）考えているよ（注1）
——バークシャーの子会社のある従業員

仕事中毒の（ピーター・）リンチは朝も昼も夜も、株・株・株と一日三食株を飲み、株を食って生きている（注2）——ジョン・トレイン

成功する習慣22
一日二四時間、息をするように投資のことを考えて暮らす

達　人——一日中投資のことを考えている。

負け犬——投資の目標を（決めていたとしても）達成することに賭けていない。

一番楽しい暇つぶし

ある晩、バフェットと妻のスーザンが友人から夕食に招待された。彼らを招待した人は、ちょうど

エジプトから帰ってきたところだった。夕食の後、バフェットたちにエジプトのスライドをみんなに見せようと、友人が映写機を準備しているとき、バフェットが宣言した。

こうしよう。スーザンにスライドを見せてやってくれ。私はお宅のベッドルームを借りてアニュアル・レポートを読んでいるから[注3]。

バフェットにとってアニュアル・レポートを読むのは単なる楽しみではない。一番楽しい暇つぶしでさえある。バークシャー・ハサウェイの繊維の営業担当者であるラルフ・リグビーはこう言っている。「彼には金の儲かる趣味があるっていうことだよ。あれが彼の息抜きなのさ[注4]」

バフェット流のやり方はそれ自体が息抜きになっている。彼がプレッシャーを感じるのは、相場が正気を失ったかというほど安く、割安な投資対象がたくさんありすぎて金が足りないときだけだ。前回そんなことが起きたのは一九七四年で、このとき彼は「売春宿に踏み込んだ性欲絶倫男みたいな気分だ[注5]」と言っている。

トレーダーの生き方はこれとはまるっきり反対だ。極端になると、家中に金融情報端末を置いている。ベッドルームやバスルームにもだ。これで昼も夜も、いつでも価格チェックができるというわけである。マイケル・マーカスが多忙な為替トレーダーだったときのことを書いている。

為替市場は二四時間やっているのでとても疲れる。寝てからも、ほぼ二時間おきに起きて、市場をチェックしなければならない。オーストラリア、香港、チューリッヒ、ロンドンと、主要な

市場は全部追いかけていた。おかげで結婚生活は破綻した。（注6）

為替取引をやりたければ、眠れない夜やぶち壊しの週末といつも付き合っていかなければならない。プラザ合意でドルが下落した一九八五年九月の日曜日にソロスがそうであったように、いつも神経を尖らせていなければならないのだ。彼は日曜の晩に家から、すでに月曜の朝を迎えていた東京へ電話し、売れるだけのドルを売った。しかし、ソロスは自分の選んだ道に、もっと前から賭けていた。ソロスの両親がハンガリーを脱出して一年後の一九五七年一月、ニューヨークへやってきたとき、出迎えたのは兄のポールだった。「私は忙しかった。トレーディングの仕事をしていたのだ。一日も休めない。一日だってダメだった（注7）」

彼自身、それまで三カ月間ニューヨークにいただけだったが、ヨーロッパで株を買い、ニューヨークでそれを売って、一日中働いていた。

「四時半に起こされる。ロンドン時間の九時半だ。それからはだいたい一時間に一回起こされる。眠っていて、電話を取り、数字を聞いてビッドするかどうかを決める。ビッドを出してまた眠る。ちょうど買ったばかりの株が暴騰した夢をみて、目を覚ましたときに何が現実で何が夢だったかわからないこともよくあった（注8）」

それから職場へ行って、前の晩に買った株の買い手を探す。両親がニューヨークに到着してからも、数日間は会えなかった。もう一〇年も会っていなかったというのに。

投資は人生そのもの

投資の達人があれほど成功しているのは、達人は投資だけしかしないからだ。単なる仕事ではなく、人生そのものなのである。だから昼も夜も投資のことを考え、ソロスのように、夢にまで見る。暇なときにテニスなり歌なりを練習するだけで、ウィンブルドンで優勝できる人はいないし、オペラでパヴァロッティのような地位に上り詰められる人もいない。並の投資家で投資が生業でなくても、高い利益をあげることはできる。しかし、そういう人も、名人になろうと必死に努力する達人の熱心さは見習わなければならない。ウッドロー・ウィルソンは次のように述べている。

能力の代わりになるものはありうるが、粘り強くやり続けることに代わるものはない。能力では代わりにならない。能力があるのに成功しない人などいくらでもいる。天才も代わりにはならない。不遇の天才という言葉はほとんど決まり文句だ。教育も代わりにはならない。学のある落伍者も掃いて捨てるほどいる。粘り強さと決意だけが万能なのである。(注9)

易経にも言う。

忍耐に勝るものなし。

その他の投資家やトレーダーの言葉

エド・シーコッタ：私が成功したのは私が相場好きだからだと思う。私はたまたまトレーダーになったのではない。トレーディングは私の命だ。トレーディングに情熱を感じる。趣味や選んだ仕事でさえない。トレーディングこそ、私が生涯やるべきことだ。間違いない。(注10)

ルー・シンプソン：自分のやっていることが気に入っている。（中略）引退したら何をしたらいいのかわからない。(注11)

レネ・リヴキン：市場を愛している。市場は私の作品であり、私の出演する芝居であり、私の人生だ。週末は嫌いだ。株式市場が開いていないからだ。(注12)

リチャード・ドライハウス：他に何ができる？ きっと今と同じことをもっとやるだろう。ピアノを弾きたいという人はたくさんいる。でも、巨匠になれる人間が何人いる？ オリンピックみたいなものだ。練習練習、また練習。昔のことわざにもあったな、がんばった人には、何だっけ？ 成功は九九％の汗と一％のひらめきとか。成功するためには自分のやっていることの中毒にならなければダメだ。時間もすごくかかる。(注13)

マイケル・マーカス：面白すぎてやめられない。金が欲しいからじゃない。（中略）トレーディングが人生そのものになったら、興奮しすぎて苦しくなる。ちゃんとバランスの取れた人生をやっていれば楽しいけれど。(注14)

ポール・チューダー・ジョーンズ：トレーディングは人生とは何かを強烈に叩き込んでくれる。精神

的には、極限状態の中で暮らすことになる。（中略）他のやり方は知らない。(注15)

ローラ・J・スロート：自分のやっていることが好きだから週七日ずっとやっている。(注16)

ピーター・リンチ：（一九八七年に休暇でアイルランドに行ったとき）ブラーニー・ストーンにキスしている（訳注：観光名所。この石にキスをすれば、誰でも話術巧みに雄弁になれるとの伝説がある）その瞬間でさえ、そのことではなくダウ・ジョーンズのことを考えていた。(注17)

第25章　自分でつくったものを食べろ

私は（クウォンタム・ファンド(注1)を）自分自身の財産と同じように運用する。実際にそうしているも同然ではあるけれど――ジョージ・ソロス

成功する習慣23
全財産を賭ける

達　人――全財産を賭けて投資をする。たとえば、ウォーレン・バフェットの個人資産は九九％がバークシャー・ハサウェイの株式であり、同じように、ジョージ・ソロスも財産のほとんどをクウォンタム・ファンドに投資している。二人とも、個人資産の運命は彼らの運用に財産を任せた人たちとともにある。

負け犬――投資は個人資産にほとんど影響を与えない。実際、こういう人の投資活動はその人の財産を危険に晒すだけだ。投資資金（や損を埋めるための金）は、事業からあがる利益、給料、年金、ボーナスなどで賄う。

彼らの好きなやり方

彼自身の金はどこに置いているのかと聞かれたウォーレン・バフェットは「この界隈では自分でつくったものを食べるのだよ」と答えている。彼の個人資産の九九％がバークシャー・ハサウェイの株式である。フォーチュン五〇〇社のＣＥＯの中で、バフェットの年一〇万ドルの給料は最下位だ。ハーバードあたりから来たぽっと出の新卒ＭＢＡにも及ばない。バークシャーは配当を支払わないので、彼が手にする現金といえばそれだけだ。バークシャーの株を売らない限り、ということではあるが、バフェットは絶対にそうしようとしない。

現金が入り用になったら彼はどうするのだろう。億万長者になったのと同じ方法で、彼は自分の個人口座でも株を買っている。バークシャーの純資産に影響を与えられるだけの大きさがない、小さなチャンスに乗るためだ。いくらか現金が必要になったら、そういう株を売るのである。

同じように、ソロスも財産のほとんどがクウォンタム・ファンドだ。ソロス・マネジメントはファンドが得た利益の二〇％を報酬として受け取っている。そうした報酬が現物払い、つまり現金ではなくクウォンタム・ファンドの株式で支払われているなら、その株式を売却するまでは税金がかからない。だから、オープン・ソサイアティ財団を設立するためにソロスが自分の財産を使い始めるまでは、ソロスはクウォンタム・ファンドの四〇％を保有していた。

それぞれ、財産のほとんどがバークシャーやクウォンタムの株であるという点で、バフェットやソロスは世の起業家と変わらない。ビル・ゲイツの財産のほとんどはマイクロソフト株だし、ルパート・マードックの資産はニューズ・コープ株だ。マイケル・デルの財産がどうなるかはデル・コンピュータ株にかかっている。同じように、世界中で何百万人もの無名の事業家が、大物から小物まで、みな自分の会社に全財産を賭けているのだ。これはまったく当然のことだ。実際、成功している事業家なら財産のほとんどを自分の事業に注ぎ込んでいるだろう。彼らにとって、それが金を儲ける一番簡単な方法だからだ。それが彼らの好きなやり方だからだ。

導師《グル》の国で

しかし、「導師《グル》の国」へ足を踏み入れたとたん、世界は一変する。自分で作ったものを自分も食べている導師《グル》はめったにいない。これを投資の達人と導師《グル》を見分ける目安に使えばいい。投資の達人は投資家だ。投資の導師《グル》は占い師だ。ファンド・マネジャーだろうがニューズレター売りだろうがブローカーのアナリストだろうが金融アドバイザーだろうが関係ない。儲かる投資ではなく、意見を売るのが導師《グル》商売なのである。

では、マスコミに出てくる「導師《グル》」は自分の金を何に賭けているのだろうか？　いいツッコミだ。自分の金を運用してもらう人を探しているときには特に、必ず聞くべきだろう。自分でつくったものを自分では食べない投資の導師《グル》は、テレビで見る分には面白いかもしれない。しかし、その導師《グル》が「私の言う通りにしなさい。私のやる通りではなく」と言ったとしたら、その人に自分の金を預けたり、その人の言うことを聞いたりしたいとは絶対に思わないだろう（ただ、自分で言った通りのことを本当にやっているからといって、必ずしも儲けているとはいえないのも事実だけれど）。

成功している事業家が財産を自分の会社に注ぎ込むのと同じ理由で、投資の達人はみな、自分の金を賭けている。自分のやり方で投資をするのが、彼らにとって金を儲ける一番簡単な方法だからだ。そして、彼らはそういうやり方をするのが好きなのである。自分が、自分の投資戦略にどれだけの財産を賭けているか考えてみてほしい。出た答えは、自分のやり方にどれだけ自信を持っているかを示す一番いい指標になる。

第26章　天賦の才が必要？

「ウォーレンは私が観察した限りでは一番投資の天才に近い人だ（注1）」

——ポール・サミュエルソン

（引用者注：著名経済学者のサミュエルソンは効率的市場仮説の熱心な信者である。それにもかかわらず、彼はバークシャー・ハサウェイの株に大きな投資をしている。彼はそれで得た儲けで良心を慰めているとしか思えない）

「彼（ソロス）は頭がいいので、話すととてもためになる（注2）」——アラン・ラファエル

「私が会った中で一番頭のいい人は、どう考えても彼（バフェット）だ（注3）」

——リッチ・サントゥーリ

ソロスもバフェットも、明らかに天才の兆候を示している。二人は、投資の世界の先駆者である。二人とも、独自の投資手法を開発し、それを使って驚異的に成功した。二人とも、発明者にして改革者であり、投資の世界のトーマス・エジソンやアレキサンダー・グラハム・ベルになぞらえることができる。ということは、成功する習慣24は、天才である、ということになるのだろうか。

そうかもしれない。バフェットやソロスがやったことをすべてなぞりたい、まったく新しい投資手

法を発明して完成させたいと言う人ならば、ということだけれども。

電球を発明するのにはトーマス・エジソンやグラハム・ベルが必要かもしれないが、電球を一個替えるのにエジソンはいらない。電球を一個作るのだってそうだ。天才が切り開いてくれた道をたどっていけばいいのである。投資家の場合、バフェットやソロス、その他の投資の達人がみな従っている知的習慣や戦略に、道が描かれている。バフェットも言うように、「ロケット科学者である必要はない。投資は、知能指数が一六〇ある人が必ず一三〇の人に勝つ、そういうゲームではない(注4)」。

バフェットとソロスは、これまで説明してきた以外にも、共通する部分をたくさん持っている。二人ともアメリカに住んでいるし、政治的立場も同じだ（たとえばヒラリー・クリントンが上院選に立ったとき、二人とも資金援助を行なっている）。二人とも男性で眼鏡を掛け、「スーザン」という名の女性と結婚している。しかし、これらはいずれも投資の成功とは関係がない。

彼らには興味深い共通点がもう一つある。ウォール街企業で働く人たちが決まって取らされる証券業界の資格が多数あるが、二人のいずれも、そうした資格を一切持っていないのだ。一九九一年、バフェットがサロモン・ブラザーズのCEOになったとき、「証券会社に勤めるために、（株式ブローカーの資格である）シリーズ7を受ける羽目になった」と彼は言う。「しかし、通る自信がなかったので、CEOを辞めるまで受験を先延ばしにし続けた(注5)」

ソロスは、金融業界で働き出して間もない頃、実際に試験を受けている。結果は散々だった。

「ついに証券アナリストの資格までできた。専門資格のようなものだ。しばらく逃げ回った挙句、試験を受けたがありとあらゆる分野で落第だった。そこで、アシスタントに、お前が受けて、通れと命令した。その後六、七年はその資格は重視されないだろうから、その間に実績ができればもう資格はいらないし、うまくやれなければ、やっぱりそんな資格はいらないからだった(注6)」

世界最高の投資家二人が、試験に落ちたり、落ちるんじゃないかと思ったりする、そんな資格に果たして何か価値があるのだろうか。バフェットもソロスも持っていない資格なら、投資で成功するためにそんなものはいらないはずだ。必要なことは、ウォーレン・バフェットやジョージ・ソロスと同じ知的習慣を身につけ、同じ戦略に従うことなのである。

第2部　成功する習慣を身につける

第27章　基礎固め

復習

ある日、私がテニスのレッスンを受けていると、コーチが隣のコートを指して私に尋ねた。「あの人たちは何年ぐらいテニスをやっていると思う?」

隣のコートにいるのは五〇代後半か六〇代前半のカップル二組で、ダブルスをやっていた。しばらく彼らのプレーを見ていたが、私が教わったようなやり方をしている人は一人もいなかった。実際、一人は私がレッスンを受け始める前にやっていたような打ち方をしていた。

それで「数年ってとこじゃないかなと思うけど」と言ってみた。「もう一五年から二〇年になるんだよ」とコーチは言う。「彼らはレッスンを受けたことがないんだ。だからうまくならなかったし、今後もうまくならないだろう。あなたはまだ初心者だけど、習ったことをちゃんとやれれば彼らみたいなプレーヤーには十分勝てるよ」

ウィンブルドンに出られることはないとわかっていても、あるいはマスターズでタイガー・ウッズと回ることはないとわかっていても、プロのテクニックを学べば改善できることは多い。同じように、ウォーレン・バフェット二世やジョージ・ソロスの跡継ぎにはなれなくても、世界の偉大な投資家の習慣を学べば投資の結果も大きく改善できるだろう。

行きたいところへ出発する前に、今どこにいるかを知っておいたほうがいいだろう。テニスやゴルフのコーチが、最初に、いくつかボールを打ってみてくれというのはそのためだ。それでコーチはどのあたりのことからやればあなたの手助けができるかを判断するのだ。

そして私が、人に投資のコーチを頼まれて最初にするのもまさしくそれと同じことだ。過去に行なった投資の例や結果として得られた損益に関する質問をいくつかして、そこからその人の投資行動を導き出し、どんなよい習慣と悪い習慣が身についているかを特定するのである。そういうことは一人でも簡単にできる。成功する習慣23カ条のそれぞれについて、自分はどうかをチェックしてみればよい。すでに身についている習慣もいくつかあるに違いない。それはどれだろうか。また、達人のようなというより、負け犬のような行動をしたときのほうも、いつがそうだったかわかっただろうと思う。

それ以外については、あるときは達人、あるときは負け犬といったように、気分や投資対象によって変化しているだろう。これは第16章に出てきたジェフのパターンである。金を全部ずっと銀行に置いておき、投資を一切しなければ実際より財産が五〇〇万ドル多かったはずの私の顧客だ。ジェフは、過去のパフォーマンスを分析してみて、自分だけの判断に基づいて不動産に投資したときには利益が出ていると知った。「割安だぞって叫んでいるのが聞こえるようだったからね」と彼は言っていた。「タナボタってやつだ」。それ以外で彼が手を触れた金はみな鉛に変わった。不動産でさえそうだ――パートナーと相談して投資した場合がそうである。

何が違ったのだろう。彼は株をいつも他人のアドバイスに従って買っていた。そうやって損をしたうえ、不動産開発に数百万ドルを投じた。株式投資のアドバイザーと一緒にだ（一〇年たった今、元手が取り返せれば大変な幸運というべき状態だ）。

それではなぜ、彼はもっと自分で不動産投資をやろうとしなかったのだろう。彼は他の人たちが株で大儲けしているのを見て目が眩んだのだ。また、自分自身の強みと弱みを分析してみようなどとは夢にも思ったことがなかった。自称投資家の多くと同じように、彼がパーティーに持ってきたのは膨れた財布だけだったのだ。

勝ち負け

私がジェフに頼んだのは、それまで自分が行なってきた投資を勝ちと負けに分類することだった。これは自分がどんなことで正しく、どんなことで間違っていたかをはっきり特定できる強力な方法だ。単純に、自分が今まで行なった投資を二つの山に分ける。儲かった投資と損をした投資だ。そのうえで、それぞれの山に共通した特徴を探す。また、他方の山に入っている投資と違う点を探す。

それぞれの投資についてよく考えたうえで、自分が取った行動を考えてみる。なぜ買ったのだろう。買うまでにどんなことをしただろう。自分でリサーチをしたか、それとも誰かの意見に従ったか。一度決めたらさっさと行動したか、あるいはぐずぐずしていたか。ブローカーに電話するとき、やっていることを自分でわかっている自信があったか、それとも疑念が渦を巻いていたか（自信があったなら、それは自信過剰だったか）。投資したとき、どういうことが起きたら売るとわかっていたか。買えるだけ買ったか――それともちょっと賭けてみただけだったか。過去の投資を成功する習慣23カ条の文脈で分析すれば、投資における自分の強みと弱みを細かいところまで把握できる。

また、ジェフがそうであったように、自分がいつも勝っている種類の資産があったとわかるかもしれない。もしあれば、あなたの土俵である可能性が大きい。ジェフが儲けたとき、そうできたのは彼が自分のやっていることをわかっていたからだ。ジェフは私の指導の下、不動産投資で成功したときの行動や思考プロセスを特定し、それを他の投資分野でも用いるようになった。ほとんどの点で正しい行動がやれている顧客の場合、問題をいくつか残る弱点に絞ることができる。

私は負け犬だ

ジェフの問題は彼の行動だけではなく、もっと根が深かった。彼は基本的に、投資家としての自分は「負け犬」だと信じ込んでしまっていた。ちゃんと儲けている投資分野があると指摘すると、彼はただ、首を振って自分は負け犬だと繰り返した。「負け犬だってたまにはラッキーすることがあるさ」

ジェフには、成功する投資の習慣を身につけてもらう前に、まず自分に対する悪い信念を変えさせる必要があった。信念とは揺るがないものだと思われがちだが、実際、時間とともに信念は変わる。卑近な例でいえば、おそらくあなたもサンタクロースやイースター・バニー、歯の妖精なんかを信じていた時代があるだろう。思い返せば、もっと複雑な信念も、多くは時間とともに変わっているに違いない。

ジェフと違い、ウォーレン・バフェットやジョージ・ソロスは、自分は成功して金を儲けるに決まっている、自分の運命は自分が握っていると信じていた。投資で成功するためにはそういう信念が不可欠である。信念は往々にして経験に基づいてつくられる。あなたがジェフのような人なら、信念を変えるには誰かの助けが必要かもしれない。しかし、ほとんどの人の場合、成功する投資の習慣23カ条を練習して経験を積めば、自分に対する悪い信念を良い信念に変えていくことができるだろう。

ときどき、成功する習慣23カ条をすべて実践している人に出会うことがあり、とても嬉しくなる。そういうとき、その人の投資がうまくいっていることを確かめたくなるのだ。読者であるあなたが今どうかは私の側からはわからないが、あなた自身では簡単に評価できる。これから示すのは、正しい習慣を論理的な手順に則って身につけるためのロードマップだ。すでに23カ条すべてを実践している人でも、チェックリストを見て確認する価値は十分にある。自分でもそれとは知らずにちゃんとやっていることがきっと見つかるはずだ。

第28章　投資目的をはっきりさせる

目的と夢の違い

投資の達人は自分が何のために投資をしているかわかっている。知的興奮と自己充足のためだ（習慣20）。彼らの目的ははっきりしている。成功するためはあなたもまず目的をはっきりさせなければならない。引退後の生活のために投資しているかもしれない。それなら、投資の背後に横たわっている目的は安定だ。あるいは、チャーリー・マンガーのように、独立していたいのかもしれない。子供の幸せが基本的な目標かもしれない。

投資する理由を考えると、自分の金銭的な目標を正しい文脈でとらえることができ、結局そうした金銭上の目標は二次的なものだとわかる。金はもっと「崇高な」目的をかなえるための手段にすぎないのだ。それがわかったら、自分がその目的をかなえることに打ち込めるか、それとも、それは単なる夢なのか、考えなければならない。両者の違いはモティベーションである。夢とは、欲しいけれども別にそのために全力を尽くす気はないもののことだ。目的とは、そうする気があり、また、往々にして、そのために喜んで働けるもののことだ。投資の達人に疑問の余地はない。二四時間投資を暮らし、投資を呼吸して生きる。投資は達人の命だからだ（習慣22）。

バフェットやソロスの跡を継ごうというのでない限り、彼らのように極端なことはしないだろうし、またそうする必要もない。必要なのは、あなたの投資目的がなんであれ、それを実現するために時間とエネルギーを費やすことだ。金を失うと、目的の実現が遠くなるのは明らかだ。金を失うことが安定を手に入れるために役立つことはあるまい。より少ない金でより安定したりより独立していられたりすることがあるだろうか。もちろんないに決まっている。だからこそ、投資の達人と同じように、あなたの投資での第一目標は元本の確保だということになる。それがどれだけであろうと、今持っているものを守るのだ（習慣1）。

同じように、稼ぎ以上に浪費すれば、元本を取り崩す（か、借金を増やす）ことになる。そもそも、稼ぎよりつつましい生活をしてこそ投資の元手ができるのであり、元本を確保し、積み増すことも可能になる（習慣19）。元本を確保し、稼ぎよりつつましく暮らすという態度を金に対して持っていてこそ、下層階級や中産階級から抜け出せるだけの資産が手に入る。金持ちへの確かな道はそれしかない。

自分の投資ニッチは何か

成功している投資家についてあまり知られておらず、また通常見過ごされているのは、彼らは特化しているという点である。バフェットやソロスのような投資の巨人も数兆ドルに及ぶ投資市場の小さな一角を占めているにすぎない。何十億ドルも運用しなければならないわけではない私たちなら、ニッチは達人よりもさらに小さくてよいし、より焦点を絞ってよい。

投資ニッチは投資家の土俵で決まる。投資の達人と同じように、自分が何をやっているのかわかっている場合にだけ行動するべきである。つまり、自分の知っている範囲内で投資をし、不案内な界隈へ迷い出てはいけないということだ（習慣7）。だから、自分の土俵をはっきり決めることが非常に重要である。そうするためには、次のように自問しなければならない。

- ●自分は何に興味を持っているだろうか。どの資産クラス、投資のどの部分に熱中するだろうか。
- ●自分は今何を知っているだろうか。
- ●自分は何のことを知りたいだろうか。何を学びたいだろうか。

より詳細に、より具体的に答えられれば答えられるほどよい。そして、自分が選んだ分野を見て誰もが笑うからといって、出た答えを退けてはいけない。たとえば、家賃が厳しく統制されたニューヨークの不動産への投資に特化するべきだという答えが出たとしたらどうだろう。頭がおかしいんじゃないかと思うかもしれないが、決してそんなことはない。

実際、私の友人の一人はそういう投資をしていて、何百万ドルも稼いでいる。彼は他に何にもやっていない。彼は、ニューヨークの家賃規制を、裏も表も上も下も全部知っている。彼は最小限の修繕で家賃を引き上げる方法を知っているので、彼が買った不動産の転売価格が高くなるのだ。一方、ほとんどのニューヨーカーは家賃が規制されているアパートで家賃をうまく引き上げる方法があるのを知らない。だから、最後に笑うのは私の友人であり、しかもこの小さなニッチは彼の独壇場なのだ。

私の知っている医者は医療に関する知識を活用してヘルスケア関連株だけで勝負している。別の友人は、フロア・トレーダーとして培った技術で株価指数先物のデイトレーディングをやって生計を立てている。世界のどこかの浜辺からインターネットで取引をやっているのだ。

あなたにも普段やっていることや、自分の投資ニッチに組み込めるとわかっている分野があるはずだ。同じぐらい重要なのが、自分にわからないことや自分が知らないことをはっきり認識することである。バフェットも言っている。「ほとんどの人にとって投資で大事なのはどれだけ知っているかではなく、むしろ自分は何を知らないかをどれだけ正しく認識できるかだ」[注1]

自分の土俵を決めるのは不可欠の手続きだ――しかし、それだけではまだ十分ではない。真の投資の達人になるためには、自分の投資ニッチである土俵から一歩も足を踏み出そうとしないことである（習慣8）。誘惑に負けないことは、未熟な投資家にとって一番難しいことの一つかもしれない。しかし、達人たちと同じように、自分で選んだ分野に本当に惹かれているのなら、投資対象そのものではなく、投資のプロセスに関心が向かうはずである（習慣21）。このことで未知の領域に足を踏み入れないための防壁が築ける。

誘惑に対するもう一つの予防薬は成功である。私の顧客の一人は次のように言っている。「金の儲け方がわかったから、昔は『青』そうに見えた芝生が今では枯れているようにしか見えない」。もちろん、投資の初心者にとって、成功はこれから楽しみにするものであって、今日からすぐ頼りにできるものではない。今日できるのは、投資の達人がやったように、自分を自分の土俵に縛りつける投資哲学をつくり上げることである（習慣3）。

市場を動かすもの

市場の性質について、あなたも何らかの信念を持っているだろう。しかし、どのような信念かはっきりさせたことがあるだろうか。また、その信念が通用するか、矛盾がないか、検証してみたことがあるだろうか。さらに、その信念は投資する際あなたを導いてくれるだろうか。

目的が私たちを行動させるのと同じように、信念は行動を支配する。効率的市場仮説の信者で、市場は合理的であり価格はいつも「正しい」と思っている人なら、市場に打ち勝つのは不可能だと信じていることになる。そうした信念と合致するのはインデックスファンドに投資することだけだ。

第5章で見たように、投資の達人は、市場はときどき、あるいはいつも、間違っていると信じている。達人は、なぜそうなのかを説明する理論と、そういう市場で利益を得る術を持っている。投資システムがうまく機能するためには、現実と合致する投資哲学に基づいていなければならない。投資哲学とは次の各点に関する信念である。

- 投資の真実：市場はどう成り立っているか、価格が動くのはなぜか、損益を決めるものは何か
- 価値を判断するための方法を含む価値の理論
- 何をもって良い投資とするか

自分は、市場を動かすものは何であると思っているか考えてみよう。価格はファンダメンタルズを映しているのだろうか。それは長期のファンダメンタルズだろうか、それとも短期のファンダメンタルズだろうか。あるいは両方だろうか。

「ファンダメンタルズ」は幅広い意味を持つ言葉である。あなたにとってファンダメンタルズとは何だろう。マクロ経済一般の状態、たとえばマネーサプライや金利の変化、あるいは商品市場の需給のことかもしれない。むしろあなたは個別企業、あるいはそれぞれの業種の特性を調べるほうが好きか

もしれない。

ひょっとすると、価格とファンダメンタルズはほとんど、あるいはまったく関係がないと考えているかもしれない。価格を動かすのは投資家心理であり、あるいは特定の株について市場で売りに出されている量と、その株に興味を持っている買い手が何人いるかでそのときどきの価格が決まると考えているかもしれない。テクニカル・アナリストなら、そういうことは全部関係がなく、答えは「チャートの中にある」と信じているかもしれない。

自分の信念をはっきりさせるのに一番いい方法は、紙に書いてみることだ。何か大変な仕事のように聞こえるかもしれないが、ソロスみたいに複雑な理論をつくり上げる必要はない。市場の性質をどう思っているかだから、グレアムやバフェットのように単刀直入なものであってよい。彼らの信念は、市場価格はいつか背後にあるファンダメンタルズを反映するが、短期的にはそこから大きく乖離することがある、というものだった。

価格がなぜ動くと思うかをはっきりさせたら、投資哲学を確立するための次のステップは「価値」とは何かを定義することである。資産には測定可能な「本質的」価値があるとするグレアムとバフェットの考えに同調するかもしれない。あるいはソロスの側に立ち、「価値」とは市場参加者の認識や行動に基づいて絶えず変化していく、動く標的だと思っているかもしれない。あるいは、価値は測定可能だが文脈によって変わると考えるかもしれない。つまり、砂漠で喉が渇いて死にそうな人間にとって、コップ一杯の水は、あなたや私にとってよりもはるかに大きな「本質的」(で命にかかわる)価値を持っているのと同じだと考えるかもしれない。

バフェットの近道

ウォーレン・バフェットははじめて『賢明なる投資家』を読んで完全にハマった。ベンジャミン・グレアムはバフェットに、彼が探していたものをすべてひとまとめにして手渡してくれたのだ。すなわち、投資哲学、実証された投資手法、そして完成され、実証に耐えた投資システムだ。バフェットがやらなければならなかったのは、使い方を学ぶことだけだった。

グレアムはバフェットの師となった。バフェットはグレアムの下で学び、グレアムの下で働き、グレアムの「コピー」になった。もちろんバフェットはグレアムではない。だから、いつしかバフェットもグレアムのシステムから離れることになった。それでも、グレアムの土台の上に自分流を構築することで、投資の達人に至る学習曲線上で大きく飛躍した。「私にとって、巨匠のお膝元で数時間過ごすほうが一〇年間独自の思考を重ねるよりもずっと価値があるとわかった(注2)」とバフェットは述べている。

ジョージ・ソロスも師を選んだ。カール・ポパーである。しかし、ポパーの理論は直接投資には応用できない。ポパーの哲学的基礎の上に機能するシステムを構築するために、ソロスは何年も費やした。バフェットには必要なかった年月だ。「私がやったことで一番うまくいったのは、自分の英雄を正しく選んだことだ(注3)」とバフェットは言っている。

ソロスの弟子

スタンレー・ドラッケンミラーにとってのジョージ・ソロスはウォーレン・バフェットにとってのベ

ンジャミン・グレアムである。『ソロスの錬金術』を読んで、ドラッケンミラーはソロスを探し当てた。「ジョージ・ソロスは私のアイドルになった」と彼は言う。ソロスにクウォンタム・ファンドの運用の仕事を託されたとき、ドラッケンミラーに迷いはなかった。「（ソロスの下で働くのは）ハズレのない選択だった。起こりうる最悪の事態といえば、参加して一年でクビになることだったが、その場合でも、最後の授業を受けられたことになるわけだから(注4)」

師匠を選ぶ

何かを習得する最も早い方法は、その道の達人の下で学ぶことである。あなたにとって魅力的な投資手法を誰かがすでに完成させているのなら、なぜ改めて発明しなおす必要があるだろう。その人を探し当てればいい。必要なら（バフェットがグレアムに提案したように）タダ働きでいいから雇ってくれと言ってみることだ。それができなくても、遠くから師匠を見習うことはできる。その人やその人の方法に関するあらゆることを読み、研究するのだ。投資を検討するときはいつも、「師匠ならどうするだろう」と自問する。

誰かになりきることで、単に何かを読むだけでは、あるいは意識的に動作を真似しようと思っていては気づかない、その人の自然な振る舞いや性格を無意識のうちに身につけることができる。『レインマン』の撮影が始まる前に、ダスティン・ホフマンは演じる役の元になった人にべったり張りつき、影のように彼の真似をして過ごした。撮影中のあるとき、ホフマンは通りを渡っていて、途中で信号が変わった。台本には書いていなかったが、ホフマンは道の真ん中で立ち止まった。後日わかったことだが、それは元になった人がその状況で取る行動にぴったり当てはまっていたのだ。

師匠から学んだ方法を後になって修正するとしても、師匠を手本にすることで、ウォーレン・バフェットやジョージ・ソロスの成功する投資の習慣23カ条のほとんどはより容易に身につく。ウォーレン・バフェットの観察によれば、「人生の鍵になるのは、誰のバット・ボーイになればいいかを見抜くことだ」(注5)。

「よい投資」とは

何が価値だと思うかを特定すれば、自分にとってのよい投資が決まる。よい投資は一文で表現できなければいけない。次の例を考えてみてほしい。

ウォーレン・バフェット：将来の利益の割引現在価値よりも安い価格で買える優れた事業。
ジョージ・ソロス：再帰性による市場の心理・ファンダメンタルズの変化が起き、市場参加者の考える価値が大きく変化する前に売買できる資産。
ベンジャミン・グレアム：本質的価値を大きく下回る価格で購入可能な企業。

可能性は他にいくらでもある。もういくつか例を挙げよう。

乗っ取り屋：パーツの価値の合計が全体の価値より高い会社。
テクニカル・アナリスト：テクニカル指標が価格トレンドの変化を示している投資対象。
不動産投資家：購入し、修繕するのにかかる費用よりもはるかに高い価格で転売可能な不動産。

鞘取り業者《アービトラージャー》：ある市場で安く買えて、同時に他の市場で高く売れる資産。

危機投資家：何らかのパニックが市場を突き落とした後、焼け残り品特売のような価格で購入可能な資産。

自分がどんな投資に興味を持つかをはっきりさせ、価格と価値に関する自分の信念を特定できているならば、自分にとってのよい投資を定義するのは簡単だ。

投資についての個性

よい投資についてはバフェットに同意しているとしよう。ということは、バフェットを手本にすることになるのだろうか。そうとは限らない。たとえば、投資をするときにはバフェットのルールに従い、出口戦略についてはトレーダーがやるような移動ストップ・オーダーを用いてもよい。ベンジャミン・グレアムの投資戦略をさかさまにしたものを用いて成功している投資家も多い。つまり、本質的価値よりも価格がはるかに高い企業を見つけて空売りするのだ。

どんな種類の投資に焦点を絞るかを決めることに加え、投資戦略も選ばなければならない。自分に一番合ったやり方を選ぶ方法の一つとして、まず、自分は基本的にアナリストか、トレーダーか、それともアクチュアリか（第15章に登場した投資家の三元型）をまず判別する。ここまで読んできたなら、どの投資タイプが自分に一番合っているかおそらくわかっているだろう。もしもまだなら、自分の投資期間が長いか、短いか、中ぐらいかを考えなければならない。買って長く持つつもりだろうか。買いだけでなく、空売りもするだろうか。頻繁に売ったり買ったりするだろうか。プロのギャンブラーのように、純粋にアクチュアリ的なアプローチを使うだろうか。

関連することに、あなたの才能、技術、および能力がある。数学は好きだろうか。好きだからといってバフェットの足跡をたどらなければならないわけではない。むしろコンピュータを使った数学モデルに基づくトレーディング・システムを使って、平均的にはプラスの利益が期待できる資産クラスを選ぶ方法を好むかもしれない。つまり、純粋アクチュアリ的アプローチだ。あるいは、あなたは「会社は人だ」タイプの人間で、経営者や同業他社、販売会社、供給業者といった、企業に関係する人たちと話をすることで投資のアイディアを煮詰めるほうが容易だと感じるかもしれない。あるいは、取引所のフロア・トレーダーたちの感情を読むほうが得意かもしれない。

大事なことは、自分の個性に合い、自分の技術や能力を最大限に利用できる方法と戦略を採用することだ。手っ取り早い方法の一つは、自分の心に一番響くアプローチが見つかるまで、いろいろな投資家やトレーダーを研究することである。そういうアプローチが見つかったら、自分の投資システムを構築する番だ。

鞘抜き業者は早死にする

ジョージ・ソロスがニューヨークのF・M・メイヤーに雇われたとき、彼の就労ビザの申請は却下された。二五歳で何かの専門家だなどということはありえないというのが理由だった。メイヤーは伝説的な人物フランツ・ピックに相談した。世界中の金《きん》および通貨の自由（当時では、つまり闇）市場を分析し、『闇市場年鑑』を発行していた人物だ。

「ピックはソロスを後押しする供述書を提出し、鞘抜き業者という仕事は苦労が絶えず、その手の人々はいつも健康や神経に大きな負担を抱えており、若くして死ぬことが多いと主張した(注6)」。ピックの供述書でソロスはビザを勝ち取った。若死にはしなかったものの、ピックがどう見てもやりすぎの手紙で予見したように、ソロスはそのうち燃え尽きた。一二年後、ソロスの弟子スタンレー・ドラッケンミラーも同じ運命をたどった。それに比べると、バフェットが引退しようと自分で思う年齢までバークシャーを経営し続けるのは想像に難くない。彼はとても長生きすることだろう。

自分の手法を選び、投資システムを構築する際、ストレスは考慮しなければならない要因の一つである。トレーダーとして成功する人はストレスにいろいろな方法で対処する。たとえば運動をしたり、瞑想したり、完全な休暇を取ったり――あるいはストレスのレベルを下げるかストレス自体を除去するために、システムを変更したりする。

第29章　あなたは何を測るのか

測れないものなら手に負えない（注1）——イーベイCEOメグ・ホイットマン

自分の安全余裕度

投資哲学、投資手法、および投資システムを結ぶのが投資基準だ。

自分の投資ニッチにたくさん優良な投資対象があるとき、どうやって買うべき銘柄を選べばいいのだろう。他をはるかに凌ぐ、ホームラン級の銘柄をどうやって見分けるのだろう。自分の投資基準すべてに合致する銘柄がそうだ。優良な投資対象の持つ特徴を定めた詳細なチェックリストに照らせば具体的な投資対象の質を測ることができる。

思い出してほしいが、バフェットは、経営の質、ブランドの性質、競争における立ち位置の強固さ、価格決定力、ＲＯＥ、そしてもちろん価格といった要素でよい事業の質を測る。一方ソロスは、投資に関する自分の仮説を次々と起きる事象で測る。

投資基準は自分が選んだニッチの性質のうち、現時点で測ることができ、長期にわたって安定した利益をもたらすと判断できるものを示す。投資基準は投資システムに欠かせない六つの要素を特定する。すなわち、何を買うか、いつ買うか、いつ売るか、いくらで買うか、投資した後思った通りに事態が進んでいることをどうやって知るか、そして投資対象を探しているときは何に焦点を当てるか、である。だから、投資基準はできるだけ詳細に決めなければならない。

第6章で見たように、完成した投資システムは一二の要素を持つ。それら一二の要素を一つにまとめ上げているのが、達人の最も重視する、元本の確保である。達人は能動的にリスクを避けることで元本を確保する（習慣2）。自分のシステムのあらゆる箇所に、自分の好むリスク管理方法を取り込むことで、達人はリスク回避を実現する。

バフェットの基本的なリスク管理手法は、彼が「安全余裕度《マージン・オブ・セイフティ》」と呼ぶものを常に持っておくということである。この言葉はベンジャミン・グレアムとウォーレン・バフェットに結びつけられているが、実際は、成功している投資家はみな、自分流の「安全余裕度」を持っている。彼らはそうやってリスクを最小化する。ソロスのようになるのだと心に決め、海図のないところに来てしまったとわかった瞬間急いで逃げるよう自分を訓練してもいい。まず売れ、考えるのは後だ、である。あるいは、アクチュアリ的な方法でリスク管理をやってもいい。どのような「安全余裕度」を選んでもいいが、ちゃんと機能させるためには、その安全余裕度がシステムの基盤の一つになっていなければならないし、システムのルールに織り込まれていなければならない。

基準の適用

投資の達人は事業を行なうように投資する。つまり、特定の投資に特別の関心を持たず、同じ投資システムを継続的に何度も用いて得られる結果全体に関心を持つ。手続きとシステムを確立し、長期で高いリターンをあげることを目指す。投資のプロセスに精神を集中するのだ（習慣21）。

投資する資産の種類、自分の基準、およびリスク最小化の方法を決めたら、次は達人の長期的視野を獲得するためのルールと手続きを確立する。まず、ポートフォリオの構造を決める。株に投資するか、株とオプションか、先物はどうか、プット、あるいはコールを売るか、スプレッドやストラドルのポジションは持つか。不動産に投資するか。商品に焦点を当てるか、あるいは通貨、それとも債券か。あるいは、注意深く選んだマネー・マネジャーに投資の意思決定を任せるか。これらはたくさんある可能な選択肢のほんの一部にすぎない。そうした意思決定（もちろん投資ニッチを決めたときに自動的に決まっているかもしれない）が済んでもまだ、市場に飛び込む前に決めておくべきシステムの要素がいくつかある。

レバレッジを使うか。先物を使うなら、当然レバレッジを使うことになると思うかもしれないが、実はそうでもない。レバレッジを使う場合は、いつも事前に計画を組み、レバレッジを使うのだとはっきり意識していなければならない。口座の現金残高と同じ契約金額の先物取引をすれば、証拠金率は一〇〇%であり、現物株の取引を行なったのと同じだ。

ソロスもバフェットもレバレッジを使うが、二人とも現金をたっぷり持っている。投資の無意識的能力を獲得するまで、「現金をたっぷり持つ」という部分に関しては彼らに習うのが賢明である。そういう境地に達してもなお、達人に習い、レバレッジを使うにしても控えめにしておくべきだ（そして追加証拠金は決して入れてはいけない）。

どうやって税金と取引コストの影響を最小化するか。達人は長期での複利効果を重視する。複利効果を向上させるには（習慣6で見たように）取られる税金を最小化し、取引コストをできるだけ抑えるようにシステムを構築すればよい。その方法はたくさんある。投資対象にもよるし、どこに住み、資産をどこに置いておくかも影響する。私のようにこの点については過激派ならば、身の回りを整理してほとんど税金を支払わなくてもいいようにするべきかもしれない。

どのような状況にあるにせよ、全力を尽くして税金は先延ばしにするか抑制し、できるだけ長く無税で複利効果を享受できるようにしておくべきである。そうすれば、投資の意思決定にまったく頼ることなく、金利の複利効果で年率リターンを数％改善することができる。

人に任せるべきことは何か。銀行免許と株式や商品の取引所会員権を持っているのでなければ、投資にかかわる手続きの少なくともいくつかは人に任せることになる。

ブローカーや銀行で口座を開くことが権限の委譲だと気づいている人は少ない。しかし、あれは権限の委譲なのだ。誰かを雇い（そもそも、誰を雇ったのか意識しているだろうか）、自分の金の面倒を見てもらうことになるのである。任せたいと思う相手に任せているだろうか（銀行やブローカーも倒産する。預金保険や投資家保護基金、確かにそういうものもあるが、金を返してもらうのにどれだけ時間がかかるだろう）。自分の求めるだけのサービスと注文執行能力をその相手は持っているだろうか。金持ちになればなるほど、そして事情が複雑になればなるほど、人任せにしなければならないことも多くなる（習慣18）。弁護士、会計士、税理士、信託銀行、さらにその他いろいろなアドバイザーなどというものまで必要になるかもしれない。

買うならどれだけ買うか。投資の達人は、自分の基準に合う投資対象を見つけると、買えるだけ買う。達人にとって制約条件は使える金がいくらあるかという点だけであり、その結果ポートフォリオは集中する。分散投資はしない。

投資の達人を雇えばいいか？

「凡庸なトレーダーは、優れたトレーダーを見つけて自分のためにトレーディングをやってもらい、自分は何か好きなことでもやっていればいい」――エド・シーコッタ(注2)

投資信託の残高や運用会社の運用資産額から判断するに、大多数の人たちは投資のプロセスを丸ごと人任せにするようだ。これは当然あってしかるべき選択である。投資には時間とエネルギーが必要で、私たちの多くは、そうした時間やエネルギーを何か他のことに使ったほうがいいからである。そういう選択をしてもなお、エド・シーコッタの助言に従って、誰か優れた投資家を見つけ、その人に自分の金を運用してもらえば、高いパフォーマンスをあげることができる。

しかし、どうやって優れた運用担当者を見つければいいのだろう。もちろん、成功する投資の習慣23カ条に従っている人を探せばいい。また、あなたの性格に合った投資スタイルを持つ人を見つけるのも重要である。明らかに、ウォーレン・バフェットは子会社のGEICOで投資を担当するルー・シンプソンを信頼している。シンプソンがバフェットと同じ投資哲学を持ち、同じ手法を用いるからだ。一方、商品トレーダーに金を預けたとしたら、バフェットは夜も寝られないだろう。たとえ雇ったのがジョージ・ソロスその人であってもだ。

投資にかかわる仕事を誰かに任せてうまくいかせるためには、自分の投資哲学と自分が好むスタイルをはっきりわかっていなければならない。そうしてはじめて、あなた自身がやりたいと思っているのと同じやり方であなたの金を運用してくれる人を見つけることができるのだ。少なくとも、運用を任せる相手が明確な投資哲学と完全な投資システムを持ち、そのシステムは哲学に基づいて論理的に構築されているか、その相手は「引き金を引く」のがうまいか――そして、「自分のつくったものを自分で食べているか」を確かめなければならない。

ほとんどの投資家はトラックレコードを見たり、ブローカーや友人の推奨に従ったり、心地よいセールス・トークに乗ったりして運用担当者や投資信託を選ぶ。そういうものは運用担当者の長期的なパフォーマンスと何の関係もない。運用担当者がバフェットやソロスの知的習慣や戦略にどれぐらい忠実に従っているかで評価を行なえば、あなたの投資のリターンはきっと改善する。

自分の投資ニッチに特化すると、行なう投資はみな同じカテゴリーになる。伝統的な意味での分散投資は窓から投げ捨てることになる（習慣5）。それでも、投資のアプローチがどのようなものであれ、「ポジションの大きさ」を決めるルールは決めておかなければならない。言い換えれば、ポートフォリオのどれだけをそれぞれの投資対象に投じるか、ということだ。投資対象ごとに額が違っているなら、それはなぜなのか。

ある意味、ポジションの大きさを決めるのは、自分のやっていることにどれだけ自信を持っているかだ。見た瞬間にどれぐらいお買い得かわかるようになれば、あなたは喜んでありったけ注ぎ込むだろうし、それで十分居心地もいいだろう。

市場のパニックのような、システマティックなショックに対して自分のポートフォリオをどうやって守るか。ＬＴＣＭの創設者たちは、自分たちのシステムをつくり上げたとき、彼らが「ファイブ・

シグマ・イベント（標準偏差五個分の事象）」と呼んだ事象を無視した。そういう事象は統計的にめったに起こりえないというので、気にするほどのことはないと思ったのだ。

一九九七年にアジア金融危機が起き、その後すぐの一九九八年にロシアの債務がデフォルトして、LTCMを二つの「ファイブ・シグマ・イベント」が続けて襲った――その結果、彼らは破綻した。ファイブ・シグマ・イベントは、めったに起きないからといってまったく起こりえないわけではない。投資の達人は、最も極端な市場環境でさえ生き残れるようにポートフォリオと投資戦略を構築する。市場が一晩で崩壊しても、あなたは生き残って翌日投資を続けるだろうか。「イエス」と言えるようなシステムを構築しなければならない。

最初にやることは、市場ではどんなことでも起こりうるし、実際起こるのだと認識することである。頭の中で最悪のシナリオをいくつか考える。そのうえで自問するのだ。このうちどれかが起きたとしたら、自分はどうなるだろうか。そして、自分はどうするだろうか。すでに見たように、ソロスの場合、そうした市場全体のリスクに対応する手段の一つは、迅速な行動である。一九八七年の暴落の際、ほとんどの投資のプロが呆然と立ち尽くすなか、彼は素早く行動した。

バフェットの場合もソロスの場合もそうだが、投資の達人が基本として用いる防御策は、レバレッジを慎重に使うことだ。市場がクラッシュするたび、誰かが身ぐるみ剥がされたという話が伝わる。レバレッジを大きくしすぎていたためだ。達人は自分をそういう立場に置かない。彼らを見習うべきだ。いつもフル・インベストで行けというウォール街の格言には、またしても逆らうことになるけれど。

間違いにどう対処するか。投資の達人にとって間違いとは、自分のシステムに従わなかったとき、あるいは何かの要因を見落としていて、行なうべきではない投資を行なってしまったときである。

投資の達人と同じように、あなたも自分のシステムから離れてしまったのはいつかを認識し、見落とした可能性のある要因を知っておかなければならない。間違いを犯したと気づいたら、それを認めてさっさとポジションを手仕舞わなければならない（習慣14）。そのうえで、なぜ間違いを犯したのかを検討し、間違いから学ぶ（習慣15）。その際、自分で調節できること、つまり自分の行動に焦点を当てる。

だいたいの人にとって、間違いから学ぶ際に一番難しいのは、間違いを認め、自己批判し、自分の間違いを客観的に分析するという部分だ。何かを見落としていたなら、なぜ見落としたのか。どこかに隠れていてなかなか掘り起こせない情報だったのだろうか。以前は重視していなかった要因だからだろうか。速く動きすぎたのだろうか。経営陣を信頼しすぎていたのだろうか。ありうる間違いは山ほど存在して、今からわかっていることといえば、間違いを犯すことは必ずあるということだ。そうなっても、なんで自分がこんなために、などと考えてはいけない。投資の達人と同じように、二度と同じ間違いを犯さないようにすればいいことだ。

システムのルールのうち守っていないものがあったら、あなたはシステムを信じきっていないということだ（習慣13）。ここでも、それはなぜか分析しなければならない。思ったことではなく、感じたことに従っているのだろうか。ルールを意図して破ったのだろうか。躊躇しすぎたのだろうか。この種の問題は、システムを使い始めるときに起こる。あなたが学習曲線の始まりの部分に立っているからかもしれないし、つくったシステム自体かあるいはその一部があなたの個性に合っていないからかもしれない。重要なのは、間違いを認めたり、間違いを学習の機会としてとらえたりといった精神的態度を持っていることである。

火薬を湿らせるな

通念によれば、現金ポジションはポートフォリオの重荷になる。リターンは低く、インフレや税金を考慮するとマイナスになることも多い。しかし、現金には隠されたオプション価値がある。市場が暴落するとき、現金こそが王者だ。再構築コストの五倍、一〇倍で取引されていた資産が何分の一かで買えるようになるのだ。大きなレバレッジを取っていた競合他社は倒産し、現金をたっぷり持っていた会社だけが生き残って広い運動場を手に入れる。

銀行が金を貸すのは、金が必要でない相手だけだ——信用格付けＡＡＡの会社や、その銀行にたくさん預金している人などである。そんなとき、市場は、どんな価格だろうがとにかく資産を売って現金を手に入れなければならない人たちで溢れかえる。ポートフォリオに現金を残しておくことで身を守っていた投資家が大きく報われるのはこのときだ。人々は文字通り雪崩を打って出口へ殺到し、現金という名の希少な商品をほんの少し手に入れるために何でも投げ出すのである。

システムが機能していないように思えるときはどうするか。自分のシステムを信じ、システムに従っていて、しかも見落とした要素はないと確信していたのに損をすることがあるかもしれない。投資システムは機能しなくなることがありうるし、実際にそういうことが起きると知っておかなければならない。システムが機能していないと思ったら、まずやるのは市場から完全に撤退することである。つまり、一切合財手仕舞ってしまうのである。一歩下がって自分のやってきたことを隅から隅まで再検討する。投資哲学と投資基準も含めて、だ。

ひょっとすると何かが変化したのかもしれない。ひょっとすると、変わったのはあなたかもしれない。以前ほどは熱心でなくなっていないか。モティベーションは今も高いか。興味のある分野が変わっていないか。離婚や家族の死など、何か他の問題で消耗していないか。あるいは、燃え尽きたか？

完全なるシステム

完全な投資システムは次の一二の要素を含む詳細なルールを持つ。

1　何を買うか
2　いつ買うか
3　どんな価格で買うか
4　どうやって買うか
5　ポートフォリオのどれだけを注ぎ込むか
6　投資後の監視方法
7　いつ売るか
8　ポートフォリオの構造とレバレッジ

9　調査の方法

10　市場の暴落などのシステマティックなショックに対するヘッジ方法

11　間違った場合の対処

12　システムがうまくいかなかった場合どうするか

第6章の最初に示した表をコピーしてもう一列付け加え、「自分」の場合を書き加えてみるとシステムを構築する際の助けになるだろう。空欄のうちいくつかはすでに答えを出しているかもしれない。一二個全部埋められればシステムは完成だ。

変化はシステムの外で起きている場合のほうが多い。あなたの小さなニッチにまでウォール街の金融機関が山ほど資本を携えて押し寄せ、かつては厚かった利鞘があなたには抜けないぐらい薄くなってしまったのかもしれない。市場の効率性が上昇したのかもしれない。あなたが利用していた非効率性はもうそこには存在しないのかもしれない。

仕事の環境は変わっていないか。フロア・トレーダーがコンピュータ画面で取引をするようになると、取引所のフロアであれほどの稼ぎを出してきた自分のシステムが、実は、フロアの騒音や他のトレーダーの身振りといった手がかりに大きく依存していたのを思い知らされて驚くことがある。そういう手がかりを失った彼らは、相場感覚を取り戻すために新たなシステムをつくり上げることになる。

成功しすぎてさばききれないぐらいの金を手にしたのではないか。そういう要素はバフェットにもソロスにもある。こういう問題なら是非直面してみたいものだ。

そういったことをすべて検討したうえで、自分独自のシステムをつくり上げるのだ。時間をかけて一二の要素のすべてをカバーできたら、自分のシステムは完成だと思ってよい。

達人のベンチマーク

自分のシステムを実験する前に、システムが正しく機能しているかどうかを判断する基準を決めなければならない。最初のテストは、もちろん、それで儲かるかどうかだ。それで十分だろうか。儲かるならあなたは投資した資産に対して収益を得ているということだ。しかし、それは投資戦略を実行するために費やした時間とエネルギーに見合っただけのリターンだろうか。それを判断するには何らかの指標《ベンチマーク》と比較するしかない。バフェットもソロスも自分のパフォーマンスを三つの指標と比較してはかる。

1　元本は確保できたか。
2　その年に利益をあげたか。
3　株式市場全体をアウトパフォームしたか。

最初の二つが重要なのは言うまでもない。三つ目の指標は費やした時間に見合ったリターンかどうかを示す。つまり、あなたのシステムが、たとえば単なるインデックスファンドに投資したり、銀行に預けておいたりした場合よりも儲かったかどうかを示す。指標はそれぞれの金銭的目標と、自分の時間に対する評価で決まる。「万能薬」はない。自分で指標を作ってはじめて自分のシステムが機能しているかどうかを判断できるのだ。

賢い分散投資

（第7章で見たように）分散投資で平均以上に儲かることはないという理由で、投資の達人は分散投資を退ける（習慣5）。

しかし、あなたの目的が元本確保だけなら、賢い分散投資は非常に有効な選択肢だ。「アホがアホを自覚すればアホはアホではなくなる」(注3)とバフェットも言っている。分散投資は単純で当たり前の戦略に思えるかもしれない。しかし、分散投資は特定の目標を達成するための方法にすぎない。だから、まず目標のほうを特定しなければならない。目標に合ったシステムを構築するのはその後だ。

ウォール街の俗説によれば、ポートフォリオのX％を債券、Y％を株式、Z％を現金に投資し、さらに株式市場への投資は、一般に「寡婦・孤児向け」と呼ばれる保守的な銘柄からリスクの高い「今月の特選」銘柄まで、さまざまなカテゴリーに分散投資するのがよい。しかし、この戦略の目的は（たまたまそうなることはあるが）元本の確保ではなく損をするリスクの抑制である。これら二つはまったく別物だ。元本の確保だけでなく、長期にわたって元本の購買力を増加させるという目的に分散投資をうまく応用できている投資戦略は、今まで一例しか見たことがない。ハリー・ブラウンが開発した手法で、彼は「恒久ポートフォリオ」と呼んでいる。彼によれば、このポートフォリオ戦略の目的は「将来何が起ころうが金銭面では安心でいるため(注4)」だ。

ブラウンの方法は、どのような資産でも将来の価格を予測するのは不可能だという考えに立脚している。しかし、価格は予測不能でも、さまざまな経済環境がさまざまな資産クラスにどのような影響を与えるかは予測可能であるとする。たとえばインフレ率が高いとき、通常金《きん》価格は上昇する一方、インフレ率が上昇するときには普通金利が上昇して長期債価格は下落する。不況の間、金利は低下するので債券価格は上昇し、場合によっては跳ね上がる一方、金《きん》や株式の価格は下落する傾向がある。ブラウンは「特定の経済環境との関係が明快で安定しているため、恒久ポートフォリオの基盤となる」四つの資産クラスを特定した(注5)。

株式：好況のときに利益をもたらす。
金《きん》：物価が上昇するときに利益をもたらす。
債券：金利が下落するときに価格が上昇する。
現金：ポートフォリオに安定性をもたらす。デフレのときポートフォリオの購買力を引き上げる。

各カテゴリーにポートフォリオの二五%を投資すると、ほぼ常に、いずれかのカテゴリーは価格が上昇している。もちろん、すべてのカテゴリーが下落するときもあるが稀である。恒久ポートフォリオを機能させるための鍵はボラティリティにある。各カテゴリーで最もボラティリティの高い投資対象を選ぶことで、全体の四分の一だけを占めるカテゴリーのリターンによる利益が、他のカテゴリーの下落による損失を上回る。したがって、ブラウンは、株式部分については非常にリスクの高い株式やそうした

恒久ポートフォリオとS&P500指標の比較

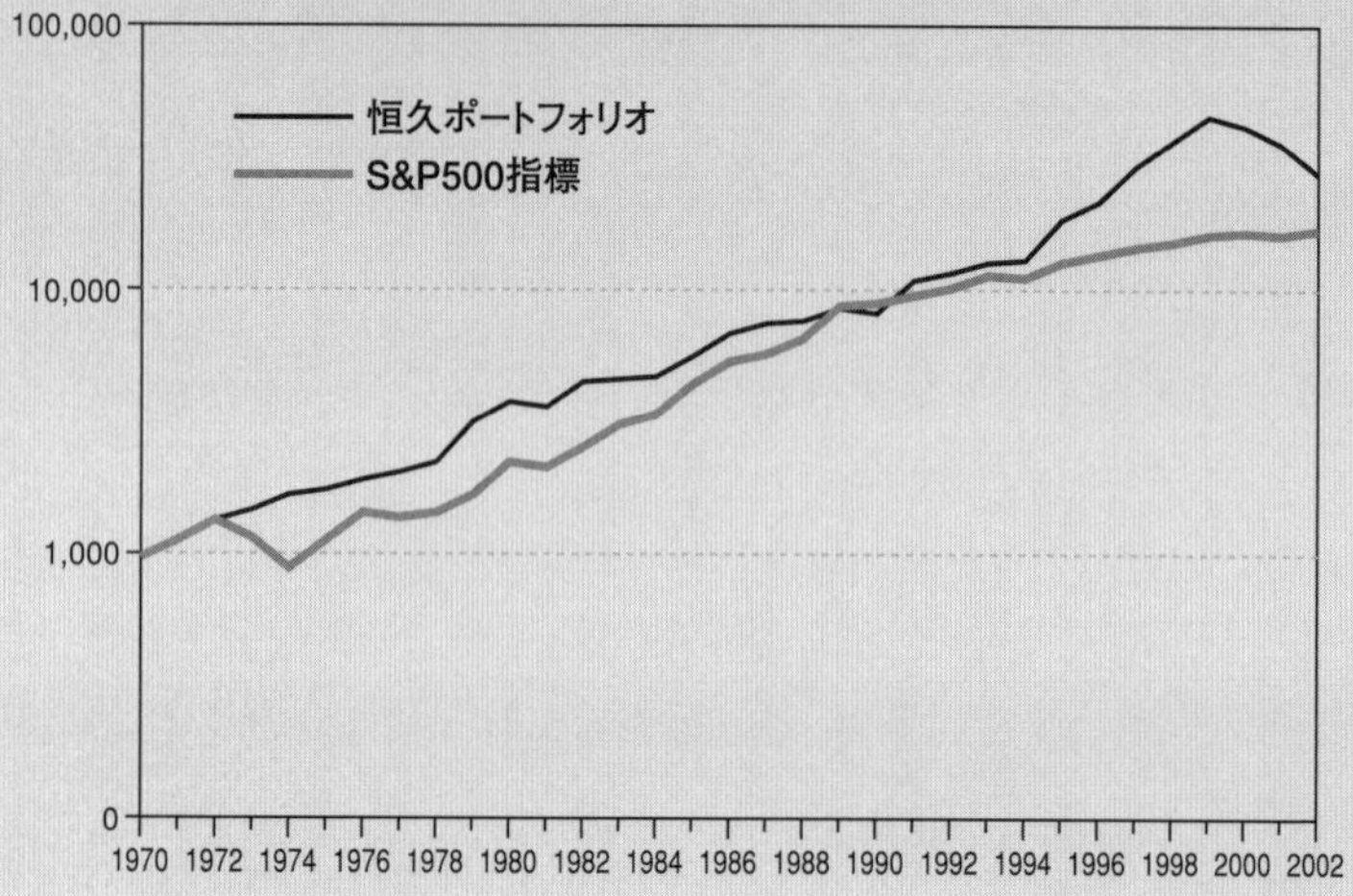

株式に投資する投資信託、長期ワラント（新株予約券）などを勧めている。同じ理由で、債券部分については三〇年債やゼロクーポン債（利息のない債券）がいいと言う。残存期間が数年しかない債券よりも金利変化にずっと敏感だからだ。金《きん》や現金をオフショアに置いておけば、政治リスクを防御するための地域的分散になる。たとえばスイスの銀行などが候補になる。

ポートフォリオは年に一回だけリバランスを行ない、各カテゴリーのウェイトを二五％に引き戻す。あとは文字通り、資産のことなど忘れて放っておいてよい。ポートフォリオの「回転率」は非常に小さく、通常一年間に一〇％程度だ。だから、取引コストも税金も非常に低く抑えることができる。働いて収入を得ている世代なら、毎年ポートフォリオに金を追加していける可能性が高い。このとき、恒久ポートフォリオ・アプローチの下では、通常、価格がより大きく下落した資産を買い増しすることになる。だから、多くの場合税金は債券の利息や株式の配当に対してかかるものだけだ。引退するまではキャピタルゲインに対する税金はほとんど支払わなくてすむ。

このやり方に基づくリターンは（一九七〇年から二〇〇二年で）年平均九・〇四％と非常に目覚ましい。同期間、S&P五〇〇指数は年平均一〇・七％だった。また、グラフが示すように、恒久ポートフォリオは、株式が投資家に眠れない夜を過ごさせている間に、粛々と上昇しているようだ。

ハリー・ブラウンの恒久ポートフォリオは、元本の確保と長期にわたる元本の購買力増加という目的に分散投資をうまく応用できている、よく考えられた投資戦略である。

バフェットやソロスが実現した数字に比べれば、この方法のリターンは大きく見劣りするが、それは投資に費やす時間とエネルギーが違うからだ。恒久ポートフォリオを成功に導くために費やす時間は一年にたったの数時間でいいが、他の投資システムは、ほとんどの場合、膨大な時間と労力を必要とする。

人生には、金の心配以外にやるべきことがあると思うなら、賢い分散投資は検討に値する選択肢である。ブラウンの恒久ポートフォリオ・アプローチを採用してもいいし、自分で独自の賢い分散投資手法を開発してもいい。重要なのは、ブラウンの恒久ポートフォリオと同じように、あなたが用いる方法も、完全な投資システムを構築する際に達人が用いる基準すべてを満たさなければならないということである。

第30章　無意識的能力を高める

本能――無意識――は統計よりはるかに信頼性が高い(注1)――フィリップ・キャレー

習慣ほど強い力を持つものはない(注2)――オウィディウス

システムをテストする

ここまでくれば、本物の金を現実の世界で賭けて自分のシステムを実験する段階だ。修行を積むときである（習慣16）。

ここまでで説明してきた手順をすべて踏んだなら、自分で選んだ投資ニッチについて意識的能力の状態に達しているはずである。うまく修行を積むとは、無意識的能力の状態に達し、自分のルールをすべて用いることが第二の天性であるかのように行動するようになることである。プレッシャーとストレスの下でどのような行動を取るかが決定的なテストになる。無意識のどこかに隠れていた古い習慣が顔を出し、あなたの邪魔をするのはそういうときだからだ。不要な習慣を新しい習慣に入れ替えようとすると、いつも反動が起きるものである。

無意識的能力の段階にたどり着くには、整然としたやり方でシステムを試験するとよい。やったことやなぜそうしたかをすべて記録に取るのだ。

まず、自分の基準に合う投資対象をどうやって見つけるかを決める。投資のアイディアはどこにでも見つかる。あなたが決めなければいけないのは、どの狩場へ行けば自分は一番得るものが多いかということだ。自分の投資ニッチを確立することで、実質的には投資の達人と同じように自分でリサーチを行なわなければならない立場に立ったことになる。

これは継続的な過程だということを認識するのが重要だ。ほとんどの投資家は反応型だ。つまり、彼らは自分の注意を引くものが見えるまで待つ。成功するためには投資の達人のように能動的にやらなければならない。必ず、自分の基準に合う投資対象をいつも探すのだ（習慣9）。買うものがなくてがっかりすることも多々ある。そういうときも、達人のように、探し続けることだ（習慣10）。

他のところ――ニューズレターでも雑誌でも友人でも――から投資のアイディアを得ても、必ず自分の土俵にとどまらなければならない。自分で自分の投資基準に合っているかチェックする必要がある。必然的に、自分で少なくともいくらかはリサーチを行なうことになる。

誰か敬意を抱いている人に自分の説明を聞いてもらって判断の正しさを「実験」したくなるかもしれない。その人があなたの投資の師匠ならそれも有効かもしれない。しかし、気をつけよう。モーリスは自分で使ったテクニカル・システムに従って取引を行なう売出し中のトレーダーだった。あるとき、彼は素晴らしい投資のアイディアを思いついたが、自信はあまりなかった。そこで、「専門家」として尊敬するベテランのテクニカル・トレーダーに話してみたところ、鼻で笑われた。それで、モーリスは何もしなかったので、後で散々後悔することになった。彼が見守るなか、その投資対象は彼が予測した通りに暴騰したからだ。「導師《グル》」の意見に惑わされることなく黙って（習慣17）自分の判断に従っていれば、モーリスは大儲けできただろう。

投資対象について自分で正しくリサーチを行なったなら、専門家だろうとなんだろうと、あなたより知っていることは稀だ。そのうえ、その専門家の判断のもとになったのはその人の方法、目的、および個性で、あなたのではない。さらに、「専門家」がよく考えて意見を言っているのかただバカと思われたくないだけか正確にはわからない。私自身が「導師《グル》」をやっていた頃、セミナーで誰かが近寄ってきて、コーヒーについて聞いてきた。私はコーヒー市場については初歩さえ知らなかった。しかし私は「導師《グル》」であったから、導師《グル》として何も意見を持っていないわけにはいかない。だから、その場で適当にでっち上げたことを話した。

自分の意見は自分の胸の中にとどめておけば、犯す間違いも自分自身のものということになる。誰か他の人の助言を聞けば、うまくいかなかったとき、その人のせいにしたくなる。そればかりか、自分で判断したわけではないことまで自分のおかげだと思うことさえある。修行を積むためには、自分で間違いを犯し、自分でそれを引き受け、責任を自分で取り、そしてその間違いから学ばなければならない。

ブローカーに電話する前に

自分の基準すべてに合う投資対象が見つかって、喜んで支払う価格で取引されていても、ブローカーに電話する前にやったほうがいいことがある。

1　**なぜそれを買おうと思うのか、またなぜ今思っている価格までなら買っていいと思うのかを紙**

に書く。

二年前に行なった投資のことを思い出してほしい。なぜ買ったのか覚えているだろうか。なぜその価格を（その頃は）喜んで支払ったのだろうか。ウォーレン・バフェットのような完璧な記憶力を持っているのでなければ、あなたの記憶はよくてもあいまいなものだろう。すべてを紙に書いておくことで、記憶も簡単によみがえるし、投資した資産がどうなっているか監視するのも容易だ。より重要なのは、投資がうまくいかなかったとき、振り返って何が間違っていたのかを検討することができる点である。

2　どうなったら売るかを紙に書く。

投資の達人は買う前に売りどきを決めている（習慣12）。このやり方は達人のシステムの重要部分になっている。並の投資家は普通何を買うかばかり考えている。売りは単なる後からの思いつきであることがあまりにも多い。売りどきになっても、自分がなぜそれを買ったのか、あるいは何がどうなると思って買ったのか、思い出せない。だから、売るという判断は、当初の買うという判断を再検証するという苦痛に満ちた作業、場合によっては単なる感情的な反応になる。

いつ売ればいいかわからないなら買ってはいけない。すべての投資について、予め決めた出口の基準を書いておけば、ほとんどの投資家に欠けている規律が得られる。この習慣を身につけるだけでも投資の結果は大きく違いうる。また、これは投資した資産がどうなっているか監視する際の手助けにもなる。さらに、正しい売りどきは間違いようもないほど明らかになる。

3　**投資対象に何が起こると予想しているかを紙に書く。**

これは簡単なはずだ。企業が市場シェアを伸ばし続けると予想しているかもしれない。あるいは、機関投資家がその株に殺到し、価格が上昇すると考えているかもしれない。あるいは、買収を予想しているのかもしれない。すべてがうまくいったら何が起こると予想しているにせよ、できるだけ詳しくそれを書き留めることだ。

4　**その他起こりうることを紙に書く。**

これはたくさん書くことになる。ここに例を書くのさえはばかられるぐらいの量だ。ほとんどの投資家の足をすくうのは予期せぬ出来事だと述べるだけで十分だろう。自分を訓練して、想像できる限り最悪の事態にも対応できるように自分を訓練しておかなければならない。

5　**予想と違って「その他起こりうること」のどれかが起きたらどうするかを紙に書く。**

あなたは市場の挙動に対してまったくの無力である。あなたにできるのは、どう対応するかを決めることだけだ。トレーダーのウィリアム・エクハートは次のように述べている。

老いたトレーダーが、かつて私にこう言った。「相場がどうなるか考えるな。それ自体はどうすることもできないからな。代わりに、相場がそうなったらどうするかを考えろ(注3)」

自分で立てたシナリオそれぞれについて、そのシナリオが実現したら自分はどうするかを書く。市場が「そうなったら」、あなたには自分がどうしたいかわかっている。バフェットはこれを「ノアの法則：雨を予知しても意味はない。方舟をつくってこそ意味がある」(注4)と表現している。

しかし、そうしたからといって、すぐに「引き金を引ける」ようになるとは限らない。そうなるためには「頭の訓練」と呼ばれるテクニックが役に立つ。各シナリオを頭に思い浮かべよう。それから、自分をその場に置いて、自分が思った通りの行動ができるかどうか見てみよう。次に、同じシーンを瞼に思い浮かべる。どんな感覚が湧き起こるかに注意して、冷静に習慣11を実行し、即座に行動するのが見えるようになるまでこの視覚化のプロセスを繰り返す。

投資が期待に達したり上回ったりするのを視覚化し、手仕舞って利益を得るところを練習しておくのも役に立つ。

間違いを犯したときはいつでも、このテクニックを使って、頭の中で自分が何をやったかを再現してみるべきだ。そして、やるべきだった行動を練習する。自分がコントロールできることに集中し、うまくいかないことやうまくいくことに慣れ親しんでおき、そうなったときに取るべき行動を練習しておけば、投資の達人のごとく、冷静に即座に行動に移ることができるようになる。

6　投資と自分のパフォーマンスを監視する。

自分の投資を監視するプロセスは、調査戦略の延長線上にある。当初、投資を決めたときとまったく同じ基準を適用し続けるのだ。書いて記録に残しているので、このプロセスは比較的容易だろう。投資対象が自分の基準に合致しているかどうかいつでもわかるし、何をしなければならないかを思い出すのも簡単だ。同じように重要なことだが、自分のパフォーマンスや対応を自分の意図に照らして評価することもできる。

自分の金を賭ける

はじめて自分のシステムをテストし始めるとき、うまく機能すると自信を持ってはいるが、確かなことは言えない。だから、この段階では、失っても何とかなる金の範囲にとどめておこう。「修行を積む」につれて、投資の達人の習慣が身につき、システムの有効性が実証され、あるいは必要に応じてシステムを調整したら、そのうち無意識的能力の状態に達している。考え直すこともなく自分の全財産をシステムに喜んで賭けるようになったら、それはあなたがこの段階に達したということだ（習慣23）。

第31章　思っているより簡単

私たちがやっていることは誰にでもできることです。非凡な結果を得るのに非凡なことをしなければならないというわけではないのです（注1）――ウォーレン・バフェット

執筆中の本書のことをとある女性に話したところ、成功する投資の習慣はいくつあるのかと聞かれたので、23カ条だと答えると、彼女はいきなり叫んだ。「23カ条ですって？　何でそんなにあるの？三つにできないの？」

残念ながら三つにはならない。習慣を23カ条すべて身につけるのは大変な仕事のように思えるかもしれない。しかし、ほんのいくつかを身につけるだけで、投資の結果はすぐにでも改善するのだ。

私がそうだった。私はベンジャミン・グレアムとウォーレン・バフェットのシステムを掛け合わせたようなものを用いて、香港上場でPERが低く、配当利回りが高く、経営がうまくいっている銘柄を購入した。買った銘柄の一つは思ったより経営がうまくいっておらず、そのうち上場廃止に追い込まれ、投資した資金は全部失われた。しかし、私はくよくよせず、前へ進んだ。

他の人たちがドットコム株で大儲けしているときにも、私は迷わなかった。システムに忠実にやったのだ。それでもインターネット・ブームのおこぼれに預かることができた。見本市などで展示ブースをレンタルしている会社の株を購入したところ、ある日、株価が前回チェックした一週間ほど前か

ら二倍になっていた。残念だったのは、ほんの数日前にはさらに高かったことだ。

ちょっと調べてみると、その株が上がったのは、アメリカ企業の子会社と、事業をインターネット上でも展開しようと相談していた――話をしていただけなのに――からだということがすぐにわかった。私はブローカーに電話して、その銘柄を売却してくれと言った。宝くじに当たったようなものだということが明らかだったからだ。当然のごとく、数カ月後には、この銘柄の株価は私が買った価格より下まで下げていた。

しかし、いつもそのときのように素早く行動できていたわけではない。実は、まったくそうではなかった。ある銘柄を、配当利回りが二五％（タイプミスではない。二五％だ）だからという理由でしばらく持ち続けていたことがあった。しかし、景気が悪くなって減配が行なわれ、株価は下落した。この本の仕上げにかかっている頃のことで、私の精神は本書のことに集中してしまっていたのだ。けっこう長い間ぐずぐずしていたので、すぐに行動していれば得られた売値よりもはるかに安い価格で売却する羽目になった。

成功する投資の習慣23カ条を完璧に実行できていたわけでは決してなかったが、それでも一九九八年から二〇〇三年の六年間に、私は香港株のポートフォリオで年平均二四・四％のリターンをあげることができた。

しかし、パフォーマンスがよくなる以外にも、成功する投資の習慣を身につけるといいことがある。投資判断をするとき、ずっとリラックスできるのだ。投資のプロセスはもはや心配のもとではなく、心の平安をもたらすものにさえなる。他人の成功を見ても、嫉妬、困惑、自信喪失とは無縁になる。むしろこんなことを思うようになるだろう。「ああ、ああいう投資のやり方もあるんだな。でも自分のやり方とは違う」。あなたは、もはや、躁鬱的に揺れ動くミスター・マーケットの気分に振り回されて感情的になったりはしない。

かつてあなたに取り憑いていた「投資の七つの大罪」に触れる迷信を頭の中から祓い出してみると、金融マスコミが書いていることやテレビの金融番組が言っていることの九〇％はまったく関係ないと突然わかるようになる。

金融マスコミは、儲けるためには市場が今後どうなるかを予測しなければならないと思い込んでいる。投資の大罪①だ。そういう妄想を捨て去ると、『ウォールストリート・ジャーナル』を毎日読まなければいけないとさえ思わなくなる。あるいは、私もそうだが、読んでバカにするものでしかなくなる。なぜテレビの金融番組なんぞを見て時間を無駄に過ごしたのだろうと思うようになる。

成功する投資の習慣23カ条を身につければ、自分独自の市場観や物事のやり方を身につけることができる。そうしてこそ、投資の世界で群れから一生離れて暮らすことができるのだ。

あとがき～もっと知りたくなったら

ウォーレン・バフェットやジョージ・ソロスの成功する投資の習慣についてもっと知りたくなったら、私が発行しているeメールでのニューズレターを読めばよい。習慣を身につけ、実践するための助けになるだろう。本書同様、このニューズレターは、投資家が成功する習慣を自分で実践するのを手助けするために発行しているものだ。あなたにとっても私にとっても「取引コスト」が安くなるよう、eメールでのみ発行している。

運用担当者、金融アドバイザー、機関投資家、その他投資のプロの皆様へ

本書の読者は注文の多い顧客になるだろう。一所懸命に働いて得た自分の金を預ける相手としてあなたが正しい人かどうか判断しようと、彼らはありとあらゆる厳しい質問をしてくるだろう。ジャンプ・スタートしよう。競争相手の一歩前へ出よう。マーク・ティアーがあなたの会社に優れた企業文化を根付かせるお手伝いをする。

興味のある方はwww.marktier.com/4managersへ。

www.marktier.com に行けば、バックナンバーを見ることができる。内容は次の通りだ。

●私の市場コメント。あなたがいつも見るものとはまったく異なっている。たとえば、市場に関する予測は行なっていないし、売買の推奨もやっていない。

●成功する投資の習慣を身につける際、他の人たちが直面した問題や障害と対処方法。他の人の間違いにも学ぶことができれば成功への近道だ。

●自分の質問や疑問を尋ねることもできる。どうすればいいか私がお答えする。

詳しいことやバックナンバーについては私のウェブサイトをご覧いただきたい。ウェブサイトでは、私の講義やセミナーなどのスケジュールも見ることができる。私は世界中で話をしているので、あなたのお近くでもお話しする機会がすぐにあるだろう。

あなたの投資の個性を見つけるために

私が独自に作成した質問表である「投資の個性プロファイル」で、あなたの投資の習慣を投資の達人の習慣と比べてみよう。自分のどこが間違っているか、そして、同じように大事なことだが、どこが正しいかを見てみよう。あなたの投資の強みと弱みの詳細な分析を行ない、また、勝てる投資の習慣を身につけるための、あなたに合ったやり方をご提案する。投資のパフォーマンスはすぐにでも改善するだろう。www.marktier.com/ipp であなたの投資の個性を見つけよう。

読むに値する投資本

投資本はすでに何千冊も出版されているうえに、毎月何十冊も新刊が出る。その中には読んだほうがいいものもある。私が読んで非常に役に立ったものを次に挙げる。その中には、本書の一部を拡張したものもある。

投資の七つの大罪

「投資の七つの大罪」に触れる迷信に惑わされているのなら、ウィリアム・A・シャーデン『予測ビジネスで儲ける人びと』（ダイヤモンド社刊）をお勧めする。シャーデンは、天気予報士からエコノミスト、市場の導師《グル》まで、予測を売り歩く人々全般をただこきおろすだけでなく、彼らの予測を、彼自身が「バカ正直な予測」と呼ぶものと比較して彼らのパフォーマンス評価まで行なっている。

バカ正直な予測は単純だ。明日の天気は今日と同じ、来年のインフレ率は今年と同じ、来年の利益はX％の増加で今年の増益率と同じ、といった調子だ。厳密な分析に基づき、シャーデンは、バカ正直な予測に安定して勝った人々は一種類だけだとの結論を得る。すなわち、天気予報士だ。しかし、彼らが勝ったのは四日後までの予測についてだけで、しかもそれでさえほんの少し上回っただけだった。だから、どこかの導師《グル》が相場を予測するのを聞いたら、どんな導師《グル》でも——平均では——単純バカな「予測」に負けることを思い出そう。つまり、明日の相場は今日と同じだという予測のほうがマシなのである。シャーデンは著書でそれを証明したのだ。

ハリー・ブラウンは著書『最高の投資プランがなぜいつも失敗に終わるのか（*Why the Best-Laid*

Invest-ment Plans Usually Go Wrong)』で過去における市場や経済の「素晴らしい」予測を集めて掲載している。予測をした人たちは今ごろそんなこと言わなければよかったと後悔しているだろう。投資の七つの大罪を祓い清めるには強力な法力が必要だ。これらの二冊にはそうした力が備わっている。

ウォーレン・バフェット

ウォーレン・バフェットについて書いた本が少ないとしたら、ネブラスカの小麦畑なんて本当に少ないと言ってよい。バフェット信者でない身にとって、問題はどれを読んでどれを捨てるべきかである。まず、ロジャー・ローウェンスタインによる伝記、『ビジネスは人なり 投資は価値なり』（総合法令出版刊）を読み、それからロバート・ハグストロームの『株で富を築くバフェットの法則』（ダイヤモンド社刊）を読むとよい。両方とも、バフェットの人となりと手法を紹介している。

本人の口から語ってほしければ、ローレンス・A・カニンガム編『バフェットからの手紙』（パンローリング刊）がいい。この本はバフェットがバークシャーのアニュアル・レポートに掲載している、パートナーや株主への手紙を抜粋し、題材ごとに分類したものだ。

それよりももっといいのは、バフェットからの手紙を全部読むことだ。バークシャー・ハサウェイのウェブサイト www.berkshirehathaway.com に一九七七年以降現在までの分がすべて掲載されている。また、バークシャー・ハサウェイは（一九七七年から一九九五年の）株主に対するバフェットの手紙を復刻している。二分冊で三〇ドルであり、Berkshire Hathaway, Inc., 1440 Kiewit Plaza, Omaha, Nebraska 68131 から直接に購入可能だ。

バフェットの手法をもっと詳しく知りたければ、ジェイムズ・オロッコリン『ウォーレン・バフェットの真髄（*The Real Warren Buffett*）』は非常にお勧めできる。

アンドリュー・キルパトリック『永久の価値（*Of Permanent Value*）』はバフェットの経験、投資、趣味、人生観（さらに何百ものバフェットの軽口や発言）に関する実話や逸話を集めた素晴らしい本だ。

（メアリー・バフェットとデイヴィッド・クラークによる）『億万長者をめざすバフェットの銘柄選択術』（日本経済新聞社刊）を読めば、バフェットの投資システムを理解する助けになる。ただ、注意が必要だ。著者たちはバフェットの銘柄選択能力を要約した公式を示しているが、これは単純化しすぎというものだ。単純化は何かを学び始める際には助けになるかもしれない。だから、この本を読むなら金を賭ける前に公式レベルを超えている必要がある。

読まないほうがいいのは、リチャード・シモンズの『誰でもわかるバフェット――投資家のためのステップ・バイ・ステップ・ワークブック（*Buffett Step-By-Step: An Investor's Workbook*）』だろう。『億万長者をめざすバフェットの銘柄選択術』同様、バフェットの手法を公式にしようとしている（そのうえ、方程式一本に要約してしまっているが著者自身説明しきれていない）が、『億万長者をめざすバフェットの銘柄選択術』と違って、この本はバフェットの方法を理解するために大して助けにはならない。

ウォーレン・バフェットについて述べた本はそれ以外にも多数あり、私はそのすべてを読んでいると思うが、ここで推奨した本を読めば、必要なことはほとんどわかると思う。

ジョージ・ソロス

残念なことに、ジョージ・ソロスについて書いた本はずっと少ない。彼の人となりも彼の方法も、バフェットに比べてずっと複雑でわかりにくいからであるのは間違いない。

入門として一番よいのはロバート・スレイターによる（非公認の）伝記、『ソロス』（早川書房刊）である。スレイターはソロスの投資手法と業績に焦点を当てており、ソロスのアプローチを理解するうえで、大きな助けになる。

もっと最近になって出た伝記である、マイケル・カウフマンの『ソロス』（ダイヤモンド社刊）は、ソロスや彼の論文について十分な情報を得たうえで書かれている。だから、ソロスの人となりもより深く描けている。さらに、当然、スレイターの著書に載っていないことがカウフマンの著書には多数掲載されている。カウフマンはソロスのオープン・ソサイアティ財団へも出入りを許されたので、ソロスの慈善活動についてもたくさん描かれている。

ソロスの投資手法を本当に理解しようと思ったら、ソロス自身の著作を読むことが重要だ。『ソロスの語るソロス（*Soros on Soros*）』はインタビュー形式で書かれており、『ソロスの錬金術』よりもわかりやすい。後者は必読ではあるが、ところどころ難解である。

ロバート・スレイターは、ソロスのトレーディング二四の秘密とでも言うべき『まず投資しろ、考えるのは後だ（*Invest First, Investigate Later & 23 Other Trading Secrets of George Soros*）』という短い本も出している。要約としては優れているが、内容のほとんどは自分の書いたソロスの伝記からの引用である。

その他の投資の達人について

その他たくさんの投資の達人について、見つけられる限り見つけて彼らの方法を研究するのは大変価値がある。バフェットやソロスの手法が自分に合わないとわかったなら特にそうだ。候補を挙げてみよう。

ピーター・リンチは自分の投資手法について『ピーター・リンチの株で勝つ』『ピーター・リンチの株式投資の法則』（ともにダイヤモンド社刊）を含む、数冊の本を出している。フィリップ・フィッシャーは最も注目されてよい人物である。彼の著書『フィッシャーの「超」成長株投資』は読むべきだ。ベンジャミン・グレアムについては、もちろん説明は不要だろう。『賢明なる投資家』は株を購入しようという人は必読であるし、本当にやる気があるなら『証券分析』も読むべきだろう。

バーナード・バルークも伝説の投資家だ。ジェームズ・グラントが素晴らしい伝記『バーナード・バルーク ウォール街の伝説的人物の冒険（*Bernard Baruch, the Adventures of a Wall Legend*）』を書いている。ジョエル・グリーンブラットは余り知られていない人だが、彼の『グリーンブラット投資法』（パンローリング刊）は強く勧められる本である。自分の投資ニッチに特化することの重要さを教えてくれる本だ。ジョン・トレインは『ミダスの手』『ファンド・マネジャー』『新ファンド・マネジャー』『マネーマスターズ列伝』（以上、日本経済新聞社刊）など、成功した投資家の手法を描写する本を出している。これらの著作はさまざまなアプローチに接するよい機会である。ピーター・J・タナウスの『投資の導師（*Investment Gurus*）』も同様の著作だ。

ジャック・シュワッガーは、『マーケットの魔術師』『新マーケットの魔術師』（ともにパンローリング刊）で、私たちの世代の偉大なトレーダーを発掘し、インタビューするという素晴らしい仕事をしている。トレーダーは自分のシステムや手法、思考のプロセスについて、ほとんどの投資家よりもずっとよく語る。先物取引なんて絶対やりたくないという人でも、これら二冊のインタビューを読めば、自分の投資システムを構築し、実験するやり方について、大いに参考になるだろう。

リスクと不確実性

投資で成功するにはリスクと不確実性に対する理解が不可欠だ。私が読んだ中で、このトピックに関する最も優れた著作はナッシム・ニコラス・タレブ『ランダム性に騙されて（*Fooled by Randomness*）』である。ピーター・バーンスタインもこのトピックについて古典的名作を書いている。『リスク――神々への反逆』（日本経済新聞社刊）だ。歴史に焦点を当てているものの、（『ランダム性に騙されて』同様）確率論を理解することの重要さをまざまざと教えてくれる。

確率

確率がわからなくては投資の達人にはなれない。確率論は非常に直観に反しているため、たくさんの人たちが混乱している。

そうした障害を乗り越えるための方法の一つがコリン・ブルース『まただまされたな、ワトスン君！』（角川書店刊）である。一連の短編で、シャーロック・ホームズと彼の助手であるワトソン博士は、偶然の法則に対するホームズの理解を通じてさまざまな犯罪や事件を解決していく。あなたの確率論に対する反応が、子供のヒマシ油に対するそれと同じようなもの（自分にいいことはわかっているが大嫌いだ）なら、この本は砂糖でコーティングしてあるから試してみるといい。

ゲイリー・ベルスキーとトーマス・ギロビッチの『賢いはずのあなたが、なぜお金で失敗するのか』（日本経済新聞社刊）は、金や投資のことになると私たちの思考過程がどのような間違いを犯しがちかを説明している。確率をいい加減に理解していると、もっと大きな問題につながるのだ。

確率論へのおそらく最高の――明快に書かれているという点で最高の――入門書は、『涙なしの確率論（*Probability Without Tears*）』だ。残念ながら現在では絶版だが、イーベイやアマゾン・ドット・コムで古本は手に入るだろう。

トレーディング

投資よりもトレーディングのほうが性に合っているという人なら、ヴァン・タープの『魔術師たちの心理学』（パンローリング刊）は必読である。トレーダーでなくても本書から得られることはたくさんある。タープはトレーダーが精神的な障害を乗り越えるのを助けることを専門とする心理学者だ。本書は商品トレーダー向けに書かれているが、タープが述べていることのほとんどは投資家にも同じように当てはまる。システムの構築の仕方、ポジション・サイズを決めることの重要さと影響について、他では見られない分析が述べられている。

稼ぎの範囲で暮らすこと

ジョージ・クレイソン『バビロンの大富豪』（キングベアー出版刊）はこの話題を扱った古典的名著だ。子供に読ませよう（もちろんあなたが読んだ後に）。

『金持ち父さん貧乏父さん』（筑摩書房刊）で、ロバート・キヨサキは銀行口座の残高はその人の信念と行動から得られた直接の結果だということを示した。金持ちは違う。彼らは金に対する考え方が違うのだ。キヨサキは違いを示しただけではない。金について金持ちと同じような考え方をし、その結果自分の財産も変えていくにはどうしたらいいかも同書で学べる。

トーマス・スタンリーとウィリアム・ダンコの『となりの億万長者』（早川書房刊）は、財産を貯めた億万長者には一つ共通点があり、彼らは稼ぎ以上に金を使っていない、ということを明らかにした。

税金

私は税金の専門家ではない。そうなる必要もないし、なりたいとも思わない。そんな私に言えることは、バフェットやソロスのやり方を踏襲し、税金（やその他の取引コスト）をできるだけ低く抑えるべきだということだ。だから、あなたに降りかかる税制についてはよく知っておく必要がある。私があなたの立場にいたなら、テリー・コクソンが著書『稼いだものを手放すな（*Keep What You Earn*）』で説明したやり方に従うだろう。

取引コスト

『ジャーナル・オブ・ファイナンス』（Vol. IV, No.2. April 2000）に掲載された論文であるブラッド・M・バーバーとテランス・オディーン、「トレーディングはあなたの財産を害します――個人投資家による普通株式投資のパフォーマンス（*Trading is Hazardous to Your Wealth: The Common Stock Investment Performance of Individual Investors*）」によれば、盛んに株式を取引する投資家のパフォーマンスは、平均では、バイ・アンド・ホールドに従う投資家をはるかに下回っていた。

この結論は、一九九一年から一九九六年における、とあるディスカウント・ブローカーの口座六万六四六五件のパフォーマンスを分析した結果である。やや専門的だが、読む価値は非常に大きい。http://faculty.haas.berkeley.edu/odean/papers/returns/returns.html に行けば、ＰＤＦファイルの形で読むことができる。

読むに値するその他の投資本

金融業界に直接関与していないが人々（学者を含む）の投資に対する見方については、バートン・マルキール『ウォール街のランダム・ウォーカー』（日本経済新聞社刊）、ジェレミー・シーゲル『シーゲル博士の株式長期投資のすすめ』（日本短波放送刊）、ロバート・シラー『投機バブル 根拠なき熱狂』（ダイヤモンド社刊）などがお勧めだ。チャールズ・マッケイ『狂気とバブル――なぜ人は集団になると愚行に走るのか』（パンローリング刊）は、群集心理がどのように市場を支配するかを研究した古典である。また、ロジャー・ローウェンスタイン『天才たちの誤算』（日本経済新聞社刊）もお勧めする。ＬＴＣＭと同じ間違いを犯さないためだ。

恒久ポートフォリオ・アプローチ

ハリー・ブラウンの恒久ポートフォリオのアプローチで投資をやろうと思うなら、すでに挙げた『最高の投資プランがなぜ普通失敗に終わるのか』が詳しく説明している。あるいは彼のウェブサイトwww.harrybrowne.orgで入手できる『安全装置付きで投資する（*Fail-Safe Investing*）』がいいだろう（彼のウェブサイトへ行けば、私の知る限りではどこよりもまともでよく書けている政治その他に関するコメントが読める）。ハリー・ブラウンの投資哲学に基づいて運用される投資信託を買うというのも一つの手だ。パーマネント・ポートフォリオ・ファンドという名前で、1-800-531-5142に電話すれば目論見書を送ってくれる（なお、私は同ファンドの外部取締役を務めている）。

コンピュータ・ゲーム

『レイルロード・タイクーン』（メディアクェスト）は素晴らしいコンピュータ・ゲームだが、次のような注意書きがあってしかるべきだろう。「警告：このゲームは中毒になることがあります」。私はこの問題について、あちこちの専門家と話をしている。

あなたは鉄道会社のCEOだ。自分で選ぶシナリオにもよるが、コンピュータが生成する最高で三人の競争相手と勝負する。インターネット上で本物の競争相手と勝負することもできる。自分の会社を資産、規模、収益性、旅客数などの点で最大にする、あるいはプレーヤー中最も金持ちになる（シナリオによってはこれらすべて、さらにそれ以上になる）のがあなたの仕事だ。

ゲームには景気循環が起きるようにしてあり、好況から不況、また好況と、景気は変動していく（ただし予測はいつも可能ではない）。また、プレーヤーは経営者なら誰でも直面する通常の制約条件、すなわち株式と債券のどちらで資金調達するか、何に投資するのが最もよいか（もっと鉄道を敷くか、汽車を購入するか、自分の業種に投資するか、競合他社を買収するか）等を与えられている。株式口座で自分の会社の株や競争相手の株を買うこともできる。信用取引も可能だ。

これはティーンエイジャー向けの素晴らしい教育ツールだ。それと意識せずに楽しんでいる間に、起業、経済、投資等について学ぶことができる。

レイルロード・タイクーンで学べる最大の教訓は、レバレッジについてである。レバレッジをかけすぎて追加証拠金が払えず、自分の全財産がものの数分の間に消えてなくなり、自分の会社が倒産するのは恐ろしい。しかし、そういう教訓はコンピュータで学ぶほうが、あなたのなれなれしいブローカーの助けを借りて学ぶよりも、ずっと安くつく。

謝辞

私はずっと金と心理学に惹かれていた。これらに対する興味が私を金融業界へ導いたのだ。本書で、私はこれら二つへの興味を一つにまとめることができた。

心理学への興味の一環として、私は神経言語プログラミング（ＮＬＰ）を学んだ。ＮＬＰは、端的に言えば、応用心理学である。そうするうち、私はマスター・プラクティショナーになった。

ＮＬＰの核になっているのは、誰かが何かをうまくやれるのなら、誰にでもそれをうまくやることを学ぶことができるはずだ、という考え方だ。「モデリング」と呼ばれるＮＬＰの手続きはその考え方の応用であり、ウォーレン・バフェット、ジョージ・ソロス、およびその他の偉大な投資家に共通する要素を探すというアイディアの基になった。

そういうわけで、まず、ＮＬＰの指導者を多数香港に連れてきてくれたジョージ・ジーに感謝したい。またジョージ・ジーが引退した後、ＮＬＰセミナーの運営を引き継いだレオ・アンガートにも感謝する。

ジュディス・デロージャー、ロバート・ディルツ、およびデイヴィッド・ゴードンから、私はモデリングの手続きを学んだ。本書の基礎をなす部分だ。

ロバート・Ｈ・メイアーは寛大にも、彼の持つ投資に関する論文やリサーチの宝庫を使わせてくれた。彼は二五年ほどにわたって市場を研究する間にそうした文書を収集している。下調べの過程で、これがとても役に立った。

今回、著作はチームでやる仕事だということを学んだ。本書に登場する概念の多くを形作る過程で、モーリス・クルーズの助言はたいへん助けになった。ティム・ステアモーズが数カ月間にわたって一緒に働いてくれなかったら、本書が完成することはなかったと言っても過言ではない。私が脱線しているのを指摘してくれた箇所は多数に上るし、彼の得がたい助けのおかげで叙述は非常に明快になった。

テリー・コクソンは原稿を読み、いろいろな点(および箇所)で改善する機会を与えてくれた。ミシェル・セリは、最終的には残らなかった数万語にわたるボツ原稿も含め、数回にわたって原稿をタイプしてくれた。そしてラケル・ナルカは、本書を形にする仕事が遅々として進まない中、ずっと支援を続けてくれ、また一度書き始めると価値ある提案をたくさんしてくれた。

さまざまな段階で、本書の原稿を読んでくれた人は多数いる。彼らのありがたいコメントのおかげで、本書を大きく改善することができた。次の人々に感謝したい。ラリー・エイブラハムズ、グロリア・アルタス、デイヴィッド・バーグランド、ブルーノ・ビッシンジャー、ノルマン・ドゥ・ブラッキンゲ、ベイ・バトラー、ヒュー・バトラー、ピーター・チェン、ロバート・W・チェシン、ロビン・フレミング、ローラン・グールネル、ジョン・グリーンウッド、ローレー・グレイナー、ドン・ハオプトマン、ダン・ローゼンタール、ブルース・ティアー、ホイットニー・ティルソン、クリス・ワディア、そしてアル・ザッカーマン。

付録Ⅰ　成功する投資の習慣23カ条

	達人	**負け犬**
1	最重要事項は**元本を確保すること**だと信じている。それこそが彼の投資哲学の礎石である。	「がっぽり儲ける」ことだけが目的。結果としてよく元本を失う。
2	(習慣1の結果として)**リスク回避的**である。	大きな利益は大きなリスクをとってこそと思っている。
3	自分の性格、能力、知識、好み、および目的に基づいて独自の投資哲学をつくり上げる。結果として、非常に成功している投資家の投資哲学は一つとして同じにはならない。	投資哲学を持たない、あるいは誰か他の人の真似をする。
4	投資を選び、**自分独自の**銘柄選択および売買手法を開発し、実証している。	手法を持っていないか、実証もせずに他人の手法を真似し、自分をそれに合わせている(その手法が自分ではうまくいかなければ、別のを真似し……やっぱりうまくいかない)。
5	分散投資なんて小鳥さんのやることだと信じている。	一つの投資に大きなポジションを取れるほど確信できない。
6	税金(や取引コスト)を嫌い、合法的に税金を最小化するべく手段を講じる。	税金や取引コストが投資の長期的なパフォーマンスに与える悪影響を見過ごす、あるいは無視する。
7	自分に理解できるものにだけ投資する。	自分のやっていることを深く理解することが成功の条件だとわかっていない。自分の知っている範囲に儲けるチャンスが(おそらくたくさん)転がっていることにほとんど気づかない。
8	自分の基準に合わない投資は拒絶する。合うもの以外には躊躇なく「ノー!」と言える。	基準自体持っていない。あるいは誰かの基準を真似している。欲に目が眩んで「ノー!」と言えない。
9	自分の基準に合った新しい投資機会をいつも探しており、自分自身で積極的に調査を行なう。十分な敬意に値する投資家やアナリストの言うことにだけ耳を貸す。	「千に一つ」の大ヒットのような安易な道を探す。その結果、往々にして「今月の耳寄り情報」に従う。いつも「専門家」らしき人の言うことを聞く。買う前に投資対象をよく研究するなんてことはめったにしない。「調査」と言えば、ブローカーやアドバイザー――あるいは昨日の新聞――から最新の「耳寄り話」を仕入れることを指す。
10	自分の基準に合う投資対象が見つからないときは、見つかるまでいつまでも待てるだけの忍耐力を持つ。	四六時中市場で何かやっていなければならないと思い込んでいる。

11	決めたらすぐに行動する。	ぐずぐずしている。
12	うまくいった投資は事前に決めた手仕舞う理由が現実になるまで手放さない。	利食うべきときを事前に決めておかない。ちょっと利が乗っただけで、それが損になったらと恐れ、すぐに手仕舞ってしまい、大きな利益を逃す。
13	神に従うがごとく自分のシステムに従う。	自分のシステムを持っていても、いつもシステムより先へ行こうとする。自分の行動を正当化するためにご都合主義的に基準を変える。
14	自分があてにならないことを意識している。間違いがわかったらすぐさま正す。その結果、損はほとんどの場合少しですむ。	「トントン」まで戻すと願いながらいつまでも失敗した投資にしがみつく。その結果、より大きな損を食らう。
15	いつも間違いを学習経験として扱う。	手法をころころ変えるので、手法を改良する方法を学ぶことができない。いつも「お手軽な修正」を探している。
16	経験を積めば積むほどリターンも高くなる。今では金儲けのために過ごす時間は減ったように見える。「修行は積んだ」	「修行を積む」必要があるのだとわかっていない。経験から学ぶことはほとんどない。一文無しになるまで同じ間違いを繰り返す。
17	自分が今やっていることをほとんど人に言わない。自分の投資意思決定について他人がどう思おうが気にしないし、心配もしない。	自分の今の投資について喋るのが大好きだ。自分の意思決定を、現実ではなく、他人の意見と比べて「実験」する。
18	すべてではないにせよ、ほとんどの仕事を他人にうまく任せている。	投資を決めるときと同じ調子で投資アドバイザーや運用担当者を選ぶ。
19	稼ぎに比べてずっとつつましく暮らしている。	おそらく稼ぎ以上の生活をしている(ほとんどの人がそうだ)。
20	刺激と自己充足のためにやる。金のためではない。	金のため。投資は金持ちになる簡単な方法だと思っている。
21	投資のプロセスに深い思い入れを抱く(また自己充足もそこで得る)。個別の投資対象には思い入れを持たない。	自分の持っている投資対象を愛す。
22	一日中投資のことを考えている。	投資の目標を(決めていたとしても)達成することに賭けていない。
23	全財産を賭けて投資をする。たとえば、ウォーレン・バフェットの個人資産は99%がバークシャー・ハサウェイの株式であり、同じように、ジョージ・ソロスも財産のほとんどをクウォンタム・ファンドに投資している。二人とも、個人資産の運命は彼らの運用に財産を任せた人たちとともにある。	投資は個人資産にほとんど影響を与えない。実際、こういう人の投資活動はその人の財産を危険にさらすだけだ。投資資金(や損を埋めるための金)は、事業から上がる利益、給料、年金、ボーナスなどで賄う。

付録II－①　ウォーレン・バフェットの運用成績：1956～2002年

年	年変化率[1]			1956年に投資した1,000ドルの価値[1]	
	バフェット・パートナーシップの純資産価値／バークシャーの一株当たり簿価[2]	ダウ・ジョーンズ30種・S&P500（配当再投資）[3]	バフェット対インデックス[4]	ダウ・ジョーンズ30種・S&P500[3]	バフェット・パートナーシップ／バークシャー（簿価）[2]
1957[5]	9.3％	-8.4％	17.7％	916.00ドル	1,093ドル
1958	32.2	38.5	-6.3	1,268.66	1,445
1959	20.9	20.0	0.9	1,522.39	1,747
1960	18.6	-6.3	24.9	1,426.48	2,072
1961	35.9	22.4	13.5	1,746.01	2,816
1962	11.9	-7.6	19.5	1,613.32	3,151
1963	30.5	20.6	9.9	1,945.66	4,112
1964	22.3	18.7	3.6	2,309.50	5,029
1965	36.9	14.2	22.7	2,637.45	6,884
1966	16.8	-15.6	32.4	2,226.00	8,041
1967	28.4	19.0	9.4	2,648.95	10,324
1968	45.6	7.7	37.9	2,852.91	15,032
1969[6]	16.2	-8.4	24.6	2,613.27	17,467
1970	12.0	3.9	8.1	2,715.19	19,563
1971	16.4	14.6	1.8	3,111.60	22,772
1972	21.7	18.9	2.8	3,699.70	27,713
1973	4.7	-14.8	19.5	3,152.14	29,016
1974	5.5	-26.4	31.9	2,319.98	30,612
1975	21.9	37.2	-15.3	3,183.01	37,316
1976	59.3	23.6	35.7	3,934.20	59,444
1977	31.9	-7.4	39.3	3,643.07	78,407
1978	24.0	6.4	17.6	3,876.22	97,224
1979	35.7	18.2	17.5	4,581.70	131,933
1980	19.3	32.3	-13.0	6,061.58	157,396
1981	31.4	-5.0	36.4	5,758.50	206,819
1982	40.0	21.4	18.6	6,990.82	289,546
1983	32.3	22.4	9.9	8,556.77	383,070
1984	13.6	6.1	7.5	9,078.73	435,168
1985	48.2	31.6	16.6	11,947.61	644,918
1986	26.1	18.6	7.5	14,169.87	813,242
1987	19.5	5.1	14.4	14,892.53	971,824
1988	20.1	16.6	3.5	17,364.69	1,167,161
1989	44.4	31.7	12.7	22,869.30	1,685,380

1990	7.4	-3.1	10.5	22,160.35	1,810,098
1991	39.6	30.5	9.1	28,919.26	2,526,897
1992	20.3	7.6	12.7	31,117.12	3,039,857
1993	14.3	10.1	4.2	34,259.95	3,474,557
1994	13.9	1.3	12.6	34,705.33	3,957,520
1995	43.1	37.6	5.5	47,754.53	5,663,212
1996	31.8	23.0	8.8	58,738.08	7,464,113
1997	34.1	33.4	0.7	78,356.59	10,009,376
1998	48.3	28.6	19.7	100,766.58	14,843,904
1999	0.5	21.0	-20.5	121,927.56	14,918,124
2000	6.5	-9.1	15.6	110,832.15	15,887,802
2001	-6.2	-13.0	6.8	96,423.97	14,902,758
2002	10.0	-22.1	32.1	75,114.28	16,393,034
	46年間の複利年率リターン：			**9.8%**	**23.5%**[7]

注：
1. 暦年での年間変化率。
2. 1957～1968年についてはバフェット・パートナーシップのリターン、運用報酬控除後。1969年以降についてはバークシャー・ハサウェイの簿価変化率。バフェット・パートナーシップの解散価値を全額バークシャー・ハサウェイに投資したものと仮定した。
3. バフェットがバフェット・パートナーシップを設立したとき、運用目標はダウ・ジョーンズ30指数を年10%アウトパフォームすることだった。バークシャー・ハサウェイはS&P500をベンチマークに使用している。
4. バフェットのパフォーマンスとダウまたはS&P指数の差。
5. 1968年まではバフェット・パートナーシップ。
6. 1969年から現在までバークシャー・ハサウェイ簿価。バフェット自身によるパフォーマンスの尺度。
7. この23.5%という数字はバフェットの46年間における複利年率平均リターンであり、バフェット自身のパフォーマンスの尺度であるバークシャー・ハサウェイの簿価に基づいている。本文中で用いた平均リターン24.7%はバークシャー・ハサウェイの株価に基づいて計算されている。

出典：バフェット・パートナーシップについてはロジャー・ローウェンスタイン『ビジネスは人なり 投資は価値なり』。バークシャー・ハサウェイの簿価についてはバークシャー・ハサウェイのアニュアル・レポート。

付録II－②　ジョージ・ソロスの運用成績：1969～2002年

年	年変化率[1]			1956年に投資した1,000ドルの価値[1]	
	クウォンタム・ファンドの純資産価値[2]	S&P500（配当再投資）[2]	ソロス対インデックス[3]	S&P500[3]	クウォンタム・ファンド（純資産価値）[2]
1969	29.38％	-8.4％	37.78％	916.00ドル	1,293.82ドル
1970	17.50	3.9	13.60	951.72	1,520.24
1971	20.32	14.6	5.72	1,090.68	1,829.09
1972	42.16	18.9	23.26	1,296.81	2,600.24
1973	8.35	-14.8	23.15	1,104.89	2,817.45
1974	17.51	-26.4	43.91	813.20	3,310.79
1975	27.58	37.2	-9.62	1,115.70	4,223.76
1976	61.90	23.6	38.30	1,379.01	6,838.06
1977	31.17	-7.4	38.57	1,276.96	8,969.45
1978	55.12	6.4	48.72	1,358.69	13,913.70
1979	59.06	18.2	40.86	1,605.97	22,130.91
1980	102.56	32.3	70.26	2,124.70	44,828.36
1981	-22.88	-5.0	-17.88	2,018.46	34,571.15
1982	56.86	21.4	35.46	2,450.42	54,229.58
1983	24.95	22.4	2.55	2,999.31	67,758.79
1984	9.40	6.1	3.30	3,182.27	74,128.24
1985	122.19	31.6	90.59	4,187.86	164,708.61
1986	42.12	18.6	23.52	4,966.80	234,079.03
1987	14.13	5.1	9.03	5,220.11	267,150.79
1988	10.14	16.6	-6.46	6,086.65	294,229.58
1989[4]	31.64	31.7	-0.06	8,016.12	387,323.82
1990	29.57	-3.1	32.67	7,767.62	501,855.47
1991	53.30	30.5	22.80	10,136.74	769,344.44
1992	68.11	7.6	60.51	10,907.14	1,293,344.94
1993	63.25	10.1	53.15	12,008.76	2,111,385.61
1994	3.95	1.3	2.65	12,164.87	2,194,785.34
1995	39.04	37.6	1.44	16,738.86	3,051,629.54
1996	-1.48	23.0	-24.48	20,588.80	3,006,465.42
1997	17.13	33.4	-16.27	27,465.46	3,521,472.95
1998	12.17	28.6	-16.43	35,320.58	3,950,036.21
1999	34.65	21.0	13.65	42,737.90	5,318,723.75
2000[5]	-15.00	-9.1	-5.90	38,848.75	4,520,915.19
2001	13.80	-13.0	26.80	33,798.41	5,144,801.48
2002	-0.05	-22.1	22.05	26,328.96	5,142,229.08

1969～2002複利年率リターン:	10.1%	28.6%
1969～1988複利年率リターン: （運用はソロス）	9.5%	32.9%
1989～2000/3/31[5] 複利年率 （運用はドラッケンミラー）	18.6%	26.6%

注：

1. 暦年での年間変化率（ただし1969年は1月31日からのデータ）。
2. クウォンタム・ファンドの純資産価値の変化率（2000年以降はクウォンタム・エンダウメント・ファンド）。運用報酬控除後。配当は再投資と仮定。
3. ソロスのパフォーマンスとS&P指数の差。
4. 1989年にスタンレー・ドラッケンミラーがクウォンタム・ファンドのアクティブ運用を引き継ぎ、ソロスは「コーチ」の立場になった。
5. 2000年3月31日まで。ドラッケンミラーは4月に引退している。

出典：クウォンタム・ファンドの1969～1984年についてはジョージ・ソロス『ソロスの錬金術』。1985年から現在についてはソロス・ファンド・マネジメント。

Longstreet Press, 1996. （トーマス・J・スタンリー、ウィリアム・D・ダンコ『となりの億万長者——成功を生む７つの法則』早川書房、1997年）
Steinhardt, Michael. *No Bull: My Life In and Out of Markets.* New York: Wiley, 2001.
Taleb, Nassim Nicholas. *Fooled by Randomness.* New York: Texere, 2001.
Tanous, Peter J. *Investment Gurus.* New York Institute of Finance, New York, 1997.
Tharp, Van. *Trade Your Way to Financial Freedom.* New York: McGraw-Hill, 1999. （ヴァン・タープ『魔術師たちの心理学 —— トレードで生計を立てる秘訣と心構え』パンローリング、2002年）
Train, John. *The Midas Touch.* New York: Harper & Row, 1988.
Train, John. *The Money Masters.* New York: Harper & Row, 1980. （ジョン・トレイン『ファンド・マネジャー——相場に賭けた９人の男』日本経済新聞社、1986年）
Train, John. *The New Money Masters.* New York: HarperBusiness, 1989. （ジョン・トレイン『新ファンド・マネジャー——相場を動かす８人の男たち』日本経済新聞社、1990年）
Train, John, *Money Masters of Our Time.* New York: HarperBusiness, 2000. （ジョン・トレイン『マネーマスターズ列伝——大投資家たちはこうして生まれた』日本経済新聞社、2001年）

Porter, Michael E. *On Competition.* Boston: Harvard Business Press, 1998.（マイケル・E・ポーター『競争戦略論』Ⅰ・Ⅱ、ダイヤモンド社、1999年）

Porter, Michael E. *The Competitive Advantage of Nations.* New York: Free Press, 1990.（マイケル・E・ポーター『国の競争優位』上・下、ダイヤモンド社、1992年）

Reynolds, Siimon. *Thoughts of Chairman Buffett: Thirty Years of Unconventional Wisdom from the Sage of Omaha.* New York: HarperBusiness, 1998.

Schlender, Brent. "The Bill and Warren Show." *Fortune*, July 20, 1998.

Schwager, Jack D. *Market Wizards: Interviews with Top Traders.* New York: New York Institute of Finance, 1989.（ジャック・D・シュワッガー『マーケットの魔術師――米トップトレーダーが語る成功の秘訣』パンローリング、2001年）

Schwager, Jack D. *The New Market Wizards: Conversations with America's Top Traders.* New York: HarperBusiness, 1992.（ジャック・D・シュワッガー『新マーケットの魔術師――米トップトレーダーたちが語る成功の秘密』パンローリング、1999年）

Sherden, William A. *The Fortune Sellers*. New York: Wiley, 1998.（ウィリアム・A・シャーデン『予測ビジネスで儲ける人びと――すべての予測は予測はずれに終わる』ダイヤモンド社、1999年）

Slater, Robert. *Invest First, Investigate Later & 23 Other Trading Secrets of George Soros.* Chicago: Irwin, 1996.

Slater, Robert. *Soros: The Life, Times & Trading Secrets of the World's Greatest Investor.* New York: Irwin, 1996.（ロバート・スレイター『ソロス――世界経済を動かす謎の投機家』早川書房、1995年）

Serwer, Andy. "Tech is King: Now Meet the Prince." *Fortune,* December 6, 1999.

Smith, Adam. "12 Minds that Made the Market." *Bloomberg Personal Finance,* December 1999.

Soros, George. *The Alchemy of Finance: Reading the Mind of the Market.* New York: Wiley, 1994.（ジョージ・ソロス『ソロスの錬金術』総合法令出版、1996年）

Soros, George. *Soros on Soros: Staying Ahead of the Curve.* New York: Wiley, 1995.

Soros, Tivadar. *Masquerade: Dancing Around Death in Nazi-Occupied Hungary.* New York: Arcade Publishing, 2001.

Spurgeon, Devon. "Envelope Please: Warren Buffett Hints at Successor." *Asian Wall Street Journal.* October 19, 2000.

Stanley, Thomas J., and William D. Danko. *The Millionaire Next Door.* Atlanta:

人なり 投資は価値なり――ウォーレン・バフェット』総合法令出版、1998年）

Lowenstein, Roger. *When Genius Failed: The Rise and Fall of Long-Term Capital Management.* New York: Random House, 2000.（ロジャー・ローウェンスタイン『天才たちの誤算――ドキュメントＬＴＣＭ破綻』日本経済新聞社、2001年）

Lynch, Peter. *Beating the Street.* New York: Simon & Schuster, 1994.（ピーター・リンチ 『ピーター・リンチの株式投資の法則――全米No.1ファンド・マネジャーの投資哲学』ダイヤモンド社、1994年）

Lynch, Peter. *One Up on Wall Street.* New York: Penguin, 1989.（ピーター・リンチ『ピーター・リンチの株で勝つ――アマの知恵でプロを出し抜け』ダイヤモンド社、2001年）

Mackay, Charles. *Extraordinary Popular Delusions and the Madness of Crowds.* New York: Noonday Press, 1974.（チャールズ・マッケイ『狂気とバブル――なぜ人は集団になると愚行に走るのか』パンローリング、2004年）

Malkiel, Burton G. *A Random Walk Down Wall Street.* New York: Norton, 1996.（バートン・G・マルキール『ウォール街のランダム・ウォーカー――株式投資の不滅の真理』日本経済新聞社、2004年）

Miles, Robert P. *The Warren Buffett CEO: Secrets from the Berkshire Hathaway Managers.* New York: Wiley, 2002.（ロバート・P・マイルズ 『最高経営責任者バフェット～あなたも「世界最高のボス」になれる』パンローリング、2003年）

Neuberger, Roy R. *So Far, So Good – The First 94 Years.* New York: Wiley, 1997.

Niederhoffer, Victor. *The Education of a Speculator.* New York: Wiley, 1997.

Outstanding Investor Digest, various issues.

O'Loughlin, James, *The Real Warren Buffett.* London: Nicholas Brealey Publishing, 2002.

Palmer, Jay. “Market Mover.” *Barron's.* November 6, 1995.

Porter, Michael E. *Competitive Advantage, Creating and Sustaining Superior Performance.* New York: Free Press, 1985.（マイケル・E・ポーター『競争優位の戦略――いかに高業績を持続させるか』ダイヤモンド社、1985年）

Porter, Michael E. *Competitive Strategy: Techniques for Analyzing Industries and Competitors.* New York: Free Press, 1980.（マイケル・E・ポーター『競争の戦略』ダイヤモンド社、1995年）

Graham, Benjamin. *The Intelligent Investor.* 4th Revised Edition. New York: Harper & Row, 1973.（ベンジャミン・グレアム 『賢明なる投資家』パンローリング、2000年）

Graham, Benjamin, and David Dodd. *Security Analysis.* New York: McGraw-Hill, 1934.（ベンジャミン・グレアム、デイヴィッド・ドッド『証券分析』パンローリング、2002年）

Hagstrom, Robert G., Jr. *The Warren Buffett Portfolio.* New York: Wiley, 1999.（ロバート・G・ハグストローム『バフェットのポートフォリオ——全米No.1投資家の哲学とテクニック』ダイヤモンド社、1999年）

Hagstrom, Robert G., Jr. *The Warren Buffett Way: Investment Strategies of the World's Greatest Investor.* New York: Wiley, 1994.（ロバート・G・ハグストローム・ジュニア『株で富を築くバフェットの法則——全米NO.1資産家の投資戦略』ダイヤモンド社、1995年）

Kent, Robert W., ed. *Money Talks.* New York: Facts on File Publications, 1985.（ロバート・W・ケント『マネー・トーク——おカネのはなし』TBSブリタニカ、1987年）

Kilpatrick, Andrew. *Of Permanent Value: The Story of Warren Buffett.* Birmingham AL: AKPE, 1996.

Kilpatrick, Andrew. *Warren Buffett: The Good Guy of Wall Street.* New York: Primus, 1992.

Kroll, Stanley. *The Professional Commodity Trader.* New York: Harper & Row, 1974.

Lefèvre, Edwin. *Reminiscences of a Stock Operator.* Burlington VT: Fraser Publishing Co., 1980. （エドウィン・ルフェーブル『欲望と幻想の市場——伝説の投機王リバモア』 東洋経済新報社、1999年）

Littlewood, Nigel. *Rivkin's Rules.* Melbourne, Victoria: Information Australia, 2000.

Lowe, Janet. *Warren Buffett Speaks: Wit and Wisdom from the World's Greatest Investor.* New York: Wiley, 1997.（ジャネット・ロウ 『バフェットの投資原則——世界№１投資家は何を考え、いかに行動してきたか』ダイヤモンド社、2005年）

Lowe, Janet. *Value Investing Made Easy: Benjamin Graham's Classic Investment Strategy Explained for Everyone.* New York: McGraw Hill, 1996.

Lowenstein, Roger. *Buffett: The Making of an American Capitalist.* London: Weidenfeld & Nicolson, 1996.（ロジャー・ローウェンスタイン『ビジネスは

参考文献

Allen, Frederick. *Secret Formula: How Brilliant Marketing and Relentless Salesmanship Made Coca-Cola the Best-Known Product in the World.* New York: HarperBusiness, 1994.

Baruch, Bernard. *My Own Story*. New York: Holt, Rinehart & Winston, 1957.

Berkshire Hathaway Annual Reports. Omaha: Berkshire Hathaway, various dates.

Berkshire Hathaway Inc. Letters to Shareholders, 1977-1986. Omaha: Berkshire Hathaway, nd.

Berkshire Hathaway Inc. Letters to Shareholders, 1987-1995. Omaha: Berkshire Hathaway, nd.

Bianco, Anthony. "The Warren Buffett You Don't Know." *Business Week*. July 5, 1999.

Browne, Harry. *Why the Best-Laid Investment Plans Usually Go Wrong*. New York: Morrow, 1987.

Buffett, Mary, and David Clark. *Buffettology: The Previously Unexplained Techniques That Have Made Warren Buffett the World's Most Famous Investor.* New York: Rawson Associates, 1997.（メアリー・バフェット、デイヴィッド・クラーク『億万長者をめざすバフェットの銘柄選択術』日本経済新聞社、2002年）

Carret , Philip L. *The Art of Speculation.* New York: Wiley, 1997.

Chatman , Seymour, ed. *Benjamin Graham: The Memoirs of the Dean of Wall Street*. New York: McGraw-Hill, 1996.

Coxon, Terry. *Keep What You Earn.* New York: Times Business, 1996.

Csikszentmihalyi, Mihaly. *Flow: The Psychology of Optimal Experience.* New York: Harper Perennial, 1990.

Edwards, Robert D., and John Magee. *Technical Analysis of Stock Trends.* Boston: John Magee Inc., 1966.（ロバート・D・エドワーズ、W・H・C・バセッティ、ジョン・マギー『マーケットのテクニカル百科』入門編・実践編、パンローリング、2004年）

Fisher, Philip A. *Common Stocks and Uncommon Profits and other writings.* New York: Wiley, 1996.（フィリップ・A・フィッシャー『フィッシャーの「超」成長株投資――普通株で普通でない利益を得るために』フォレスト出版、2000年）

13. Tanous, *op. cit.,* p.65.
14. Schwager, *Market Wizards*, *op. cit.,* pp.44-45.
15. *ibid.,* pp.138-139.
16. Tanous, *op. cit.,* p.148.
17. Peter Lynch, *op. cit.,* p.11.

第25章　自分でつくったものを食べろ

1. Soros, *Alchemy, op. cit.,* p.144.

第26章　天賦の才が必要？

1. Lowenstein, *op. cit.,* p.311.
2. Slater, *op. cit.,* p.66.
3. Miles, *op. cit.,* p.131.
4. Kilpatrick, *op. cit.,* p.671.
5. *ibid.,* p.30.
6. Kaufman, *op. cit.,* p.94.

第28章　投資目的をはっきりさせる

1. Kilpatrick, *op. cit.,* p.673.
2. Buffett, 2000 Letter to Shareholders, p.19.
3. Lowenstein, *op. cit.,* p.202.
4. Schwager, *New Market Wizards, op. cit.,* p.202.
5. Lowe, *op. cit.,* p.69.
6. Kaufman, *op. cit.,* p.80.

第29章　あなたは何を測るのか

1. "Meg and the Machine," *Fortune,* August 11, 2003.
2. Schwager, *Market Wizards*, *op. cit.,* p.167.
3. Buffett, 1993 Letter to Shareholders, p.136.
4. Harry Browne, *Why the Best-Laid Investment Plans Usually Go Wrong* (Morrow, New York, 1987), p.242.
5. *ibid.,* p.248.

第30章　無意識的能力を高める

1. John Train, *op. cit.,* p.220.
2. Kent, *op. cit.,* p.152
3. Schwager, *New Market Wizards, op. cit.,* p.133.
4. Buffett, 2001 Letter to Shareholders, p.9.

第31章　思っているより簡単

1. Hagstrom, *op. cit.,* p.225.

第22章　金を払ってでもこの仕事をしたい

1. www.time.com/time/asia/asia/magazine/1998/981123/spotlight.html
2. Kilpatrick, *op. cit.,* p.632.
3. Soros, Alchemy, *op. cit.,* p.12.
4. Warren Buffett, "1992 Letter to Shareholders," *Letters to Shareholders, 1987-1995,* p.108.
5. Lowenstein, *op. cit.,* p.20.
6. Kilpatrick, *op. cit.,* p.669.
7. Warren Buffett, Berkshire Hathaway Annual Meeting, 2000.
8. *Berkshire Hathaway Annual Report,* 2003.
9. Kaufman, *op. cit.,* p.148.
10. "The Man Who Moves Markets," *op. cit.*
11. www.ixpres.com/twolff/moneyquotes.htm
12. Kaufman, *op. cit.,* p.122.
13. Soros, Alchemy, *op. cit.,* p.13.
14. Soros, *Soros on Soros*, *op. cit.,* p.246.
15. Soros, Alchemy, *op. cit.,* p.302.
16. Soros, *Soros on Soros*, *op. cit.,* p.196.
17. *ibid.,* pp.244-245.
18. Kaufman, *op. cit.,* p.323.
19. Soros, Alchemy, *op. cit.,* p.23.

第23章　その道の達人

1. Warren Buffett, "1989 Letter to Shareholders," *Letters to Shareholders, 1987-1995,* p.63.
2. Kilpatrick, *op. cit.,* p.67.
3. Mihaly Csikszentmihalyi, *Flow: The Psychology of Optimal Experience* (Harper Perennial, New York, 1990).
4. Train, *The Midas Touch*, *op. cit.,* p.95.
5. *The Sunday Times,* London, March 14, 1993.
6. Robert P. Miles, *The Warren Buffett CEO* (Wiley, New York, 2002), p.108.
7. Schwager, *Market Wizards, op. cit.,* p.254.
8. Scott Sterling Johnston, Tanous, *Investment Gurus*, *op. cit.,* p.150. より。
9. Reynolds, *op. cit.*

第24章　それが人生だ

1. Kilpatrick, *op. cit.,* p.113.
2. John Train, *Money Masters of Our Time, op. cit.,* p.156.
3. Lowenstein, *op. cit.,* p.92.
4. Lowenstein, *op. cit.,* p.149.
5. Lowe, *op. cit.,* p.98.
6. Schwager, *Market Wizards*, *op. cit.,* p.30.
7. Kaufman, *op. cit.,* p.86.
8. *ibid.,* p.86.
9. www.johnbudden.com/quotes.htm.
10. Schwager, *Market Wizards*, *op. cit.,* p.165.
11. Miles, *op. cit.,* p.61.
12. www.rivkininstitute.com.au.

p.194.
16. *ibid.,* p.194.
17. Soros, *Soros on Soros*, *op. cit.,* p.86.
18. www.anecdotage.com/index.php?aid=4595
19. Kaufman, *op. cit.,* p.128.
20. *ibid.,* p.128.

第20章 インチキだ! インチキだ! インチキだ!

1. Hagstrom, *op. cit.,* pp.172-173.
2. Soros, *Soros on Soros*, *op. cit.,* p.17.
3. Lowe, *op. cit.,* pp.102-103.
4. Lowenstein, *op. cit.,* p.256.
5. Michael Goldberg, "The Warren Buffett You Don't Know, " *Business Week,* July 5, 1999, p.58. での引用。
6. Berkshire Hathaway Annual Meeting, 2000.
7. Kilpatrick, *op. cit.,* pp.415-416.
8. Devon Spurgeon, "Envelope Please: Warren Buffett Hints at Successor," *Asian Wall Street Journal*, October 19, 2000, p.11.
9. Anthony Bianco, "The Warren Buffett You Don't Know," *Business Week,* July 5, 1999, p.58.
10. Soros, *Soros on Soros*, *op. cit.,* p.18.
11. *ibid.,* p.52.
12. *ibid.,* p.21.
13. *ibid.,* p.58.
14. *ibid.,* p.55.
15. *ibid.,* p.53.
16. Kaufman, *op. cit.,* p.141.
17. Soros, *Soros on Soros*, *op. cit.,* p.18.
18. Kaufman, *op. cit.,* p.230.
19. Soros, *Soros on Soros*, *op. cit.,* p.62.
20. Brent Schlender, "The Bill and Warren Show," *Fortune,* July 20, 1998, p.46.
21. *Berkshire Hathaway Annual Report,* 2003.
22. Kent, *op. cit.,* p.212.

第21章 いくら稼ごうが支出を減らせ

1. Soros, *Soros on Soros*, *op. cit.,* p.246.
2. Reynolds, *op. cit.*
3. Kaufman, *op. cit.,* p.205.
4. *ibid.,* p.206.
5. Soros, *Soros on Soros*, *op. cit.,* pp.53-54.
6. Kilpatrick, *op. cit.,* p.647.
7. Warren Buffett, "1990 Letter to Shareholders," *Letters to Shareholders, 1987-1995,* p.78.
8. Warren Buffett, "1984 Letter to Shareholders," *Letters to Shareholders, 1977-1986,* p.87.
9. Kilpatrick, *op. cit.,* p.537.
10. Lowenstein, *op. cit.,* p.75.

Inc., Omaha, Nebraska, 1996), p.8.
5. Soros, *Soros on Soros*, *op. cit.,* p.11.
6. Kaufman, *op. cit.,* p.100.
7. *ibid.,* p.100.
8. Warren Buffett, "1991 Letter to Shareholders," *Letters to Shareholders, 1987-1995,* p.102.
9. Kilpatrick, *op. cit.,* p.418.
10. Warren Buffett, "1991 Letter to Shareholders," *Letters to Shareholders, 1987-1995,* p.102.
11. Soros, *Soros on Soros*, *op. cit.,* p.249.
12. *ibid.,* p.45.
13. *ibid.,* p.12.
14. *ibid.,* p.12.
15. Warren Buffett, "1995 Letter to Shareholders," *Letters to Shareholders, 1987-1995,* p.172.
16. Fisher, *op. cit.,* p.68.
17. Outstanding Investor Digest, *op. cit.,* p.44.

第18章　望むだけでは得られない

1. Kent, *op. cit.,*, p.195.
2. *ibid.,* p.174.
3. *ibid.,* p.323.
4. Lowenstein, *op. cit.,* p.28.
5. *ibid.,* p.32.
6. *ibid.,* p.12.
7. Lowe, *op. cit.,* p.88.
8. Lowenstein, *op. cit.,* p.46.
9. *ibid,* p.54.
10. Soros, *Soros on Soros*, *op. cit.,* pp.36-37.
11. *ibid.,* p.44.
12. Kilpatrick, *op. cit.,* p.682.
13. Roger Lowenstein, *When Genius Failed: The Rise and Fall of Long-Term Capital Management* (Random House, New York, 2000), p.128.
14. Peter Tanous, *Investment Gurus* (New York Institute of Finance, New York, 1997), p.163.
15. Lowenstein, *Buffett, op. cit.,* p.234.

第19章　黙って仕事をしろ

1. Lowenstein, *op. cit.,* p.64.
2. John Train, *The Midas Touch* (Perennial/Harper & Row, New York, 1987), p.70.
3. Kilpatrick, *op. cit.,* pp.66-67.
4. Train, *The Money Masters, op. cit.,* p.10.
5. Lowenstein, *op. cit.,* pp.84-85.
6. Kilpatrick, *op. cit.,* p.400.
7. Warren Buffett, "1983 Letter to Shareholders," *Letters to Shareholders, 1977-1986,* p.66.
8. Lowenstein, *op. cit.,* p.51.
9. Kaufman, *op. cit.,* p.158.
10. *ibid.,* p.126.
11. Slater, *op. cit.,* p.139.
12. Kaufman, *op. cit.,* p.158.
13. Jay Palmer, "Market Mover", *Barron's,* November 6, 1995, p.33.
14. ibid.
15. Train, *Money Masters, op. cit.,*

Manager," *Institutional Investor,* June 1981, pp.39-45.
3. Slater, *op. cit.,* p.79.
4. Warren Buffett, "1990 Letter to Shareholders," *Letters to Shareholders, 1987-1995,* p.77.
5. Outstanding Investor Digest (Berkshire Hathaway reprint, Vol. XIII, Nos. 3 & 4, September 24, 1998), p.47.
6. Soros, *Soros on Soros*, *op. cit.,* p.17.
7. Reynolds, *op. cit.*
8. Slater, *op. cit.,* p.65.
9. Reynolds, *op. cit.*
10. Schwager, *Market Wizards*, *op. cit.,* p.286.

第13章　引き金を引く

1. Outstanding Investor Digest, *op. cit.,* p.47.
2. *ibid.,* p.48.
3. Kilpatrick, *op. cit.,* p.324.
4. Lowenstein, *op. cit.,* p.250.

第14章　買う前にいつ売るかを知る

1. Schwager, *Market Wizards*, *op. cit.,* p.65.
2. Berkshire Hathaway Annual Meeting, 2002.

第15章　自分のシステムを疑うなかれ

1. Schwager, *Market Wizards*, *op. cit.,* p.160.
2. Schwager, *The New Market Wizards, op. cit.,* p.245.
3. *ibid.,* p.291.
4. *ibid.,* p.119.

第16章　間違いを認める

1. "The Man Who Moves Markets," *op. cit.*
2. Warren Buffett, "1992 Letter to Shareholders," *Letters to Shareholders, 1987-1995,* p.117.
3. Berkshire Hathaway Annual Meeting, 2000.
4. Warren Buffett, "1985 Letter to Shareholders," *Letters to Shareholders, 1977-1986,* p.106.
5. Kaufman, *op. cit.,* p.98.
6. Warren Buffett, "1989 Letter to Shareholders," *Letters to Shareholders, 1987-1995,* p.62.
7. Lowenstein, *op. cit.,* p.67.
8. *ibid.,* p.76.
9. Warren Buffett, "1981 Letter to Shareholders," *Letters to Shareholders, 1977-1986,* p.42.
10. Hagstrom, *op. cit.,* p.84.
11. Soros, Alchemy, *op. cit.,* p.305.

第17章　間違いに学ぶ

1. www.capitalideasonline.com/quotes/oct2002.htm
2. Schwager, *Market Wizards*, *op. cit.,* p.123.
3. Hagstrom, *op. cit.,* p.220.
4. Warren Buffett, *An Owner's Manual* (Berkshire Hathaway,

2. Lowe, p.160.
3. Slater, *op. cit.,* p.159.
4. Schwager, *New Market Wizards, op. cit.,* pp.207-208.
5. Andy Serwer, "Tech is King: Now Meet the Prince," *Fortune,* December 6, 1999, p.45.
6. Bernard Baruch, *My Own Story* (Holt, Rinehart & Winston, New York, 1957), p.256.
7. Slater, *op. cit.,* pp.103-104.
8. Schwager, *New Market Wizards, op. cit.,* p.207.
9. Warren Buffett, "1990 Letter to Shareholders," *Letters to Shareholders, 1987-1995,* p.79.

第８章　稼いだ１セントも節約した１セントも同じ

1. Siimon Reynolds, *Thoughts of Chairman Buffett: Thirty Years of Unconventional Wisdom from the Sage of Omaha* (HarperBusiness, New York, 1998).
2. Kilpatrick, *op. cit.,* p.408.
3. Warren Buffett, "1989 Letter to Shareholders," *Letters to Shareholders, 1987-1995,* p.46.
4. Soros, *Soros on Soros, op. cit.,* p.62.
5. *ibid.,* p.244.
6. www.cs.rpi.edu/~thaps/quotes.html

第９章　自分の流儀に専念する

1. Graham, *Intelligent Investor, op. cit.,* p.286.
2. Warren Buffett, "1982 Letter to Shareholders," *Letters to Shareholders, 1977-1986,* p.53.
3. Schwager, *Market Wizards*, *op. cit.,* p.315.
4. Lowenstein, *op. cit.,* p.234.
5. www.nyse.com July 31, 2004現在。
6. Lowe, *op. cit.,* p.120.

第10章　いつ「イエス」と言っていいかわからないなら、いつも「ノー」と言え

1. Kilpatrick, *op. cit.,* p.673.
2. Schwager, *Market Wizards*, *op. cit.,* p.181.
3. Kilpatrick, *op. cit.,* p.673.
4. Lowenstein, *op. cit.,* p.114.

第11章　Aから始めろ

1. Kilpatrick, *op. cit.,* p.472.
2. Kent, *op. cit.,* p.139.
3. Reynolds, *op. cit.*
4. Kilpatrick, *op. cit.,* p.670.
5. *ibid.,* p.27.
6. *ibid.,* p.417.
7. Reynolds, *op. cit.*
8. Soros, *Soros on Soros*, *op. cit.,* pp.40-41.
9. *ibid.,* p.41.
10. Soros, *Soros on Soros*, *op. cit.,* p.51-52.

第12章　することがないなら何もするな

1. Kilpatrick, *op. cit.,* pp.672-673.
2. "The World's Greatest Money

Business Week, August 23, 1993, pp.50-60.
23. *The Observer,* January 16, 1994.
24. Soros, *Alchemy, op. cit.,* p.1.
25. *ibid.,* p.8.
26. Soros, *Soros on Soros, op. cit.,* p.71.
27. George Soros, "The Case for Mortgage Trusts," *The Alchemy of Finance, op. cit.,* p.62.
28. Soros, *Alchemy, op. cit.,* p.62.
29. *ibid.,* p.63.
30. Kaufman, *op. cit.,* p.132.
31. Warren Buffett, "1993 Letter to Shareholders," *Letters to Shareholders, 1987-1995,* p.126.

第６章　測ったものが自分自身だ

1. Schwager, *New Market Wizards, op. cit.,* p.248.
2. Schwager, *Market Wizards, op. cit.,* p.159.
3. Schwager, *New Market Wizards, op. cit.,* p.99.
4. Charlie Munger, Berkshire Hathaway Annual General Meeting 2000.
5. Slater, *op. cit.,* pp.67-68.
6. Soros, *Soros on Soros*, *op. cit.,* p.79.
7. *ibid.,* pp.79-80.
8. *ibid.,* p.81.
9. *ibid.,* p.81.
10. Kaufman, *op. cit.,* p.239.
11. Schwager, *New Market Wizards, op. cit.,* p.208.
12. Warren Buffett, "1993 Letter to Shareholders," *Letters to Shareholders, 1987-1995,* p.136.
13. Warren Buffet, "Chairman's Letter to Shareholders," *2000 Berkshire Hathaway Annual Report,* p.3.
14. Frederick Allen, *Secret Formula: How Brilliant Marketing and Relentless Salesmanship Made Coca-Cola the Best-Known Product in the World* (HarperBusiness, New York, 1994), p.390.
15. Warren Buffett, Berkshire Hathaway Annual Meeting, 2000.
16. Hagstrom, *op. cit.,* p.80.
17. Warren Buffett, Berkshire Hathaway Annual Meeting, 2000.
18. Allen, *op. cit.,* p.390.
19. Warren Buffett, "1990 Letter to Shareholders," *Letters to Shareholders, 1987-1995,* p.81.
20. Lowenstein, *op. cit.,* p.330.
21. *ibid.,* p.132.
22. *The Wall Street Journal,* July 7, 1987.
23. Slater, *op. cit.,* p.68.
24. Lowenstein, *op. cit.,* p.135.
25. *Berkshire Hathaway Annual Report,* 2002.

第７章　それでポジションのつもりか？

1. Schwager, *New Market Wizards, op. cit.,* p.207.

第4章　ソロスはリスクをとらない？

1. Janet Lowe, *Warren Buffett Speaks* (Wiley, New York, 1997), p.105.
2. Robert G. Hagstrom, Jr., *The Warren Buffett Way* (Wiley, New York, 1994), pp.94-95.
3. Jack Schwager, *Market Wizards*, *op. cit.,* p.186.
4. Slater, *op. cit.,* p.60.
5. *ibid,* p.175.
6. Lowe, *op. cit.,* p.106.
7. Kaufman, *op. cit.,* p.143.
8. Slater, *op. cit.,* p.147.
9. Kaufman, *op. cit.,* p.143.
10. Michael Steinhardt, *No Bull: My Life In and Out of Markets* (Wiley, New York, 2001), p.176.
11. Nassim Nicholas Taleb, *Fooled by Randomness* (Texere, New York, 2001), p.189.
12. Warren Buffett, "1982 Letter to Shareholders," *Letters to Shareholders, 1977-1986,* p.61.
13. Benjamin Graham, *The Intelligent Investor,* 4th ed. (Harper & Row, New York, 1993), p.284.

第5章　市場はいつも間違っている

1. Robert W. Kent, ed., *Money Talks* (Facts on File Publications, New York, 1985), p. 42.
2. Warren Buffett, "1990 Letter to Shareholders," *Letters to Shareholders, 1987-1995* (Berkshire Hathaway, Omaha, nd), p.79.
3. Van Tharp, *Trade Your Way to Financial Freedom* (McGraw-Hill, New York, 1999), p.64.
4. Lowe, *op. cit.,* p.93.
5. Kilpatrick, *op. cit.,* p.56.
6. Warren Buffett, "1987 Letter to Shareholders," *Letters to Shareholders, 1987-1995*, p.12.
7. Benjamin Graham and David Dodd, *Security Analysis,* 1934 Edition (McGraw-Hill, New York, 1984), p.493.
8. Lowenstein, *op. cit.,* pp.67-68.
9. *ibid.,* p.80.
10. Philip A. Fisher, "Developing an Investment Philosophy," *Common Stocks and Uncommon Profits* (Wiley, New York, 1996), p.209.
11. *ibid.,* p.211.
12. *ibid.,* p.210.
13. *ibid.,* pp.208-209.
14. *ibid.,* p.209.
15. Adam Smith, "12 Minds that Made the Market," *Bloomberg Personal Finance,* December 1999, p.71.
16. Fisher, *op. cit.,* p.85.
17. *ibid.,* p.231.
18. Hagstrom, *op. cit.,* p.47.
19. Soros, *Soros on Soros, op. cit.,* p.33.
20. Adam Smith のテレビ番組より。
21. Soros, *Soros on Soros, op. cit.,* p.48.
22. "The Man Who Moves Markets,"

原　注

私が引用した文章がどの本や論文に掲載されていたかがわかるようにしてある。興味がなければ、失うものは何もないので無視してもらってかまわない。

第２章　投資の７つの大罪

1. "Are Stocks Too High?" *Fortune,* September 18, 1987, pp.28-40.
2. George Soros, *The Alchemy of Finance* (Wiley, New York, 1994), p.301.
3. Warren Buffett, "1981 Letter to Shareholders," *Letters to Shareholders, 1977-1986* (Berkshire Hathaway, Omaha, nd), p.33.
4. John Train, *The Midas Touch*, (Harper & Row, New York, 1988), p.83.
5. Roger Lowenstein, *Buffett: The Making of an American Capitalist* (Weidenfeld & Nicolson, London, 1996), p.111.
6. Warren Buffett, Berkshire Hathaway Annual General Meeting, April 29, 2000.
7. "While Stocks Slide, Wall Street Binges on Pay and Perks," *Asian Wall Street Journal*, September 19, 2000, p.8.

第３章　持っているものを守れ

1. George Soros, *Soros on Soros* (Wiley, New York, 1995), p.61.
2. Jack Schwager, *Market Wizards* (New York Institute of Finance, New York, 1989), p.189.
3. Soros, *The Alchemy of Finance, op. cit.,* pp.12-13.
4. Soros, *Soros on Soros*, *op. cit.,* p.26.
5. Tivadar Soros, *Masquerade: Dancing Around Death in Nazi-Occupied Hungary* (Arcade Publishing, New York, 2001), p.71.
6. *ibid.,* p.69.
7. *ibid.,* p.74.
8. Soros, *Soros on Soros, op. cit.,* pp.28-29.
9. *ibid.,* p.29.
10. Michael T. Kaufman, *Soros: The Life and Times of a Messianic Billionaire* (Knopf, New York, 2002), p.127.
11. *ibid.,* p.5.
12. Lowenstein, *op. cit.,* p.20.
13. *ibid., op. cit.,* p.87.
14. Andrew Kilpatrick, *Of Permanent Value: The Story of Warren Buffett* (AKPE, Birmingham, Alabama, 1996), p.59.

［著者］
マーク・ティアー（Mark Tier）
オーストラリア生まれの著述家・起業家。「税金を支払うのは自分の宗教に反するということもあって」、現在は香港在住。1991年まで投資ニューズレター『ワールド・マネー・アナリスト』を発行していた。タイム誌、ザ・オーストラリアン紙、サウス・チャイナ・モーニング・ポスト紙等に投資その他に関する記事を多数掲載している。オーストラリア国立大学経済学部卒業、神経言語プログラミングのマスター・プラクティショナー。
1998年、自らウォーレン・バフェットおよびジョージ・ソロスの「成功する投資の習慣」を身につけ、事業をすべて売却。現在では投資による利益で暮らす。また、投資成果を改善したいと願う投資家たちを指導する傍ら、テニスに勤しんでいる。

［訳者］
望月衛（もちづき・まもる）
京都大学経済学部卒業、コロンビア大学ビジネス・スクール修了。大和證券（株）を経て、現在大和証券投資信託委託（株）審査部で投資信託のリスク管理、パフォーマンス評価、およびデリバティブの評価・分析等に従事。CFA、CIIA。訳書に『まぐれ』（ダイヤモンド社）、『クレジット・デリバティブ』（東洋経済新報社）、『バブル学』（日本経済新聞社）、共訳に『大投資家ジム・ロジャーズが語る商品の時代』（日本経済新聞社）、『天才数学者、株にハマる』（ダイヤモンド社）等がある。

バフェットとソロス　勝利の投資学
――最強の投資家に共通する23の習慣

2005年9月29日　第1刷発行
2025年3月7日　第21刷発行

著　者――マーク・ティアー
訳　者――望月衛
発行所――ダイヤモンド社
〒150-8409　東京都渋谷区神宮前6-12-17
https://www.diamond.co.jp/
電話／03･5778･7233（編集）　03･5778･7240（販売）
装丁――――重原隆
製作進行――ダイヤモンド・グラフィック社
印刷――――勇進印刷
製本――――ブックアート
編集担当――中嶋秀喜

ISBN 4-478-63110-7